# Николай
# ЛЕОНОВ

## Алексей
## МАКЕЕВ

# МЯТЕЖНЫЙ
# ДАЛЬНОБОЙЩИК

Москва

2017

УДК 821.161.1-312.4
ББК 84(2Рос=Рус)6-44
Л47

Оформление серии художников *Г. Саукова, В. Щербакова*

Иллюстрация художника *В. Петелина*

Серия основана в 1993 году

**Леонов, Николай Иванович.**

Л47    Мятежный дальнобойщик / Николай Леонов, Алексей Макеев. — Москва : Издательство «Э», 2017. — 384 с.— (Черная кошка).

ISBN 978-5-699-93902-2

Жестокое убийство Ольги Яропольцевой всколыхнуло общественность. Главный подозреваемый — Максим, муж убитой, ветеран спецподразделений. Оставив на месте преступления поддельный паспорт, он скрылся. Поиск преступника поручен полковникам МУРа Гурову и Крячко. Внимательно изучив обстоятельства дела, опытные сыщики пришли к выводу: Яропольцев жену не убивал, кому-то было выгодно его подставить. Оперативники начинают проверку последнего места работы Максима и понимают: в поиске беглеца, кроме полиции, заинтересованы и очень серьезные криминальные структуры, с которыми у бывшего спецназовца личные счеты.

УДК 821.161.1-312.4
ББК 84(2Рос=Рус)6-44

# Мятежный дальнобойщик

## ПОВЕСТЬ

## Глава 1

Тихие московские улицы, окрашенные первыми утренними лучами солнца, выглядели загадочно и немного романтично. Листва парковой зоны, едва начавшая желтеть, ничуть не портила впечатления. Напротив, добавляла сонным улицам своеобразный колорит. Молодой симпатичный блондин спортивного телосложения пружинящей походкой двигался по прямой вдоль центральной аллеи. Он шел налегке. Ни спортивной сумки, ни солидного портфеля, которые могли дать пищу для размышлений о цели столь поздней или ранней прогулки. На лице его блуждала улыбка. Ему оставалось пройти всего пару кварталов. А там — покой и пусть временное, но умиротворение. Что значит физическая усталость по сравнению с тем, что ждало его уже за следующим поворотом?

Случайным прохожим показалось бы, что вот идет человек, абсолютно довольный жизнью. Но в этот предутренний час москвичи предпочитали нежиться в теплых постелях, добирая остатки сна перед утомительным рабочим днем. Первые пешеходы появятся лишь через час, когда начнет свою кипучую деятельность столичный метрополитен. Горожане, предпочитающие мариноваться в автомобильных пробках, активизируются чуть позже. Даже владельцы породистых представителей одомашненной фауны и те только-только продирают глаза, разбуженные нетерпеливыми питомцами.

Некому было разделить радость бытия с одиноким путником. Он улыбался сам себе. Для самого себя.

Парковая аллея осталась далеко позади. Ее сменили плотные ряды городских застроек. Путь приближался к своему логическому завершению. Последний поворот, и он дома. Не сбавляя шага, молодой человек завернул за угол и тут же отскочил обратно. По спине побежал холодок, пальцы непроизвольно сжались в кулаки, все чувства обострились. Он замер, прижавшись спиной к кирпичной стене здания, еще хранившей тепло былого дня. Прислушался. Тишина. Ни звука, ни шороха. Ничего, что предвещало бы беду. Но молодой человек понял: беда уже пришла. Жестокая, коварная, безжалостная.

«Что? Почему? Мы же договаривались: свет всегда, при любом раскладе, кроме... Неужели началось? — Блаженная улыбка, сопровождавшая молодого человека всю дорогу, исчезла в мгновение ока. — Значит, домой нельзя. Значит, уже поздно. А что, если нет? Мало ли? Лампочка перегорела, электричество отключили. Нет! В любом случае она нашла бы возможность предупредить. Телефон. Да, с мобильником проблемы, уговор был только в крайнем случае. А это не крайний? Или... ох, об этом даже думать не хочется. Соображай, парень, принимай решение, пока не стало поздно».

Он осторожно выглянул из-за угла. Так и есть. В окнах темень. А во дворе пусто. К добру или к худу? Но сердце подсказывало: к худу, парень, к худу. И дело не только в темных окнах. Дело в том леденящем холоде, что сковал твое сердце, и ты прекрасно об этом знаешь. Инстинкты, дремавшие долгие годы, обострились за последние недели до того предела, когда даже мизерная опасность ощущается холкой. И все же нельзя уйти, не убедившись. Как это сделать? Да просто шагнуть из затененного угла на свет, и сразу все прояснится. Вопрос в том, кто после этого окажется быстрее. Готов ли ты испытать судьбу снова? Он был готов. Ради нее — готов.

Молодой человек вдохнул в легкие побольше воздуха и сделал шаг. Один малюсенький шажок. А глаза лихорадочно обшаривали двор. Долго ждать не пришлось. Как только дворовый фонарь выхватил парня из тьмы, от подъезда метнулась фигура, сбоку, из кустов сирени, вторая. «Ах, чтоб вас! — мысленно выругался он и рванул обратно, под спасительную тень соседнего дома. — Все, гадать нечего. Теперь главное — действовать по плану и не паниковать. У тебя все просчитано. Давай быстрей делай ноги!» Он в последний раз оглянулся на ставший родным двор и бросился прочь. Сзади грохотали башмаки преследователей, заставляя выкладываться по максимуму.

К городской аллее молодой человек не побежал, слишком предсказуемо. Вместо этого, как было спланировано ранее, метнулся в соседний двор. На первый взгляд двор выглядел глухим, но он знал то, о чем, надеялся, не знают преследователи, — узкий лаз за металлическим гаражом. Туда-то и направился беглец, стараясь издавать как можно меньше шума. У самого гаража его ждал неприятный сюрприз в виде коренастого бритоголового громилы. Молодой человек сбавил скорость, поняв, что тщательно спланированный побег летит в тартарары. «Как? Как они могли догадаться? Неужели сдала? Да нет! Не может быть! Она и сама толком не знала, что задумано. — Мысли в голове проносились со скоростью света. — А что, если ее пытали? Нет. Ерунда. Она ничего не знает. Они ее не тронули. Все. Не думай об этом сейчас. Думай о том, что промедление дает твоим преследователям дополнительную фору. А ты в этой форе нуждаешься гораздо больше их».

Громила же не спешил сойти с места. Он стоял в свете восходящего солнца и гаденько ухмылялся. И действительно, чего ему не ухмыляться, если все козыри у него? Нет, так задешево он свою шкуру не отдаст. Оботритесь, братки! Внезапно в голову пришло решение. Скривив рот в жалком оскале, парень начал двигаться на громилу, заискивающе лепеча:

— Я все понял. Только не бейте. Я все отдам, вам не о чем беспокоиться.

— Кто бы сомневался, — басисто захохотал тот. — И отдашь, и отработаешь. Если жив останешься.

— Не губите! Бес попутал, — продолжал лепетать молодой человек. — Дайте шанс, я все исправлю.

— Шанс тебе? Да хоть дюжину. Вот босса моего ублажишь и получишь этих шансов целый чемодан, — снова рассмеялся громила.

Молодой человек подошел вплотную к нему и, протянув вперед руки, покорно произнес:

— Вот. Вяжите. Я сопротивляться не стану.

— На черта ты мне сдался, вязать тебя? Вон ребята подоспели, они и окрутят, — довольный своим превосходством, проговорил громила.

Краем глаза парень уловил движение в дальнем конце двора. Подкрепление прибыло слишком быстро. Придется действовать напролом.

— Как скажете. Они так они, — пожав плечами, обреченно прошептал он и, вдруг ловко поднырнув под правую руку громилы, сцепленными в замок ладонями нанес сзади сокрушительный удар по его массивной шее.

Такого поворота событий громила явно не ожидал. Он громко крякнул и повалился лицом вниз, а парень, нырнув в спасительный лаз, кинулся прямиком к соседнему забору. Там должна быть лестница. Если успеть перемахнуть через забор и втянуть лестницу, считай, ты на коне. Пробежав пару метров, молодой человек застыл как вкопанный. Лестницы не было! «Да что ж это за напасть такая! Куда она могла запропаститься? Стоп! Без паники. Ты просто впопыхах перепутал направление. Давай обратно!» Дав себе мысленную команду, он молнией пронесся мимо лаза и помчался вдоль забора в противоположную сторону. Лестница стояла там, где еще месяц назад он сам ее устанавливал. Подъем наверх занял считаные секунды. Оседлав трехметровый кирпичный забор, парень начал подтягивать лестницу вверх, и в этот момент из лаза показался первый преследователь.

— Вот он, на заборе, — вполголоса произнес он, обращаясь к своим приятелям. — Сейчас я его сниму. — И в его руке блеснул вороненый ствол.

— Стой, дурила! Забыл приказ? Без лишней шумихи, и так возьмем, — одернул его тот, что шел следом.

Молодой человек перевел дыхание и сбросил лестницу по другую сторону забора. Следом за ней полетел и сам. Три метра — невелика высота, однако ноги ощутили ее не хило. Приземлившись, он едва удержал равновесие. Некоторое время балансировал, стараясь обрести вертикальное положение, а когда это удалось, не стал мешкать. Два квартала бежал, не оглядываясь, все ждал, когда преследователи появятся на горизонте, кирпичный забор не был настолько длинным, чтобы они не смогли его обойти. Но преследователей не было. «Где они? Почему нет погони? Кто-то спугнул или готовят ловушку там, где не ожидаю? А, все равно. Нет, значит, повезло. Радуйся тому, что имеешь».

По городским улицам он петлял еще с час. Преследователи больше не объявлялись. То ли запал остыл, то ли планы изменились, его это не особо волновало. Больше всего сейчас беспокоил вопрос, как, не вызывая подозрений, забрать приготовленное? Место для этого было выбрано людное, но не в этот час. Нет, не в этот. Еще бы пару часов, а их-то как раз и нет. Нужно рвать когти. К тому же если она все-таки придет, то непременно к десяти. Так было условлено. А пока нужно переждать. Где? Очень просто — круглосуточные интернет-кафе, где никому ни до кого нет дела, идеальный вариант. Недалеко от тайника есть одно такое. Подберется поближе к сумке, выждет удобный момент, заберет припрятанное — и к месту встречи. Она придет. Обязательно придет.

В интернет-кафе, куда по воле случая забрел парень, было довольно многолюдно. Ночные геймеры еще не оставили своего поста. Для них сейчас было самое время. Вроде бы и деньги на исходе, но оставлять выигрышную партию никому неохота, вот и стараются. Кто за свои кровные, кто на папашины бабки, а кто и в долг. Чтобы особо не выделяться, он принял вид заядлого игрока и уткнулся в монитор, азартно барабаня всеми десятью пальцами по клавиатуре. На него никто не обращал внимания.

Два часа молодой человек старательно изображал из себя крутого геймера, после чего расплатился и неспешным шагом покинул игорное заведение. Пятнадцатиминутная прогулка принесла некоторое облегчение натянутым нервам. Он даже начал подумывать, что все еще может сложиться удачно. Но стоило ему выйти на площадь, с которой открывался вид на здание, где был устроен схрон, и сердце ухнуло в пятки. На крыльце стояла группа полицейских. Четверо, если быть точным. А на подъездной аллее выделялся спецокраской полицейский седан. «Не по мою ли душу? — тоскливо подумал парень. — При таком раскладе пытаться проникнуть внутрь незамеченным никак не удастся».

Он какое-то время понаблюдал за входом, надеясь на скорый отъезд полицейских, но те убираться не спешили. Молодой человек тяжело вздохнул и направился к Смоленской набережной. Там, у недавно установленного памятника Шерлоку Холмсу и доктору Ватсону, они с ней договорились встретиться.

На набережной он прождал до двенадцати. В полдень начал накрапывать дождь, набережная опустела. Больше ждать бессмысленно, пора было переходить к плану «Б». Молодой человек надвинул кепку поглубже на глаза и двинулся в сторону метро. Там, купив в киоске газету, он узнал правду о ней. А заодно и о себе. Новости в столице разносятся быстро.

— Лев Иваныч! Лев Иваныч! Да стойте же вы, наконец!
Скрипучие нотки в истерических криках женского голоса не оставляли сомнений в том, кому он принадлежит. По крайней мере, у старшего оперуполномоченного главка угрозыска полковника Гурова сомнений на этот счет уж точно не было. «Вот ведь привязалась, пиявка, — недовольно поморщился он, ускоряя ход. — Два шага до спасительного подъезда осталось. Так нет же, выловила, зараза. И чего ей от меня нужно?»
Столь нелицеприятной характеристики от полковника удостоилась соседка из первого подъезда, Зойка Перчихина. Когда-то она работала с женой Гурова, ведущей актрисой одного из лучших столичных театров. Нет, она не актерствова-

ла, подвизалась билетёршей. Но из-за пристрастия к зелёному змию, который, кстати, и посадил до мерзкого скрипа её некогда приятный голос, Перчихина была с позором уволена из театра. С тех пор она не оставляет жалких попыток насолить семейству Гурова, пытаясь опорочить доброе имя его жены или хотя бы уличить самого Гурова в тайных интрижках на стороне, будто в том, что с ней произошло, не её вина, а исключительно происки Марии Строевой, его дражайшей супруги. До сих пор воплотить свой коварный замысел в жизнь Перчихиной не удавалось, но сдаваться она не собиралась.

— Лев Иваныч, пожалейте мои старые больные ноги! — в последней надежде воззвать к милосердию высокопоставленного соседа завопила женщина. — Сил нет уже гнаться за вами.

После такого воззвания игнорировать вопли соседки полковник никак не мог, даже если она нагло врёт относительно своего возраста и состояния здоровья. Тяжело вздохнув, Гуров развернулся на сто восемьдесят градусов и пошёл навстречу голосившей женщине. Та несколько растерялась, видимо, не ожидая такого результата своих воплей, но всего лишь на какую-то долю секунды, потом, поняв, что на этот раз победа на её стороне, с невиданной для больной женщины прытью помчалась навстречу полковнику.

«Вот дурень старый, и чего ради я купился на её уловку? — досадливо поморщился Гуров, но на попятный идти было поздно. — Ладно. Выслушаю, чем порадует меня соседка, и спокойно отправлюсь домой». А Зойка Перчихина, поравнявшись с Гуровым, ухватила его за рукав форменного пиджака и запричитала:

— Ох, Лев Иваныч! Что в мире-то творится! Одна уголовщина ведь кругом. А кто защитит бедную одинокую женщину? Кто, я вас спрашиваю? Молчите? И правильно делаете. Нет нынче защиты ни для кого. И как дальше жить, ума не приложу.

Гуров слегка отстранился от соседки и вежливо спросил:

— У вас неприятности?

Перчихина вскинула на него ошеломленный взгляд и чуть ли не шепотом спросила:

— А вы что же, не в курсе?

— В курсе чего, простите? — несколько напрягся Лев.

Его жена, Мария, не звонила ему с самого утра. Это не было чем-то из ряда вон выходящим. Обычно они созванивались пару раз за день, но только если точно знали, что на это время ни у того, ни у другого нет каких-то особых рабочих планов. А сегодняшний день у Гурова был расписан по минутам. Дело о разбойном нападении на представителей сопредельного государства Белоруссии подошло к кульминационной развязке, отчего у полковника в прямом смысле не было ни одной свободной минутки. Да и у Маши в театре в связи с наступающим новым сезоном практически не было свободного времени. Репетиции, примерки, грим, вся эта театральная дребедень — до звонков ли тут? И вдруг перед порогом родного дома его встречает полоумная баба и твердит о том, как сложно женщине выжить без защиты и как нынче разгулялся криминал.

В памяти Гурова тут же всплыл случай, когда злоумышленники обманом заманили его в ночной клуб якобы для того, чтобы поделиться информацией о деле, которое он вел. Заманили, заперли в комнате для переговоров, а сами тем временем похитили Машу. Ассоциация сработала автоматически. Впившись в Перчихину пристальным взглядом, Гуров повторил вопрос:

— В курсе чего я должен быть?

Воодушевленная интересом полковника, Зойка принялась излагать:

— Да как же это? Вы ж в милиции работаете, а узнаете все в последнюю очередь! Убийство у нас произошло. Жестокое и кровавое. Просто оторопь берет, когда подумаешь, что этот убивец может среди нас находиться.

— Кого убили? — грубо оборвал причитания соседки Гуров, уже основательно взволновавшись.

Умом он понимал, случись что-то с его женой, он узнал бы

об этом первый, но ведь и на старуху бывает проруха. Вдруг кто-то не передал сообщения? Вдруг в самый ответственный момент он, Лев Иванович Гуров, находился, как это называют операторы сотовой связи, «вне зоны доступа» и пропустил важный звонок?

— Так я ж уже сказала, — озадаченно глядя на него, ответила Перчихина. — Жалко женщину. Такая красавица, умница и такой конец. И вам не сообщили...

Больше Гуров вопросов задавать не стал. Вместо этого он достал сотовый телефон и набрал номер жены. После трех длинных гудков в трубке послышался радостный голос супруги:

— А я тебя вижу. Ты в плену у Перчихиной. Выдвигаться на выручку или сам справишься?

У Льва сразу отлегло от сердца. С Машей все в порядке. И чего это он так разволновался? А все эта заноза Перчихина. Пропесочить бы ее как следует, чтобы людей не пугала!

— Подкрепления не требуется, — ласково произнес в трубку Гуров. — Готовь ужин, через пару минут буду.

— То есть как это «через пару минут»? — вскинулась Перчихина. — А кто убийство расследовать будет? А кто убийцу обезвреживать станет? Или пусть он тут нас всех перережет, а вам и дела нет? А еще полковник!

— При чем тут мое звание? — машинально спросил Гуров, пряча мобильник в карман.

— Как это при чем? Кому ж как не вам вставать на защиту одиноких женщин? — заверещала с новой силой Зойка. — Вы ж как-никак начальник. Целый полковник. В МУРе служите. Вот и ловите преступников. Или вам все до фени?

— Послушайте, Зоя, — терпеливо проговорил Гуров, — если у вас случились неприятности, обратитесь в местное отделение полиции. Там работают компетентные сотрудники, они окажут вам надлежащую помощь. А у меня и без ваших мелочей дел хватает.

— Убийство — это, по-вашему, мелочь? Что ж такое получается? Любой сбрендивший мужик может ворваться в мой дом, обесчестить меня, надругаться над моим телом, забрать мою бесценную жизнь, а вы тут вроде бы и не при делах? — не унималась Перчихина.

— Хорошо. Я вас выслушаю, — сдался наконец Лев. — Но если это дело не по моей части, то извиняйте. Вам все-таки придется прибегнуть к помощи других сотрудников полиции.

— По вашей, по вашей части, — обрадованно закивала Зойка.

— Докладывайте! — по-военному скомандовал Гуров.

— Соседку мою грохнули, муж ейный заколол ножом. Кухонным. А сам утек. И где его черти носят, никто из ваших хваленых полицейских сказать не может.

— Бытовуха, значит? — облегченно вздохнул Гуров. — Так тут и гадать нечего. Убил и сбежал. Можете на его счет не беспокоиться, больше он тут не появится.

— А вам откуда знать? Вдруг он ночью вернется? Вещички собрать или деньжатами разжиться, — не поверила Перчихина. — Я в одной книжке читала, что убийца именно так и поступил. Никто не верил, что он может вернуться, а он взял и заявился. А этот фрукт, между прочим, ни документы прихватить не успел, ни деньги.

— Откуда информация? — полюбопытствовал Гуров.

— Так я ж понятой была при обыске, — простодушно пояснила Перчихина. — Все видела, все слышала.

— А как убивали женщину, значит, не слышали? — съязвил Лев.

— Чего не слышала, того не слышала. И ведь что интересно, полночи не спала, а как эти оглоеды ругались — проморгала. Объяснение этому одно — муж ее так запугал, что она и перед лицом смерти рот открыть побоялась.

— Боюсь вас огорчить, но преступления на бытовой почве не в юрисдикции главка, — сообщил соседке Гуров. — Хотя для вашего успокоения могу пообещать взять этот вопрос под личный контроль. Неофициально, естественно, исключительно по-соседски. Завтра с утра переговорю с участковым и местными правоохранительными органами, попрошу, так сказать, отнестись к этому случаю с особым тщанием. Такой вариант вас устроит?

— Вот спасибо, Лев Иваныч! Вот уважил, сосед! Сразу видно, полковник, — залебезила Перчихина. — Вы уж не забудьте, посодействуйте. А то боязно теперь в подъезд входить. Там хоть все и опечатали, да я в кино видела, как легко эти уголовники с вашей опечаткой справляются. Придут, печать аккуратненько ножичком подрежут, сделают свое черное дело и на место ее пришпандорят. А я ведь на этаже единственная соседка этих охламонов. Не ровен час квартиры перепутают или от единственной свидетельницы избавиться решат.

— Значит, договорились. Завтра я узнаю, кто ведет расследование, и дам подробные инструкции, как следует действовать, чтобы поймать преступника по горячим следам, — поспешил откланяться Лев.

Вообще-то врать он не любил. И даже больше. Гуров был патологически честным человеком. И в жизни, и на службе. Но в случае с Перчихиной он вынужден был если не соврать, то преувеличить предполагаемые меры. Конечно, он зайдет в районный отдел полиции и выяснит, что же произошло в его доме, но наставлять и поучать никого не собирается. Даже в угоду соседке. Даже ради своего собственного спокойствия. Только вот Перчихиной это знать необязательно. Вон как она довольна результатом. Поскакала к подъезду, напрочь забыв о «больных» ногах и «преклонном» возрасте. Это она-то старая? Едва пятый десяток разменяла. Чего ж тогда ему от своего возраста ждать, если его годы ушли лет этак на десять вперед перчихинских? Все? На свалку? В крематорий? На такой расклад Гуров согласен не был. Он считал себя зрелым мужчиной, это да. Но старым? Нет, это не про него. Он еще молодым офицерам фору в спортзале даст, и ежегодно сдаваемые обязательные нормативы тому подтверждение. Придя к такому выводу, Гуров развернулся и пошел к подъезду, по дороге мысленно перебирая всех жильцов первого подъезда

Лев вздохнул, повесил полотенце на крючок и смиренно спросил:

— Позволено ли будет осужденному отведать ужин перед вынесением приговора?

— Конечно, конечно! Все давно готово, — спохватилась Мария. — Я слишком наседаю? Прости!

— В меру, — успокоил он ее. — Но есть действительно хочется зверски.

— Пойдем, чудо мое голодное! Будем действовать в лучших традициях русских народных сказок. В баньке ты, считай, попарился. Осталось напоить и накормить. Но не забывай, что после этого придется ответ держать.

Они прошли на кухню, и, когда Гуров утолил первый голод и Мария поняла, что муж готов к серьезному разговору, она тут же спросила:

— Так что там произошло?

— Я пока сам толком не знаю, — признался Лев. — Похоже, квартиранты Серафимы Александровны преподнесли ей неприятный сюрприз. Перчихина сказала, что в соседней квартире муж зарезал жену.

— Какой ужас! — непритворно возмутилась Мария. — До чего только вы, мужчины, не доходите в своей ревности!

— Почему ты решила, что дело тут в ревности? — удивился он.

— А в чем еще? Не в посуде же немытой?

— Этот вопрос остается открытым, насколько я понял. Мне известно только то, что женщина зарезана кухонным ножом. Муж исчез. Сейчас почти наверняка объявлен в розыск.

— И что же, она не звала на помощь? Неужели ее нельзя было спасти? Почему Перчихина не вызвала полицию, когда услышала крики соседки? — зачастила Мария.

— По словам Перчихиной, никаких криков и вообще признаков скандала из стен съемной квартиры не доносилось, — пояснил Лев. — Перчихина на этот счет выдвинула свою версию — мол, муж настолько запугал жену, что она и пикнуть не посмела.

— И ты в это веришь? — иронически усмехнулась Мария. — Вот если бы ты вздумал меня убивать, я бы такой шум подняла, небесам тошно стало бы!

— То ты, а то неизвестная женщина, — парировал Гуров. — Кто знает, что было у нее на уме. И вообще, он мог попросту заклеить ей рот, а уже потом пускаться во все тяжкие.

— И это ты называешь бытовухой? — Мария пристально взглянула на мужа. — Так, по-твоему, выглядит убийство на почве ссоры?

— Согласен, ситуация неоднозначная, — вынужден был согласиться Лев. — Но ведь мне не известен ни один факт. Кто убитая? Кто ее муж? И почему я должен верить показаниям Перчихиной, которая в этот вечер могла налакаться до поросячьего визга и попросту пропустить момент семейной ссоры?

— Когда, говоришь, это произошло? — сосредоточенно спросила Мария.

— Насколько я понял, сегодняшней ночью.

— А знаешь, возможно, я видела тех, кто это сделал.

— То есть как это «видела»?

— Да вот так! Ты же в курсе, что последние недели я плохо сплю? Так вот, прошлой ночью меня снова мучила бессонница. Я несколько раз за ночь вставала, готовила себе травяной чай. И я кое-что видела.

— Что именно? Где? В котором часу? — не замечая, что переходит на чисто профессиональный тон, спросил Гуров.

— Вот! Теперь ты действуешь как заправский опер, — улыбнулась Мария.

— Я и есть опер. Так ты будешь рассказывать?

— Вообще-то я не уверена, что это имеет прямое отношение к убийству, но рассказать будет не лишним. Вчера, ранним утром, если быть точной, то около пяти утра, в нашем дворе кое-что происходило. Двое мужчин одновременно сорвались с места и бросились в подворотню. Именно бросились. Не прошли. Не поспешили. Бросились.

— Как они выглядели? Во что были одеты? Откуда вышли? — стал задавать Лев наводящие вопросы.

— Как выглядели? — задумчиво повторила Мария. — Как бандиты. Несмотря на сезон — в кожаных куртках. И бритые.

— Откуда вышли, помнишь?

— Один из зарослей сирени, а второй, насколько я могу судить, из-под козырька первого подъезда. И оба бросились к подворотне.

— И ты считаешь это достаточным основанием для того, чтобы определить убийство в подъезде Перчихиной не как бытовуху, а как намеренное убийство?

— А ты, вероятно, так не считаешь, — процедила Мария, поджав губы, что означало крайнюю степень недовольства.

— Допустим, твои ночные спринтеры имеют какое-то отношение к смерти женщины, — согласился Лев. — Этот факт я тщательно проверю. А пока нам придется отложить решение этой головоломки до того момента, пока я не узнаю подробности.

— А ты собираешься их узнать?

— Я же обещал Перчихиной, — покачал головой Гуров. — К чему это недоверие?

— Прости, я не нарочно. Мне важно было знать, насколько серьезно ты отнесся к ее просьбе. Все-таки она наш давний если не враг, то уж недоброжелатель точно, — напомнила Мария.

— Когда это моя неприязнь к тому или иному человеку мешала расследованию? — возмутился Гуров.

— Вот теперь я спокойна, — удовлетворенно улыбнулась Мария. — Я вижу, что ты серьезно настроен на расследование.

— А тебе-то от этого какая польза? — не удержался он от вопроса. — Или решила с моей помощью нейтрализовать Перчихину?

— Не без этого, — рассмеялась Мария. — А если серьезно, то мне, как и тебе, важна справедливость. Убивать жен посреди ночи не особо походит на справедливость. Я права?

Лев согласно кивнул.

21

— Пойдем спать, господин сыщик. Утро вечера мудренее, — поднимаясь со стула проговорила Мария.

Гуров согласно кивнул и последовал за женой в спальню.

## Глава 2

В главк Гуров попал только к десяти. Не успел перешагнуть порог кабинета, как ожил телефон внутренней связи. Поспешно подняв трубку под пристальным взглядом напарника Стаса Крячко, который в отличие от него давным-давно восседал за рабочим столом, он четко произнес:

— Слушаю.

— Опаздываешь, товарищ полковник. Надеюсь, причина уважительная?

Это был не кто иной, как непосредственный начальник, генерал-лейтенант Орлов. Петр Орлов был не только начальником Гурова, но и его давним другом и соратником.

— Так точно, товарищ генерал-лейтенант. Причина уважительная. По крайней мере, на мой взгляд, — подлаживаясь под тон Орлова, отчеканил Лев.

— Через пять минут у меня. Жду с докладом, — проговорил Орлов и прервал связь.

— Слушаюсь, — машинально ответил Гуров, хотя из трубки уже неслись короткие гудки.

— Что, снова просители? — ухмыльнулся неизменный помощник во всех начинаниях Гурова Стас Крячко.

— В точку, — коротко бросил Лев.

— Женщина? — многозначительно округлил глаза Стас и, дождавшись утвердительного кивка, добавил: — Хоть симпатичная?

— Как твоя жизнь, Стас. А может, и краше, — усмехнулся Гуров. — Ладно, пойду сдаваться.

— Подкрепление требуется? — спросил Крячко, приподнимаясь со стула.

— Обойдусь. Лучше скажи, на планерке нам новых дел не подкинули?

— Бог миловал. В Багдаде все спокойно, — пошутил Станислав. — Может, все-таки сходить с тобой? Чтоб тебе дважды не рассказывать.

— Если Петр противиться не станет, — пожал плечами Гуров. — Мне без разницы. Тут секретности никакой нет.

— Вот и славно! — обрадовался Крячко. — А то я с утра бездельем маюсь. Отчеты, отчеты. Голова от них кругом!

Два друга-полковника покинули кабинет, прошли коридорами главка и оказались в приемной Орлова. Завидев приятелей, секретарша Орлова, Верочка, до этого проворно порхавшая пальцами над клавиатурой, моментально переключилась на кнопки селекторной связи и доложила:

— Петр Николаевич, Гуров и Крячко прибыли.

— Крячко я не вызывал, — донесся до них голос генерала. — Ладно, пусть заходят.

Отключив связь, Верочка доброжелательно улыбнулась и указала кивком головы на дверь:

— Петр Николаевич ждет вас.

— Спасибо, Верунчик, — заулыбался в ответ Крячко. — С Гурова шоколадка.

Лев недовольно покосился на товарища, но счел за благо промолчать, пока словоохотливый Крячко не наобещал секретарше золотые горы от чужого имени. Они вошли в кабинет. Генерал-лейтенант Орлов недовольно хмурился, поддерживая имидж в меру строгого начальника.

— Присаживайтесь, казаки-разбойники, — сердито проговорил он. — А с тебя, Стас, отдельный спрос. Почему утром не доложил, куда твой приятель намылился?

— Здрасте, — опешил Крячко, — не за понюх табаку под раздачу попал! Откуда ж мне было знать, куда этого спасителя мира кривая заведет? Я, между прочим, и сейчас не в курсе, где он был и что делал. Гуров, подтверди!

— Так точно, товарищ начальник, Стас не в курсе, — спокойно проговорил Гуров. — Ситуация возникла спонтанно. До настоящего времени я никого в известность не ставил.

— Так просвети нас, гений сыска, что заставило тебя явиться на работу на два часа позже положенного времени? Интуиция подсказала, что громких дел на это утро не предвидится?

— Все дело в женщине, — заговорщицки подмигивая Орлову, полушепотом заявил Крячко. — Она сбила нашего доблестного полковника с пути истинного.

— Женщина? — Брови Орлова поползли вверх. — Вот это номер! А как же Мария, а, полковник?

Гуров, не обращая на дружеские подколки товарищей, уселся напротив Орлова и принялся докладывать:

— Вчера в моем доме произошло убийство. Убита женщина, снимавшая вместе с мужем квартиру в первом подъезде. Ее взбалмошная соседка решила во что бы то ни стало заручиться моей поддержкой и повесить обязанность расследования этого дела исключительно на меня. В силу обстоятельств я не смог ей отказать, поэтому сегодня утром посетил местное отделение полиции, чтобы прояснить детали происшествия.

— И что же тебе удалось узнать? — поинтересовался Орлов.

— Не иначе как действует банда убийц замужних женщин, — хмыкнул Крячко.

— Это вряд ли, — спокойно возразил Гуров. — Но странности в деле все же имеются.

— Подробности? — потребовал Орлов, почувствовав серьезность в его голосе.

— На первый взгляд это банальная бытовуха. Месяц назад бездетная супружеская пара сняла внаем жилплощадь в виде однокомнатной квартиры у некоей гражданки Поморовой Алевтины Евгеньевны. Откуда они прибыли, неизвестно, с какой целью поменяли место жительства, тоже. Договор найма не составлялся, сами понимаете, по какой причине. За прошедший месяц пара ни в чем предосудительном замечена не была. И вообще никак себя не проявила. Жили тихо, спокойно. И вот спустя месяц произошла трагедия.

Хозяйка квартиры приехала за очередной платой. До этого она пыталась связаться с квартиросъемщиками по телефону, но безрезультатно, поэтому явилась лично. На звонок ей никто не открыл, и она посчитала возможным войти в квартиру в отсутствие хозяев. Квартиросъемщица оказалась на месте. Только вот в ее состоянии ни открыть дверь, ни ответить на телефонный звонок было невозможно. Женщина лежала на полу, лицом вверх. Сомнений в том, что она мертва, не оставалось. Квартирная хозяйка тут же вызвала полицию. На теле убитой криминалисты насчитали восемь ножевых ранений. Тут же валялся и нож, как утверждает хозяйка, из ее кухонных запасов. Прибывшая бригада квалифицировала убийство на бытовой почве, так как супруг женщины отсутствовал. Кстати, он до сих пор не появился и не дает о себе знать.

— И что же в этом деле такого особенного, что следователь МУРа по особо важным делам вдруг заинтересовался им настолько, чтобы прогулять рабочее время? — нетерпеливо перебил Орлов. — Подумаешь, муж по пьяни или из ревности заколол жену. Сколько таких преступлений происходит по стране? Да что там по стране! Сколько их происходит только в нашей Первопрестольной? И что же, прикажешь каждого мужа-убийцу главку ловить?

— Тут все не так просто, — задумчиво протянул Гуров. — И бытовухой здесь не пахнет.

— А чем пахнет? Политикой? Коррупцией? Может, контрабандой? — язвительно произнес Крячко, вклиниваясь в разговор.

— Может, и контрабандой, — невозмутимо ответил Лев. — Только вот ты мне скажи, гражданин полковник Крячко, как такое возможно, чтобы муж и жена рассорились до такой степени, что он нанес ей целых восемь ножевых ран, ничем не потревожив при этом соседей? И отчего это наш бытовой убийца слинял из дома, оставив там и вещи, и документы, и даже деньги? Из страха? Чушь собачья, отвечу я тебе. К тому же есть показания свидетеля, который видел, как ближе к пяти утра из подъезда убитой и из соседних кустов сирени выскочили две фигуры и скрылись в подворотне. Поспешно скрылись, позвольте заметить.

— Допустим, документы, деньги и вещи убийца не взял попросту в спешке. Совершил преступление, ужаснулся содеянного и помчался из дома куда глаза глядят, — начал Крячко.

— Это можно допустить, — согласился Гуров. — А что ты скажешь насчет гробовой тишины в квартире убитой вместо громкого скандала на весь двор?

— Мало ли? Может быть, между ними существовала давняя вражда. А тут прорвало. Мужик, может, и не скандалил со своей половиной. Просто взял и заколол. И сразу насмерть. С первого удара. А остальные — уже по инерции, из того же страха. А твой свидетель спросонья перепутал. Увидел убегающего убийцу, это я допускаю, а вторую фигуру додумало его воображение. Возраст шутку сыграл, а может, зрение. У тебя есть веские основания доверять словам свидетеля?

— Есть, — все так же спокойно произнес Лев, — поскольку этим свидетелем является моя жена. Ни с памятью, ни со зрением у нее проблем нет. К тому же у Марии есть определенный опыт если не в расследовании криминальных ситуаций, то в распознавании их уж точно. Хочешь возразить?

Крячко открыл было рот, но тут же его закрыл. Такого поворота событий он явно не ожидал. Орлов наблюдал за товарищами со стороны и только посмеивался. Ему всегда нравилось наблюдать, как эти двое противостоят друг другу, а потом берутся за дело и доводят его до логического конца. Слаженно и без лишних споров.

— Есть еще одно обстоятельство, мешающее мне отнести это дело к разряду обычной бытовухи, — как ни в чем не бывало продолжил Гуров. — То, что женщина не проходит ни по одной базе данных, — это полбеды, а вот то, что и мужчина не числится даже на учете в военкомате, наводит на определенные размышления. Возраст его позволяет предположить, что уж воинскую повинность он должен был отбывать. А тут — пустота. Ни одного совпадения.

— И что ты предлагаешь? — спросил наконец Орлов.

— Я ничего не предлагаю. Хочу лишь попросить разрешения лично заняться этим делом. Хотя бы в нерабочее время.

— Гоняться за женоубийцей? Вот здорово! Чем еще заняться полковнику МУРа, как не этим? — вскипел Крячко. — Послушай, Лева, тебе не кажется, что это уже перебор?

— Напротив. Я считаю, что столь запутанное дело пускать на самотек никак нельзя. Самое большее, что сделают местные опера, это объявят в розыск мужа погибшей. И будут искать его до скончания века. А настоящие убийцы тем временем заметут все следы и останутся безнаказанными. Пойми ты, Стас, женщину убили. Жестоко и цинично. В собственной квартире. Искромсали тело, как использованный кусок картона. Обвинили ее мужа в том, что он, я уверен, не совершал. Это, по-твоему, нормально? С этим можно смириться? Нет, нет и еще раз нет! Категорически не согласен!

Каждое слово Гуров подкреплял резким движением ладони, будто отсекая любые возражения. Крячко притих, а генерал-лейтенант Орлов вдруг заявил:

— Я с Львом согласен. В настоящий момент у меня для вас особых дел нет, так почему бы вам не заняться этим убийством? К тому же в верхах снова пошла мода на сотрудничество ведомств. Вот и окажите помощь сопредельному ведомству. Внесите, так сказать, посильный вклад.

— Понятно, — хмыкнул Крячко. — Мое мнение, как всегда, исключается из списка голосования. Что ж, не впервой. Я к этому привык. Командуй, спаситель мира, каков твой план действий?

— А вот это вы можете обсудить и в своем кабинете, — поспешно проговорил Орлов. — У меня и без вашей канители дел по горло. Держите меня в курсе, этого будет достаточно. И не забывайте о текущих делах.

На этом дискуссия была окончена. Гуров и Крячко покинули кабинет начальника и отправились к себе. Как только Лев закрыл дверь, Крячко начал высказывать товарищу:

— Вот скажи мне, Лева, почему так получается, что каждый твой финт отражается на мне? Это что, карма такая? Или что похуже?

— Чем ты недоволен, Стас? Посуди сам: если прав ты, то самое большее, что нас ждет, это три дня копания по архивам до тех пор, пока мы не выясним, откуда и когда заявилась в столицу эта парочка. Если же прав я и за убийством женщины стоит нечто большее, то нас ждет высокая награда в виде поощрения начальства за проявленную бдительность. В любом случае ты в выигрыше.

— Знаю я твои выигрыши, — усмехнувшись, проговорил Стас. — Сначала все гладко да чисто, а потом успевай уворачиваться, чтобы голову не оттяпали.

— Так ты будешь мне помогать? — устав от перебранки, спросил напрямую Гуров. — Сам знаешь, принуждать я не стану.

— Буду, куда мне деваться? Не бросать же товарища в клетке с тиграми, — примирительным тоном произнес Станислав. — С чего начнем, гений сыска?

— А начнем мы со стандартных процедур. В местном отделении полиции на этот счет особо не заморачивались, поэтому от них мало-мальски полезных сведений ждать не приходится. Нам же нужно выяснить все про мужчину и про его убитую жену. Я уже успел дать задание кое-кому из информационного отдела и из криминалистов нашего управления, надеюсь, результаты появятся с минуты на минуту.

— Ты, как всегда, был уверен в результате беседы с Орловым? — восхищенно воскликнул Крячко. — Настолько уверен, что не постеснялся задействовать официальные источники?

— Ни секунды не сомневался в исходе, — подтвердил Лев. — Чует мое сердце, нас еще не раз удивит это неказистое на первый взгляд преступление.

Не успел он договорить, как в дверях появился капитан Жаворонков из информационного отдела:

— Материалы по убийству готовы. Докладывать вам или сразу наверх?

— Заходи, дорогой, ты всегда желанный гость в этом кабинете, — театрально произнес Крячко, бросаясь к дверям и хватая Жаворонкова под локоть. — Полковник Гуров и стульчик уже для тебя приготовил. Расскажи скромным следакам, что твой отдел нарыл на кровавого убийцу.

— Стас, прекращай балаган! — приструнил товарища Гуров и повернулся к Жаворонкову: — Докладывать можете мне, генерал-лейтенант Орлов оставил это дело на наше попечение. Обо всех важных фактах я доложу ему сам.

Жаворонков пробыл в кабинете Гурова не более десяти минут. Разложив распечатки с полученными сведениями и дав комментарии, он передал Гурову отчеты и от криминалистов, после чего откланялся. Дальше Гуров и Крячко разбирались с материалами самостоятельно. Как и предполагал Лев, оба паспорта, и на имя убитой женщины, и на имя ее пропавшего мужа, оказались искусной подделкой. Если бы не вмешательство Гурова, в местном отделе полиции на это никакого внимания не обратили бы. А так появилась дополнительная причина отбросить версию бытового убийства.

Фальшивые документы объясняли тот факт, что на означенные в них фамилии никакой информации найти не удалось. Каким образом они прибыли в столицу, выяснить у Жаворонкова не вышло. Ни в базе Аэрофлота, ни в железнодорожных кассах пассажиры с такими данными не значились. Оставались автовокзалы и простой, но совершенно бесконтрольный способ перемещения на личном авто. Гуров предположил, что документами пара обзавелась уже в Москве. Только вот зачем это обычным лимитчикам? Этот вопрос предстояло выяснить вместе с рядом других, не менее насущных. С трудоустройством Жаворонков обещал еще поработать, хотя надежды на успех и не лелеял.

Криминалисты, которым были переданы данные по убийству, тоже порадовать ничем не могли. На орудии убийства значились отпечатки пальцев самой убитой и еще одного человека, предположительно мужа. Идентичные отпечатки были найдены в большом количестве в квартире, в том числе и на индивидуальной зубной щетке, что давало возможность предположить принадлежность отпечатков именно мужу, а не какому-то третьему лицу. Вообще в квартире, кроме следов пальчиков семейной пары, больше ничьих обнаружено не было, даже квартирной хозяйки. Видимо, убитая была женщиной аккуратной и содержала дом в чистоте.

— Да, негусто, — рассматривая отчеты из-за плеча товарища, прокомментировал Крячко.

— Неважно. Нужно проехать на место преступления и осмотреться. Быть может, нам удастся найти то, чего не пожелали выявить местные опера, — проговорил Гуров. — Но сначала следует дать распоряжение, чтобы вся информация по этому делу стекалась в наш отдел.

— Откуда она будет стекаться? — не понял Крячко.

— От законопослушных граждан, желающих выполнить свой гражданский долг, — спокойно ответил Гуров. — На мужа убитой уже объявлена охота. Все столичные СМИ кишат объявлениями о розыске преступника. В местном райотделе телефон накалился от звонков. Конечно, как это всегда бывает в таких случаях, по большей части звонят полоумные либо просто любопытствующие, но ведь бывают и исключения. Пара приехала в Москву, где у них, судя по всему, не было ни родственников, ни друзей. На что они жили? Разумеется, они должны были работать, хотя бы один из них. И я склоняюсь к мысли, что это мужчина. Вряд ли он стал бы «светить» поддельный паспорт в кадровых отделах крупных предприятий, поэтому надежды на Жаворонкова тут мало, но вот в местах, где официальная регистрация работников не обязательна, «засветиться» он должен был. Вдруг кто-то из его новых коллег увидит сообщение, узнает парня и сообщит в полицию? На это и будем рассчитывать.

На пространные пояснения Гурова полковнику Крячко возразить было нечего. Все логично, все грамотно. Ему оставалось лишь поддержать коллегу, что он и сделал. На место преступления было решено ехать на служебной машине. Пока Гуров общался со следователем отделения полиции, в ведении которого находилось место преступления, Крячко вызвал водителя служебной машины и дал распоряжение подготовиться на выезд. Спустя десять минут оба полковника сидели в салоне служебного седана, который еле-еле тащился по запруженной московской магистрали.

Вот уже час как молодой человек покинул Смоленскую набережную и перебрался к новому наблюдательному посту. На этот раз он обосновался напротив торгового центра, расположенного в районе метро «Тульская». У главного входа гипермаркета царило оживление. Ежеминутно в двери входили и выходили толпы людей. Смешаться с разношерстной толпой человеку стандартной внешности труда не составляло, но молодой человек никак не мог решиться сделать первый шаг. А идти было нужно. Без документов, без денег, без сменной одежды он далеко не уедет. Он и с деньгами-то едва ли продвинется дальше Кольцевой, но так хоть мизерный шанс появлялся, а с пустыми карманами можно было идти и сразу сдаваться. Сдаваться парень не собирался. Не сейчас. Возможно, позже, после того как расквитается с обидчиками. После того как они заплатят сполна за все, что сотворили и с ним, и с другими невинными людьми. Как этого добиться, он понятия не имел. Чтобы составить план отмщения, надо успокоиться, сосредоточиться. А для этого требуется найти укромный уголок и немного переждать.

На крыльце магазина появился знакомый охранник. Молодой человек знал, что он дежурит как раз в зоне камер хранения. Отлично! Лучшего момента для выполнения задуманного не подгадаешь. Сдвинув козырек кепки так, чтобы тень от него закрывала левую часть лица, парень двинулся вперед. Пройдя мимо охранника, нырнул в крутящийся барабан электрической двери и оказался в холле первого этажа. Дальше действовал без задержек. Десять шагов по прямой, свернуть налево, еще десять шагов, один пролет вниз, и вот они — стройные ряды камер хранения. Нащупав на груди тесьму с ключом, он ловко стянул ее с шеи, и ключ бесшумно вошел в замочную скважину крайней кабинки с ярко-красным номером в центре двери. Та распахнулась. В боксе камеры хранения лежала плотно набитая спортивная сумка.

И тут его застопорило. Что делать с ее вещами? Ясно ведь, что ей они уже не понадобятся. Забрать с собой, а при случае избавиться? Или оставить здесь, в пустом боксе? Решение нужно было принимать быстро. Охранник вот-вот вернется, закончив перекур. Рисковать сейчас молодой человек не мог. Приняв решение, он одним движением расстегнул «молнию». В сумке лежали два черных пластиковых пакета. Один — ее, второй — его. Это она придумала разделить вещи так, чтобы было удобнее пользоваться. Заглянув в первый пакет, он выставил его к дальней стене кабинки. «Молния» метнулась обратно, скрывая остальное содержимое сумки. Перебросив ремень через плечо, молодой человек закрыл дверь бокса и двинулся в обратный путь. Где-то на полдороге к выходу он поравнялся с охранником. Тот даже взгляд не скосил на молодого человека. Мало ли их тут ошивается? Одни выходят, другие заходят. На всех пялиться — глаза просмотришь.

Как только молодой человек оказался на крыльце, он тут же прибавил шаг и, отдалившись от торгового центра квартала на четыре, рискнул сесть в автобус. Спускаться в метро было опасно. Там кругом камеры видеонаблюдения и стражи порядка, охраняющие недра метрополитена, так что больше шансов попасться на глаза какому-нибудь чересчур рьяному служаке. Автобус шел в сторону Кольцевой. Что он будет делать после того, как доберется до конечной остановки, молодой человек не знал. Возможно, купит билет на пригородный поезд, а быть может, попытается поймать попутку, там видно будет. Главное, не «засветиться» сейчас. В его положении глупо загадывать наперед. Теперь счет идет даже не на дни, а на часы.

Парень прошел в самый конец салона, устроился возле окна и сделал вид, что спит. Из-под прикрытых век он внимательно наблюдал за пассажирами. Вроде бы пока его никто не узнал, но расслабляться было рано. Для начала следует определиться с направлением. С одной стороны, мчаться напрямик в лапы этих головорезов не стоит. Лучше повременить с возвращением. Там его наверняка поджидают, так как это самое очевидное, что может сделать человек после происшедшего. С другой стороны, не хотелось бы увеличивать расстояние до конечной цели, двигаясь в противоположную сторону. Самый оптимальный вариант — двигаться прямым курсом, только выбирая населенные пункты средней и малой плотности. Где-то на полпути можно сделать исключение и остановиться в городе покрупнее. В Челнах либо в Казани. А там задержаться подольше, чтобы разработать план мести. Да, пожалуй, так будет удобнее всего.

Добраться на городском транспорте до билетных касс пригородного назначения удалось без особых хлопот. Воодушевленный удачей, молодой человек осмелел и, практически не таясь, прошел к билетным кассам, намереваясь изучить расписание электричек. Вокруг него толклись люди, задевая локтями, дорожными сумками и чемоданами. Он старался не реагировать, чтобы не привлекать к себе ненужного внимания. Покупать билет он не будет. Просто выберет подходящий маршрут, доберется до трассы и подсядет по пути. Большинство водителей не прочь подзаработать, подбирая пассажиров по дороге. Когда-то, в самом начале водительской карьеры, он и сам грешил этим.

Дородная тетка, с ног до головы обвешанная всевозможными тюками, сумками и свертками, протискивалась ближе к кассе, сметая всех на своем пути. Ее продвижение сопровождалось недовольным ворчанием толпы, но ее это ничуть не смущало, скорее воодушевляло. Она бойко переругивалась с ворчунами, награждая их красочными эпитетами.

— Куда прешь, малахольная? — не выдержав, громко выругался мужчина, стоявший слева от молодого человека. — Расписание товарных вагонов в противоположном конце зала.

— Ой, кто это тут у нас такой остроумный? Ты, что ли, ушастенький? — разворачиваясь к мужчине всем корпусом, пропела дородная женщина. — Никак в зоопарке сегодня день открытых дверей? Граждане, вызовите укротителя, тут зайчик разбушевался!

Уши у недовольного гражданина и впрямь впечатляли. Точно подмеченное сходство с отрядом зайцеобразных развеселило толпу, по которой тут же прошелся смешок. Мужчина, оскорбленный сравнением, обозвал женщину «жирной коровой» и поспешно ретировался. Она не преминула прокричать ему вдогонку ответное оскорбление:

— Куда же ты, сердешный? Сезон охоты на зайцев еще не открыт, можешь гулять спокойно! — и, мгновенно потеряв интерес к перебранке, снова развернулась лицом к расписанию.

Некоторое время она всматривалась в ряды названий населенных пунктов, представленных на табло с подсветкой. Устав держать на себе поклажу, женщина принялась срывать тюки с плеч и расставлять вокруг себя. Тяжеленный чемодан выскользнул из ее рук, опрокинулся и приземлился прямо на ноги молодого человека. От неожиданности он резко отпихнул его, и женщине это не понравилось.

— Эй, блондинчик? Ты не на футбольном поле, а мой чемодан — не футбольный мяч, — взъярилась она. — Думаешь, если женщина одинокая, то ее защитить некому? Просчитался, дружок. Я и не таких обламывала.

Парень наклонился, чтобы вернуть чемодан на место, но женщина расценила его жест по-своему и заголосила:

— Ах, вон ты что задумал? Полиция! Тут вор! Чемодан у несчастной женщины тырит!

— Вы неверно поняли. Я всего лишь хотел поставить его на место, — вполголоса произнес он, оглядываясь по сторонам.

— Так я тебе и поверила, — продолжала голосить женщина. — Я вас, ворюг, за версту чую. Вон как глазами-то зыркаешь. Полицию высматриваешь? Будет тебе полиция, не сомневайся. Люди добрые, что ж это делается? Среди бела дня грабят!

На них уже начали обращать внимание не только те, кто стоял у касс, но и в дальних частях зала. Молодой человек увидел, как какая-то женщина, указывая рукой в их направлении, что-то быстро говорила невесть откуда взявшемуся мужчине в камуфляжной форме с нашивкой охранника на груди. «Дело плохо, пора сматываться», — подумал он и начал медленно выбираться из толпы. Тем временем полицейский скрылся за дверью с надписью «Пункт охраны общественного порядка», видимо, отправился за подкреплением.

Дородная женщина продолжала распаляться, попутно втягивая в скандал все новых пассажиров, благодаря чему молодому человеку удалось выскользнуть из поля ее зрения, и он поспешил к выходу, краем глаза успев заметить, как из комнаты охраны вышли трое, с дубинками и рациями наготове. Не оглядываясь, парень быстрым шагом прошел вдоль здания и скрылся за углом. Там перемахнул через низенький заборчик, огораживающий территорию автостанции, добежал до ближайших кустов и, под их прикрытием добравшись до жилых домов, бросился в первую попавшуюся подворотню. Промчался два квартала и, окончательно убедившись в отсутствии погони, присел на скамейку, пытаясь отдышаться.

«Дела твои скверные, приятель, — мысленно сказал он сам себе. — Надо держаться подальше от людей. Любой незначительный инцидент может закончиться для тебя тюрьмой. Значит, придется выбираться автостопом. Никаких автобусов, никаких электричек. Только частные авто, и лучше бы грузовые. Там ребята не из болтливых, да и к правоохранительным органам не особо расположены».

Молодой человек поднялся со скамьи, закинул сумку за спину, немного поразмыслив, определил направление и зашагал прочь из города.

# Глава 3

— Домишко у тебя не айс. Прямо скажем, до пятизвездного жилья не дотягивает, — протянул Крячко, выгружаясь из служебной машины.

Подобную тираду Гуров выслушивал уже в тысячный раз. Это была излюбленная шутка полковника Крячко. Всякий раз, появляясь возле дома друга, он заводил одну и ту же шарманку, на что Гуров неизменно отвечал:

— Можно подумать, ты живешь в пентхаусе отеля «Плаза», не меньше.

— В пентхаусе, не в пентхаусе, а дом у меня посовременнее твоего будет, — продолжил шутку Крячко. — У вас здесь хоть электричество имеется? Или идея электрификации всей страны вас не коснулась?

— Пойдем, деятель, время поджимает, — направляясь к первому подъезду, произнес Гуров.

— А я что делаю? Таскаюсь за тобой, как верный Санчо Пансо за Дон Кихотом, штурмую ветряные мельницы. Будто у меня других забот нет. Три отчета моего внимания ожидают, а я бытовуху расследую. Вот скажи мне, друг мой ситный, неужели в местном отделении не нашлось никого, кто справился бы с этой задачей? Уверен, тут и участкового за глаза хватило бы. Разве нет?

Гуров промолчал. Он поднялся на крыльцо и приглашающим жестом распахнул дверь. Не успели они подняться на два пролета, как в дверном проеме одной из квартир показалась голова седовласого старика. Лев остановился и вопросительно посмотрел на него. Крячко от неожиданности ткнулся в спину товарища и недовольно пробурчал:

— Чего встал, привидение увидел?

— Стыдно называть добропорядочного гражданина, желающего исполнить свой гражданский долг, привидением, молодой человек, — донеслось до Стаса.

Он выглянул из-за плеча Гурова и, удивленно воззрившись на седовласого старика, не удержался от очередной шутки:

— Голова профессора Доуэля? Вот уж не думал когда-нибудь увидеть это воочию. Жизнь порой преподносит сюрпризы.

— Вы что-то хотели нам рассказать? — не обращая на него внимания, обратился Лев к старику.

— Смотря с кем имею честь вести беседу, — солидно произнес тот.

— Полковник Гуров, — доставая удостоверение из нагрудного кармана, представился Лев. — Мы здесь по поводу недавнего убийства.

— Знаю, знаю. Соседку с верхнего этажа убили. Жуткая история. Так вы по ее душу?

— Скорее по душу ее дражайшего супруга, — вклинился в беседу Крячко. — А вы, значит, свидетель? С вас уже снимали показания?

— Разве кому-то есть дело до россказней выжившего из ума старика? — с ноткой обиды в голосе заявил старик. — У правоохранительных органов есть дела поважнее. Надеюсь, вы окажетесь более дальновидными, чем этот остолоп Васька.

— Кто такой Васька? — уточнил Крячко.

— Это местный участковый, — пояснил за старика Гуров. — Так у вас имеются какие-то сведения о том, что произошло в квартире номер шесть?

— Вы в квартирку-то сходите, а потом уж и ко мне. Так нам сподручнее беседу вести будет, — неожиданно выдал старик. — Как осмотр проведете, милости прошу на чашку чая, — и захлопнул дверь перед носом сыщиков.

Крячко перевел взгляд с закрытой двери на Гурова и, подняв брови спросил:

— И что это было?

— Разберемся, — возобновляя движение, пообещал Гуров.

Они поднялись на этаж выше и остановились возле опечатанной двери.

— Готовься, полковник, сейчас начнется, — усмехнулся Лев, кося на дверь напротив.

— Что начнется? — переспросил Крячко.

— Тебе предстоит знакомство с госпожой Перчихиной, а это похлеще лейкопластыря на волосатой ноге.

— Тогда чего ты мешкаешь? Залетай внутрь, пока не началось, — поторопил Крячко.

— С этим придется повременить, — остудил его пыл Гуров. — Не забывай, мы тут на законных основаниях, значит, и действовать должны сообразно. Ключи от квартиры у участкового. Кроме того, нам потребуются понятые. Ты ведь не хочешь, чтобы все, что мы обнаружим, признали незаконным?

— Надо было заранее с участковым связаться, — подосадовал Станислав. — Теперь придется полчаса стену плечом подпирать, пока он объявится.

— Думаешь, я этого не сделал? По идее, он должен быть на месте, — объявил Гуров. — Сейчас контрольный звонок сделаю. Возможно, он где-то поблизости.

Будто услышав его слова, дверь перчихинской квартиры открылась, и на пороге появился человек в форме. Из-за его спины выглядывала любопытная физиономия Зойки. Сделав шаг навстречу Гурову, человек в форме, облегченно вздохнув, проговорил:

— Добрый день, товарищи полковники. Я вас уже заждался.

— Это что еще за чудо? — Крячко в упор разглядывал появившуюся пару.

— А это, товарищ полковник, местный участковый. Лейтенант Губанов Василий Васильевич, собственной персоной. Прошу любить и жаловать, — хитро прищурившись, пояснил Лев.

Он уже имел возможность познакомиться с участковым и теперь с неприкрытым удовольствием наблюдал за реакцией Стаса. Лейтенант вытянулся по стойке «смирно», ожидая окончания осмотра, а Крячко продолжал рассматривать его как заморскую диковинку. Высоченный брюнет. Губастый, лопоухий, с открытым, доверчивым взглядом, представший перед полковниками, никак не вязался с образом строгого представителя власти. Скорее он походил на деревенского пастуха. В лучшем случае на ученика тракториста.

— Да, ситуация, — медленно протянул Станислав. — Если и остальные сотрудники местного отделения полиции под стать этому кадру, то тут явно без помощи со стороны не обойтись. Похоже, ты в очередной раз прав, Лева. Куда им убийство расследовать? Пусть и бытовуху.

— А я про что вам толкую? — подныривая под руку лейтенанта, выскочила вперед Перчихина. — Не по зубам это дело нашим простакам. Если б какой гоп-стоп или кошелек в автобусе карманник подрезал, тогда еще была бы надежда. А то мокруха! Да с особой жестокостью и цинизмом. Говорю же, тут без МУРа не обойтись.

— Час от часу не легче, — выдохнул Крячко, выслушав заявление Перчихиной. — Вы кто, гражданка, будете? Не из уголовной ли среды? Быть может, это по вашей наводке женщину закололи? Вы, случайно, не из криминального ли элемента будете?

— Да как у вас язык поворачивается такое говорить! — Перчихина чуть не задохнулась от возмущения. — Я — криминальный элемент! Уши б мои этого не слышали! Да я, к вашему сведению, к самой элите столицы отношусь. Культурной профессии, между прочим. Вот хоть у Льва Иваныча спросите, я с его женой в одном театре служила.

— Неужели? А по фене ботаете, как злостный рецидивист, — усмехнулся Крячко. — Не просветите нас, откуда у представительницы столичной элиты такие обширные познания в столь деликатной области?

— А вы телевизор почаще включайте, — съязвила Зойка. — Глядишь, и у вас кое-какие познания образуются. Я, между прочим, ни одного сериала про полицию не пропускаю. В вашей сфере кое-что смыслю.

— Хорошо, если так, — ничуть не обидевшись на выпад Перчихиной, проговорил Крячко. — Но для подтверждения ваших слов личность вашу мы по своим базам пробьем, не сомневайтесь.

— Вы бы лучше мужа убитой в своих базах искали, — обиженно проговорила Зойка. — А то он гуляет на свободе, а вы тут лясы точите.

— И то верно, — кивнул Гуров. — Давай-ка, лейтенант, за понятыми, а мы пока осмотримся на месте.

Участковый вытащил из кармана ключи, передал их Гурову, а сам двинулся вверх по лестнице, бросив на ходу:

— Я из восьмой квартиры с женщиной договорился. Она согласилась присутствовать при обыске. Сейчас приведу.

Воздух в квартире был затхлый, будто несколько недель не проветривали. Не желая дышать через раз, Крячко первым делом подошел к окну в кухне и распахнул его настежь. Для этого ему пришлось снять с подоконника три цветочных горшка. Цветы были неказистые, но ухоженные. Не сговариваясь, Гуров и Крячко поделили территорию. Станислав принялся осматривать кухню, а Лев занялся комнатой. Работали молча, без лишних комментариев. В какой момент вернулся лейтенант с соседкой, ни тот, ни другой не заметили. Лейтенант скромно остановился в прихожей, придерживая там не в меру любопытную Перчихину.

Спустя час оба полковника сошлись в ванной комнате. Быстро осмотрев помещение, они прошли на кухню, и Гуров предложил:

— Обменяемся впечатлением?

— Аккуратная хозяйка, ничего не скажешь, — высказался Крячко. — Ни пылинки, ни соринки. Мусорное ведро, и то пустое.

— И в шкафах полный порядок, — согласился Лев. — Каждая вещь на своем месте. Неудивительно, что до нас тут ничего обнаружить не удалось.

— Обратил внимание, что личные записи отсутствуют? — спросил Крячко.

— И компьютера нет. Несовременная пара, — снова согласился Гуров. — Карманы пусты, корзина для грязного белья пуста. Зацепиться не за что. Может, мы что-то упускаем из виду?

— Думаешь, у парочки имеется тайник? — спросил Крячко.

— Не сомневаюсь. Не может быть, чтобы у семейной пары даже свадебных фотографий не сохранилось. Мужик мог избавиться от этого богатства, а вот женщина вряд ли. Для такого поступка нужны веские основания.

— А для поддельных паспортов таких оснований не требуется? — хмыкнул Стас. — Не забывай, они тут на нелегальном положении жили. Возможно, там, откуда они прибыли, у них и альбом со свадебными фотками имеется, и другие памятные вещи. Только вот с собой они их взять не удосужились.

— Или не успели, — задумчиво разглядывая стену напротив окна, медленно произнес Гуров.

— На что ты так уставился? — проследив за его взглядом, поинтересовался Крячко.

— Тебе не кажется, что побелка на этой стене несколько отличается от основного цвета? — кивком головы указал на стену за холодильником Лев. — Такое впечатление, что ее красили отдельно.

— Брось, просто свет из окна по-другому ложится, — неуверенно сказал Крячко.

— Проверим? — Гуров оторвался от стены и взялся за левый бок холодильника. — Помогай, Стас, нужно сдвинуть его в сторону.

Крячко ухватился за другой бок. Общими усилиями холодильник был сдвинут в сторону. Осмотрев стену, Гуров обратил внимание на плинтус:

— Похоже, я был прав. Плинтус краской замазан. Стену красили уже после того, как он был прибит. Хозяйка пыталась отмыть его, но недостаточно тщательно, разводы все равно остались.

Он начал простукивать стену, ранее закрытую холодильником. В одном месте звук изменился. Под штукатуркой явно была пустая полость. Отыскав в ящике стола молоток для отбивания мяса, Лев несколько раз ударил по штукатурке в том месте, где менялся звук. Штукатурка с легкостью отлетела, и взору полковников предстал кусок фанеры. Она крепилась к стене двумя парами обычных пластиковых клипс, какие использовали для крепления электропроводки или другого бытового кабеля. Отогнув клипсы, он сдвинул фанеру. За ней оказалась ниша размером в два кирпича, а в ней лежала металлическая коробка с замком на правом боку. Подозвав понятых, Гуров извлек коробку и выложил ее на стол.

— Вот вам и находка, — с благоговейным трепетом в голосе прошептала Перчихина. — Ох, Лев Иваныч, не зря я вас побеспокоила.

— На этот раз я вынужден с вами согласиться, — ответил сыщик. — Осталось найти ключ.

— Может, ломиком? — предложил нетерпеливый Крячко. — А то пока искать будем, ночь наступит.

— Думаю, быстрее управимся, — возразил Гуров, подошел к цветочным горшкам, несколько секунд изучал их и, выбрав один, ухватился за стебель. Вырвав растение, высыпал влажную землю на стол. В образовавшейся кучке блеснул металл. — Говоришь, до ночи искать? — усмехнулся он, подхватывая двумя пальцами ключ.

— Ловко! — восхищенно произнес участковый.

— Учись, салага, — хмыкнул Крячко, не меньше лейтенанта впечатленный сообразительностью друга. — Тренируй чуйку, оперу без этого нельзя.

Гуров тем временем вставил ключ в замочную скважину и осторожно повернул. С легким щелчком замок поддался. Открыв крышку, Лев заглянул внутрь и увидел пластиковый пакет. Развернув его, высыпал на стол содержимое. Два паспорта российского образца, связка ключей и аккуратная стопка денег. Раскрыв попеременно оба паспорта, он прочитал вслух:

— Яропольцев Максим Игоревич. Яропольцева Ольга Николаевна. Место регистрации — город Челябинск. Уже кое-что.

— Лейтенант, опись производить умеешь? — толкнул в бок застывшего участкового Крячко.

Когда тот утвердительно кивнул, Стас быстрым движением пересчитал купюры и распорядился:

— Составляй протокол изъятия. Указать все по пунктам. Два паспорта на имя Ольги и Максима Яропольцевых. Банкноты достоинством в пять тысяч рублей, в количестве сорока штук. Связка ключей в количестве трех штук, предположительно от дверных замков. Запомнил? Дашь понятым на подпись. Потом доставишь протокол в главк. А мы пока кое с кем побеседуем. Все понял, лейтенант? Бумага-то найдется?

— Так точно, — козырнул участковый.

— А денежки куда пойдут? — влезла Перчихина. — В фонд государства?

— Разберемся, — сгребая паспорта и деньги обратно в пластиковый пакет, заявил Крячко. — Не переживайте, гражданка, деньги не пропадут. В МУРе им будет безопасно, как в швейцарском банке.

— Ну да, ну да, — провожая взглядом вожделенные купюры, промычала Перчихина. — Это ж такая прорва денег! И откуда только они их взяли? А с виду голь перекатная, ни одной приличной вещички в гардеробе.

Гуров двинулся вслед за Крячко к дверям, оставив женщин на попечении лейтенанта. Спустившись этажом ниже, Станислав вдавил кнопку звонка у квартиры седовласого старика. Старик открыл мгновенно, явно ждал их прихода.

— Заходите, гости дорогие, — пропуская сыщиков в прихожую, произнес он. — И чай уже готов, и что покрепче, если пожелаете.

В кухне, куда провел гостей старик, был накрыт стол. Чайных чашек видно не было, как и самого чайника. Вместо этого стол украшала пластиковая бутылка с бурой жидкостью. Гуров и Крячко переглянулись. Старик хитро улыбнулся и произнес:

— Васька-то наш от угощения отказался, вот ни с чем и ушел. А вы как к законам гостеприимства относитесь?

— Положительно, дед, положительно, — уверенно проговорил Крячко, подмигивая другу. — Чем будешь потчевать, от того и не откажемся.

Старик засуетился, подхватил бутылку и скоренько разлил содержимое по стаканам. Кухню заполнил запах дешевого самогона. Гуров бросил на Крячко многозначительный взгляд, который означал: «Не забывай, нам еще работать».

— Твое здоровье, отец! — подняв стакан, произнес тост Крячко и, отвечая на взгляд Гурова, добавил: — Как не уважить достойного человека?

Старик выпил первым и от удовольствия прикрыл глаза. Гуров, воспользовавшись моментом, быстро вылил содержимое своего стакана в раковину. Стас замешкался и повторить маневр Гурова не успел. Открыв глаза, старик посмотрел на пустой стакан Гурова, одобрительно кивнул и перевел взгляд на Крячко. Тому ничего не оставалось, как поднести стакан к губам и залпом выпить. Глаза его тут же полезли на лоб, он начал хватать воздух ртом, не в силах сказать ни слова.

— Хороша горилка? — смеясь, спросил старик, заботливо подсовывая гостю соленый огурец. — А друг-то твой покрепче будет. Вон даже не поморщился.

Спохватившись, Лев поспешил засунуть в рот огурец, делая вид, что тоже не в силах вынести крепости самогона.

— Он во флоте служил, а там только чистый спирт и употребляют, — кое-как зажевав пойло, нашелся Крячко. — Привыкший он.

— Оно и понятно. Мой самогон мало кто без последствий принять может, — авторитетно заявил старик.

— Так о чем не захотел слушать неопытный Васька? — подтолкнул его к нужной теме Гуров.

— Ваша взяла, расскажу. Испытание вы прошли, получайте награду, — смилостивился старик. — Существуют два обстоятельства, о которых недурно было бы знать органам. Первое обстоятельство находится в квартире Алевтины, это хозяйка сдаваемого внаем жилья. Как только ее новые квартиранты заселились, оно там и появилось.

— Ты о тайнике рассказать хотел? — догадался слегка захмелевший Крячко. — Так поздно спохватился. Нашли мы тайник.

Старик недовольно поморщился. Замечание Крячко ему явно не понравилось. Гуров пнул напарника в бок, намекая на то, чтобы он держал язык за зубами. Станислав виновато покосился на него и замолчал.

— Значит, с первым обстоятельством сами справились, — помолчав, выдал старик. — А вот со вторым так легко разделаться не получится. Тут вам без моей помощи не обойтись. Сдается мне, что я единственный свидетель, который видел тех, кто посещал несчастную женщину незадолго до смерти. — И он торжествующе взглянул на Крячко.

— И что же, описать их сможешь? — присвистнув, восхищенно спросил тот.

— А то нет? Я хоть и стар, но слабоумием не страдаю, что бы про меня кумушки у подъезда ни сочиняли. И описать, и эскизик предоставить смогу, — гордо ответил старик.

— Эскизик? — переспросил Гуров. — Художник, что ли?

— Бывший. Двадцать лет уж не пишу. Да только талант ведь не пропьешь. Кое-какие умения еще остались.

— Собирайся-ка, старик. Прокатимся до управления, — посерьезнев, объявил Крячко, поднимаясь с места. — И эскизики свои прихвати.

— А рассказ как же?

— По дороге доскажешь. Дело государственной важности.

Старик, казалось, только этого и ждал. Подскочив с места, бросился в комнату и буквально через секунду вернулся. В строгом, хоть и слегка помятом пиджаке, при галстуке и в новых лаковых туфлях.

— Я готов. Везите меня в МУР, — торжественно произнес он.

Все трое вышли из квартиры и проследовали к служебной машине. Заскучавший водитель покосился на старика, слегка поморщился, ощутив запах алкоголя, исходивший от Крячко, и, не задавая вопросов, завел двигатель.

— В главк, — коротко бросил Гуров.

Машина рванула с места. Старик, расположившийся на заднем сиденье, откинулся на спинку сиденья и без предисловий принялся рассказывать о событиях злосчастной для квартирантки тетки Алевтины ночи.

Старенький обшарпанный «Москвич» с цельнометаллическим кузовом и кабиной на два посадочных места, именуемый в просторечье «пирожок», трясся по проселочной дороге. Из-за отсутствия уличных фонарей ночные сумерки казались чернильно-темными. Рассмотреть что-либо за окном было практически невозможно. Только скудный кусок дороги перед машиной, освещаемый тусклым светом фар, да и тот с трудом.

Время от времени водитель, не менее старый и практически такой же обшарпанный, как и его авто, бросал настороженный взгляд в сторону попутчика, после чего озабоченно качал головой и вздыхал. Он подобрал этого парня километрах в двадцати от МКАДа. Под проливным дождем фигура парня являла собой настолько удручающее зрелище, что водитель пренебрег своим предубеждением против случайных попутчиков и сам предложил незнакомцу помощь. Сообщив, что его можно называть просто дедом Андреем, он ожидал, что парень тоже представится, но так и не дождался. На вопрос, куда тот направляется, парень пробормотал что-то настолько неопределенное, что старик сразу догадался: конкретного места назначения странный путник не имеет. Тогда дед Андрей сообщил конечную точку своего путешествия и заявил, что может доставить попутчика туда. Не встретив возражений, завел двигатель, и машина тронулась.

Путь деду Андрею предстоял неблизкий. Сто километров по разбитой дороге, да еще с учетом слабеньких сил видавшей виды машинки — это вам не фунт изюму. Но спешить ему было некуда, а пассажир сладко посапывал, развалившись на соседнем сиденье, поэтому скорость, не превышающая сорок километров в час, деда Андрея не смущала. До тех пор, пока странный пассажир не принялся разговаривать во сне.

Вот тут дед Андрей напрягся. То, что он услышал, ему не понравилось. Совсем не понравилось. Он даже начал подумывать о том, чтобы остановить машину и попросту вытолкать пассажира на обочину, а самому дать деру, но врожденное чувство порядочности и ответственности не позволило сделать этого. В конце концов, никто его за ворот не тянул и нож к горлу не подставлял, сам напросился. Как говорится, назвался груздем, полезай в кузов.

А парень продолжал крепко спать, не подозревая о терзаниях деда Андрея. Время от времени он вздрагивал и сквозь сон выдавал очередную порцию то ли воспоминаний, то ли угроз. Самым нейтральным из того, что выслушал водитель, было высказывание типа «убрать легко, не попасться трудно». Все остальное куда конкретнее: то он грозился добраться до какого-то Гробаря и переломать ему все пальцы, то требовал отчета от неизвестного Зачетчика, то начинал умолять какую-то женщину потерпеть совсем немного, обещая, что дальше будет легче. А еще сволочил некую группу людей, спутавших ему все планы, или что-то в этом роде. Высказывания были четкими, но отрывистыми. Сделать на их основании более или менее стройные выводы деду Андрею не удавалось, да, признаться честно, не больно-то и хотелось. Единственным его желанием в настоящий момент было желание как можно быстрее избавиться от странного попутчика.

Когда до родного поселка Бортниково оставалось километров пятнадцать, пассажир проснулся. Испуганно озираясь, он протер глаза и задал первый внятный вопрос за все время пребывания в машине:

— Где мы?

— К Андреевке подбираемся, — осторожно произнес дед Андрей.

— Долго я спал?

— Всю дорогу проспал, а это, почитай, немногим меньше трех часов. Притомился, видать, шибко. Давно в пути?

— Далеко еще до вашей деревни? — делая вид, что не услышал вопроса, поинтересовался парень.

— Четверть часа, и на месте. Если дорогу не развезло, — спокойно ответил дед Андрей. — Дальше — сплошное бездорожье, да мы народ привычный, и не такое видали.

— Что, маленькая деревушка? — Парень окончательно проснулся и теперь пытался высмотреть, что происходит за окнами.

— Десять дворов, восемь коров, — хохотнул дед Андрей.

— Негусто.

— Хватает.

— Наверняка ни железнодорожной станции в вашей деревеньке, ни автобусов рейсовых, — задумчиво произнес парень.

— Откуда? У нас народ все больше своим ходом до цивилизации добирается. Кто транспортом не обзавелся, соседей требушит по каждой надобности, — объяснил дед Андрей. — А тебе, значит, на станцию надо?

— Было бы неплохо.

— Так чего ж ты молчал? Я чуть мимо не проехал. Тут, сразу за Андреевкой, станция есть, Непецино называется. Пойдет тебе такая? — засуетился дед Андрей, ухватившись за возможность расстаться со странным спутником до возвращения домой. Уж больно ему не хотелось кого попало привозить в свою глухую деревушку, где из защитников самый крепкий, почитай, он и будет. Кто знает, какого лиха ожидать от незнакомца?

— Пойдет.

— До самой станции я тебя не подброшу. Уж не обессудь, малость не по пути, боюсь, горючего не хватит. Мы «железку» пересекать будем, так я тебя там и высажу. А по рельсам с полкилометра до станции. Дотопаешь?

— Справлюсь, — утвердительно кивнул парень.

— Вот и ладненько, — обрадовался дед Андрей. — «Железка», вон она уже.

На горизонте действительно показался железнодорожный переезд. Притормозив у переезда, старик махнул рукой вправо, указывая направление:

— Тебе туда.

— Сколько я тебе должен, отец? — Парень полез было в карман, но дед Андрей остановил его:

— Что ты, что ты! Я ж от чистого сердца. Не нужна мне никакая мзда. Ступай, милок. Скоро светать начнет, не заблудишься.

— Тогда спасибо, что ли? — подхватывая спортивную сумку, проговорил странный пассажир.

— Не за что. Счастливого пути! — ответил старик.

Парень выбрался из машины и зашагал в указанном направлении. Дед Андрей не стал дожидаться, пока тот скроется из виду, втопил педаль газа и помчался вперед. От резкого толчка реле радио перескочило на другую волну. «Открылись новые обстоятельства, — выдал бесстрастный голос диктора. — Оперативно-следственные мероприятия позволили составить словесный портрет предполагаемого убийцы. Полиция призывает всех граждан быть бдительными и сообщить о местонахождении этого человека. Приметы подозреваемого: возраст тридцать—тридцать пять лет, рост около ста восьмидесяти сантиметров, волосы светлые, глаза голубые. Спортивного телосложения. Внешность славянского типа. В случае обнаружения лиц, схожих по приметам, просим сообщить по телефону...»

— А приметы-то совпадают, — произнес вслух дед Андрей. — Это что ж получается? Выходит, я только что выпустил из рук преступника! Вот так поворот!

Он свернул на обочину, заглушил двигатель и задумался. В каком преступлении обвиняли его случайного попутчика, он прослушал. А приметы? Так под них половину мужского населения подгрести можно. Что, если он ошибся и парень ни в чем таком не замешан? А он его под монастырь подведет, доложив властям о его местонахождении. Правда, если учесть, что парень в сонном состоянии болтал, то вполне может статься, что вез он преступника. Да еще и станцию ему услужливо подсказал, откуда когти рвать сподручнее.

Вот когда дед Андрей пожалел о том, что не признает новый формат связи и не имеет мобильного телефона. Пока он до своего Бортникова доберется, пока дозвонится до следственных органов, парня и след простынет. Движение со станции Непецино оживленное. Тут тебе и поезда дальнего следования, и пригородные электрички. Знай — улепетывай. А в каком направлении парень двинется, пойди угадай. Разве что самому вернуться и станционной полиции доложить? А что, если парень его заприметит? Проломит башку, и поминай как звали. Нет, самому соваться на станцию не резон. Он хоть и старик, а пожить еще хочет. Не его это забота за преступниками гоняться. Для этого специально обученные люди есть, пусть они свои огрехи и разгребают. Чего ради упустили разбойника из столицы? Потерзавшись сомнениями минут пять, дед Андрей снова завел двигатель и покатил в Бортниково, оставив решение сложной задачи до возвращения домой.

## Глава 4

Несмотря на глубокую ночь, в кабинете Гурова шли бурные дебаты. Полковник Крячко, яростно жестикулируя, вышагивал вдоль окна, пытаясь вразумить друга:

— Послушай ты, дурья башка, ведь это же курбановские. Они шутить не будут. Влезешь, не только парня, а и нас погубишь.

Гуров угрюмо смотрел в одну точку, не произнося ни слова. И так уже битый час Крячко горячился, выставлял новые и новые аргументы, а Гуров упорно молчал, не соглашаясь с ним, но и не возражая вслух. Спор возник спонтанно, ничто не предвещало серьезных разногласий в работе напарников. Уже и седовласый сосед-художник давным-давно был отправлен восвояси. И работы его переданы в информационный отдел на обработку к капитану Жаворонкову. И материалы на семейную чету Яропольцевых представлены и досконально изучены. Казалось бы, поработали на славу, можно и домой отчаливать. Да не тут-то было. Внезапно Гурову пришла в голову гениальная мысль, которой он поспешил поделиться с Крячко. А тот не придумал ничего умнее, как взять и согласиться на предложение Гурова.

Так приятели заработали себе очередную бессонную ночь. Предложение Гурова состояло в том, чтобы связаться с Александром Вольновым, который являлся их общим другом и так же, как и Гуров с Крячко, служил в звании полковника. Только несколько в ином ведомстве, он был полковником ФСБ. Время от времени приятели обращались друг к другу за помощью, и если просьба не подразумевала под собой нарушения общих правил, то эту самую помощь они получали в кратчайшие сроки и без бюрократической волокиты. На этот раз никаких препонов к оказанию услуги полковник Вольнов в просьбе друзей не углядел. Пробить по базе данных ФСБ отпечатки пальцев предполагаемого убийцы являлось стандартной процедурой. Единственное, что выигрывал Гуров, обращаясь непосредственно к Вольнову, это временной фактор. Обратись он с официальным запросом, на выполнение обращения ушло бы не менее суток, а то и побольше, учитывая поздний час. А Вольнов выдал Гурову результаты спустя каких-то три часа. Как раз к этому времени пришел ответ по портретам незваных гостей, посетивших квартиру Яропольцевых в ночь убийства Ольги.

Тут все и завертелось. Во-первых, Вольнову удалось найти данные на Максима Яропольцева в специальных базах ФСБ. Он оказался человеком непростым. В базе службы безопасности он был идентифицирован как бывший боец элитного

51

отряда специального назначения, принимавший участие в десятках спецопераций под руководством федералов. В настоящий момент Яропольцев числился в отставке. Четыре года назад его комиссовали по ранению, несовместимому с несением воинской службы. Комиссовали подчистую, без возможности восстановления. И предпочли про Яропольцева забыть. Уволили в запас, и точка.

Во-вторых, по полученным данным, после увольнения из армии и до приезда в Москву Максим Яропольцев проживал в славном городе Челябинске. Чем славился Челябинск, ни одному оперу по всей стране объяснять было не нужно. Челябинские криминальные группировки гремели по бывшему Союзу и сопредельным государствам, не нуждаясь в дополнительной рекламе. И это еще ничего, если бы не странное совпадение. Эскизы седовласого старика, обработанные специальной программой, выдали два имени: Геннадий Гробаренко по кличке Гробарь, и Захар Строев, прозванный в криминальной среде Зачетчиком. Оба входили в крупнейшую бандитскую группировку города Челябинска, руководил которой небезызвестный вор в законе Курбан.

В родном городе Курбан чем только не занимался. От контрабанды алкоголя и табачной продукции до торговли оружием и живым товаром. Только вот поймать его было непросто. Точнее сказать, невозможно. Он подмял под себя весь криминалитет. Кроме того, он контролировал и высшие чины города. Без одобрения Курбана в Челябинске не происходило ничего. Ни законного, ни противозаконного. Для Челябинска Курбан и был законом.

Вот из этого славного города супружеская пара по фамилии Яропольцевы и пожаловала в столицу. А спустя месяц после их прибытия в городе начали происходить определенные события, повлекшие за собой вмешательство сотрудников МУРа. Именно это обстоятельство заставляло кипятиться полковника Крячко. Любой здравомыслящий человек сразу понял бы: не их уровня это дело. Выяснили обстоятельства, передали разработку федералам, а сами умыли руки. Но это если брать во внимание здравомыслящих людей. Полковника Гурова к этой категории Стас не относил. Он понимал, что теперь Лев пойдет до конца, чем бы ему это ни грозило, оттого и торопился высказать свое мнение, пока не заговорил сам Гуров. Но тот все-таки заговорил.

— Ситуация непростая. Непростая и опасная. Но я предлагаю для начала абстрагироваться от этого обстоятельства. Мы все еще находимся в Москве, в охраняемом помещении Московского уголовного розыска, под защитой закона и специально обученной охраны. На настоящий момент никакая опасность нам не грозит. Верно? Так вот. Я предлагаю воспользоваться выигрышным положением и выстроить последовательную цепочку событий, прежде чем начать действовать.

— Как проницательно! — съязвил Крячко. — Это здорово, что судьба свела меня с таким провидцем, как полковник Гуров. Просто фантастическое везение.

— Не язви, Стас, — осадил его Гуров. — Все, что от нас требуется на настоящий момент, это разложить по полочкам имеющиеся сведения. А имеем мы следующее: в столице убита женщина, ранее проживавшая в городе Челябинске. В день убийства во дворе дома, где она снимала квартиру вместе с мужем, были замечены некие личности, относящиеся к криминальным структурам все того же Челябинска. Какой вывод мы можем сделать из этого обстоятельства? Смерть женщины не случайна. Головорезы банды Курбана, контролирующего весь Челябинск, не стали бы «светиться» в столице, если бы не крайние обстоятельства. Значит, эти обстоятельства напрямую связаны с семейной парой Яропольцевых. Вряд ли Ольга перешла им дорогу. Скорее всего, она пострадала из-за мужа. Это он чем-то насолил банде. Так сильно насолил, что главарь счел нужным послать для их ликвидации своих людей.

— С этим я согласен. Ты в очередной раз оказался прав, заподозрив в заведомо простом убийстве глубокую подоплеку. Только что нам с того? Допустим, Максим Яропольцев действительно перешел дорогу Курбану и его банде. Допустим, криминальный авторитет Курбан решил наказать беглецов. Допустим, Гробарь и Зачетчик явились в твой дом за душами Максима и Ольги. Что дальше? Мы не знаем ни того, ради чего они все это затеяли, ни того, являются ли Ольга и Максим невинными жертвами бандитов. Мы даже не знаем, удалось ли им поквитаться с самим Максимом. Кого мы будем искать и, главное, где? Ты можешь дать ответы на эти вопросы?

— Это как раз не столь важно на данный момент, — возразил Гуров. — Виновны ли Яропольцевы в чем-то или нет, они нуждаются в защите. Максима, как ты верно подметил, пока еще не нашли. Ни живым, ни мертвым. А за смерть Ольги головорезы должны ответить при любом раскладе. Убийство, оно и в Африке убийство.

— И как же мы собираемся привлечь к ответственности Гробаря и Зачетчика? Объявим и их в федеральный розыск?

— Ты снова забегаешь вперед, — поморщился Лев. — Не это должно нас волновать. Подумай сам, главарь крупной криминальной группировки высылает своих шестерок разобраться с обычной парочкой. Почему? Что ему от них нужно? Не знаешь? То-то и оно.

— А ты, я вижу, уже составил какую-то версию, — заметил Крячко, пыл которого начал постепенно угасать.

— Есть кое-какие соображения. Желаешь послушать?

— Валяй. Все равно спать в удобной постельке в собственном доме сегодня не светит ни тебе, ни мне, — махнул рукой Станислав.

— Сдается мне, этот Яропольцев поймал Курбана на крючок. Думаю, он завладел такими сведениями, обнародовать которые Курбан позволить не может. Он собирается предотвратить утечку информации любыми способами. Я же собираюсь эту самую информацию получить. Группировка Курбана давно намозолила глаза не только челябинским правоохранительным органам. Само ее существование бросает пятно на всех сотрудников полиции. И мы с тобой, полковник Крячко, не исключение. Так вот, раз уж нам выпал шанс получить компромат на Курбана и его подручных, мы должны воспользоваться им во что бы то ни стало.

— Да с чего ты решил, что у Яропольцева имеется на Курбана компромат? Почему не предположить, что парень попросту кинул на деньги либо Грабаря, либо Зачетчика? Те решили выколотить долг из Яропольцева. Взяли отпуск по основному месту работы, явились к нему на квартиру и начали свое черное дело с жены. Они рассчитывали на то, что она выдаст им местонахождение мужа. Но Ольга оказалась несговорчивой, за что и поплатилась. Тогда бандиты сделали логичный вывод: рано или поздно Максим вернется домой. Скорее всего, они устроили во дворе засаду, но упустили парня. А тот, почуяв, что пахнет жареным, дал деру. Вот и вся история.

— Нет, Стас, тут все гораздо сложнее. Не спрашивай, с чего я так решил. Просто знаю, и все, — заканчивая спор, заявил Гуров. — Я собираюсь найти Яропольцева и побеседовать с ним. Пока я этого не сделаю, спокойно спать не смогу. Ты можешь отказаться от этого дела. Не думаю, что Орлов станет принуждать тебя. Подумай, время еще есть. До утра я все равно не смогу ничего предпринять.

— Надеешься избавиться от меня? — грубовато, чтобы скрыть истинные чувства, проговорил Крячко. — Не выйдет. Раз уж мы оба ввязались в это дело, то я предпочитаю идти до конца.

— Вот и отлично, — будничным голосом произнес Гуров и продолжил, будто только такого ответа и ждал: — Значит, так: с утра я отправлю запрос нашим коллегам в Челябинск, попрошу собрать материал на Яропольцева. Где проживал, кем работал, с кем общался. Потребую полного отчета по деятельности Максима. Потом попытаюсь найти армейские контакты Яропольцева. Возможно, после бегства из столицы он подастся к кому-то из них. Поимка Яропольцева в данный момент является приоритетной задачей. Завтра нам предстоит суматошный день, поэтому необходимо хоть немного отдохнуть. Как тебе такое предложение?

— Я уж думал, ты никогда не предложишь, — хмыкнул Крячко. — Разойтись я всегда «за». Жаль, домой ехать поздно. Хотя покемарить в комнате отдыха тоже неплохо. Пойдем, товарищ полковник, «притопим на массу». Авось к утру головоломка соберется и без нашего вмешательства.

— На твоем месте я не стал бы рассчитывать на это, — улыбнулся Гуров, поднимаясь со своего места и направляясь к дверям вслед за Крячко.

— Как знать, — отшутился Станислав. — Случается и на моей улице праздник. Ты разве не замечал?

Товарищи перебрасывались шутками всю дорогу, пока шли до комнаты отдыха. Когда она была всего лишь в паре метров от полковников, из-за угла вынырнул молоденький лейтенант. Он стажировался в дежурной части, набираясь навыка общения с просителями и потерпевшими. Увидев Гурова, лейтенант подбежал к нему и громко отрапортовал:

— Товарищ полковник, капитан Хвесин велел доложить, что поступили важные сведения по расследуемому вами делу.

— Не велел, а приказал, — поправил лейтенанта Крячко. — И что же это за сведения?

— Не могу знать, — ответил лейтенант. — Капитан Хвесин приказал доложить только о самом факте. Все подробности вы можете узнать у него лично.

— Плакал наш отдых, — вздыхая, проговорил Крячко. — Пойдем, полковник, выясним причину беспокойства капитана Хвесина.

В дежурной части царила тишина. На радость капитану Хвесину, ночь проходила без особых происшествий. Если бы еще не звонки из райотдела, поступающие в дежурку по особому распоряжению полковника Гурова, то можно было бы считать дежурство на редкость удачным. Хотя и этого добра было не так уж много. Всего-то пара звонков, о которых следовало доложить незамедлительно.

Как только в поле зрения капитана Хвесина показалась полковничья пара Гуров — Крячко, он вытянулся по стойке «смирно» и отрапортовал:

— В дежурную часть поступило два сигнала. Первый — из шестого отдела, занимающегося расследованием убийства гражданки Яропольцевой. И второй — непосредственно к нам. С какого начать?

— Давай с отдела, — сказал Гуров.

— В шестое отделение позвонил мужчина. Назвался коллегой разыскиваемого мужчины. Все данные в докладе. Вот он, — протягивая листок, испещренный мелким почерком, сообщил Хвесин.

— А что второй сигнал? — поинтересовался Крячко,

— Этот звонок поступил несколько минут назад. Охранник гипермаркета, расположенного в районе станции метро «Тульская», Дьяченко Владимир, узнал нашего подозреваемого. Хочет сделать заявление.

— Так чего ж не сделает? — недовольно проворчал Станислав.

— У него смена заканчивается только в восемь утра. Начальство строгое, с рабочего места не отпускает, а охранник переживает, как бы поздно не было, — пояснил капитан.

— Машина свободная есть? — спросил Гуров и, получив утвердительный ответ, приказал: — Готовьте на выезд. Прокатимся.

— Все как всегда, — вздохнул Крячко. — Если гора не идет к Магомету, значит, Магомет не такой уж важный чин, верно, Лева?

— Не ворчи, Стас. Быть может, эта поездка станет знаковой в нашем расследовании, — осадил его Гуров. — Ради этого стоит прокатиться по ночной Москве.

— Машина будет готова через пять минут, — переговорив с водителем, доложил капитан Хвесин.

— Отлично! Пусть ждет, — кивнул Лев и повернулся к Крячко: — Пойдем, полковник, свяжемся с коллегой Яропольцева. Тут телефон указан. Возможно, придется прокатиться сразу в два места.

Коллегой Яропольцева оказался обычный работяга с Павелецкой товарной станции. Сам Яропольцев подвизался здесь где-то около месяца, числился в так называемых подменных грузчиках. Официально ни в отделе кадров, ни в иных подразделениях железной дороги сотрудники, подобные ему, не фиксировались. Грубо говоря, Максим Яропольцев всего лишь шабашил. Погрузил, разгрузил, получил наличку и отчалил. Никаких обязательств, никаких договоренностей. С товарищами по работе особых отношений не завел. Пить не пил, угощать и подавно. Держался особняком. Про прошлое место работы не упоминал. О каких-то бытовых сложностях не рассказывал. «Здрасте — до свидания», и все общение. В процессе разговора с коллегой Яропольцева Гуров пришел к выводу, что мчаться на вокзал ради того, чтобы получить те же самые ответы от других грузчиков, смысла не имеет. Раз уж Яропольцев решил не заводить приятелей на новом месте работы, значит, и ему, Гурову, там ничего не светит.

Вместо того чтобы тратить время на пустые разговоры с грузчиками, Гуров и Крячко отправились в гипермаркет, где обратились к начальнику охраны, объяснив цель своего визита. Тот вызвал Владимира Дьяченко, заранее предупредив, что будет лично присутствовать во время беседы. Гуров не возражал, и через несколько минут явился Дьяченко.

Вот тут им явно повезло. Мужчина средних лет оказался не только словоохотливым, но и весьма наблюдательным. Позвонить в главк его заставил ролик, который время от времени крутили по местному каналу. В той части маркета, где дежурил Дьяченко, телевизионных экранов установлено не было, поэтому звонок поступил с опозданием. Дежурство охранника начиналось с восьми вечера и продолжалось до восьми утра. В этот промежуток времени он имел право на два получасовых перерыва. Ближе к двенадцати ночи Дьяченко этим правом воспользовался и решил побаловать себя кусочком пиццы. Он поднялся на последний этаж, заказал порцию итальянской лепешки с курицей и грибами и уселся за крайний столик, дабы насладиться кулинарным шедевром. Тут-то и увидел фото преступника, разыскиваемого столичными властями.

Он узнал его сразу. Яропольцев оказался постоянным клиентом маркета и все время пользовался камерами хранения, расположенными в полуподвальном помещении. Просмотрев записи с камер наблюдения, Гуров и Крячко получили подтверждение слов охранника. Мало того, они нашли запись, на которой Яропольцев был запечатлен уже после совершения убийства. И если на предыдущих записях он вел себя совершенно свободно, то на последней явно пытался скрыть лицо.

Гуров попросил прокрутить последнюю запись повторно. На пленке было видно, как Яропольцев подходит к крайнему боксу камер хранения. Вот достает ключ, открывает замок. Вдруг замешкался. О чем-то размышляет или не находит того, что должно быть в боксе? Теперь выкладывает что-то из сумки и поспешно удаляется.

— Мне нужны записи с наружных камер слежения, — распорядился Гуров, через плечо бросая взгляд на начальника охраны. — И еще необходимо проверить содержимое того бокса, которым пользовался Яропольцев.

— Может, лучше минеров вызвать? — обеспокоенно произнес начальник охраны. — Кто знает, какой «подарочек» оставил нам странный посетитель?

— Действительно, Лева, давай предоставим действовать профессионалам, — поддержал его Крячко. — Вдруг в боксе взрывчатка, которая настроена на движение? Дернешь дверку, и пол сразу снесешь.

— Не думаю, что в этом есть хоть какая-то необходимость, — отмахнулся Гуров. — Скорее всего, в боксе лежат личные вещи убитой.

— С чего ты взял?

— Сам подумай: мужчина посещает гипермаркет дважды в неделю. Всякий раз приходит с одной и той же сумкой, уходит с ней же. Укладывает ее в одну и ту же ячейку. Всегда. Совпадение? Не думаю. Несомненно, ключ от этого бокса он уносил с собой. Идем дальше. В день смерти жены он приходит с пустыми руками, а уходит с сумкой. Что и требовалось доказать.

— Я не совсем понимаю, каким образом это связано с предположением, что в боксе не может быть взрывного устройства? — не удержался от вопроса начальник охраны.

— Да все же элементарно, — пояснил Гуров. — В Москву Ярополцев приехал в надежде спрятаться ото всех. Затеряться в толпе. На случай, если придется бежать и отсюда, он подготовил минимум вещей, необходимых на первое время. Где удобнее хранить эти вещи? Конечно, на нейтральной территории. Камеры хранения торгового центра, работающего в двадцатичетырехчасовом режиме, идеальное место. Чтобы быть уверенным в том, что сумку не обнаружили, Ярополцев систематически проверял ее. Стал бы он таскаться сюда, будь в сумке взрывное устройство? Естественно, нет.

— Допустим, — согласился Крячко. — Но почему ты решил, что в боксе он оставил вещи жены?

— Может быть, достаточно вопросов? Не легче ли пойти и убедиться? — не выдержал Гуров и, развернувшись к начальнику охраны, спросил: — Найдется у вас универсальный ключ, отпирающий все замки камер хранения?

— Разумеется, — кивнул тот. — На случай утери, поломки и прочих форс-мажорных обстоятельств мы держим универсальный ключ.

— Тогда вперед! — скомандовал Лев. — А вы, товарищ Дьяченко, попытайтесь отыскать нашего беглеца на записях с наружных камер. Возможно, нам повезет, и он взял такси. Правда, я на его месте этого делать не стал бы.

Дьяченко остался в операторской, чтобы с помощью диспетчера просмотреть записи с главного входа, а начальник охраны повел полковников вниз, к камерам хранения. Возле бокса под номером двести тридцать шесть процессия остановилась. Начальник охраны вложил в руку Гурова ключ и на всякий случай отошел на несколько шагов назад.

— Знай генерал Орлов, что ты собираешься сделать, он бы тебя за самовольство по головке не погладил, — тихо проворчал Крячко.

— Хочешь поставить его в известность? — усмехнулся Гуров.

— Ни в коем случае! Погибать, так с музыкой. Открывай, Лева! Как говорится, двум смертям не бывать, а одной не миновать.

Гуров открыл дверцу. Возле дальней стены стоял пластиковый пакет. Он потянул его на себя, не вынимая из бокса, приоткрыл, потом перевернул и высыпал содержимое пакета. Это действительно были женские вещи: куртка-ветровка, спортивный костюм, смена нижнего белья, расческа, кое-какие средства гигиены. Больше в пакете ничего не было.

— Предчувствия его не обманули, — пропел Крячко известную фразу из детского мультфильма. — Ох, и везучий же ты, Лева!

— Везение тут ни при чем. Простая логика, — возразил Гуров. — Забирай вещички, Стас, отдадим экспертам. Возможно, они еще смогут сослужить нам службу.

— Это вряд ли, — хмыкнул Крячко, но просьбу выполнил, после чего компания вернулась в операторскую.

В торговом центре Гурову и Крячко пришлось пробыть еще с час. За это время удалось найти запись того момента, как Яропольцев покидает гипермаркет. Услугами такси он не воспользовался. Быстрым шагом спустился с крыльца и растворился в толпе. Неудача не разочаровала Гурова. То, что мужчина действовал четко и грамотно, вызывало уважение. Да и как могло быть иначе, если тот несколько лет прослужил в спецподразделении, специализировавшемся на секретных операциях?

Гуров и Крячко собирались разъехаться по домам и хоть немного отдохнуть, но воплотить в жизнь свой план не успели. Телефон Гурова сообщил о входящем звонке как раз тогда, когда они садились в служебную машину. На связи снова был капитан Хвесин.

— Товарищ полковник, поступил новый сигнал. С поста ДПС возле Ярославского шоссе, — доложил он.

— Что у них?

— Задержали мужчину на «жигуленке». Приметы совпадают с приметами вашего беглеца.

— Где он сейчас? — спросил Гуров.

— Везут к нам, товарищ полковник. Просили передать, через час прибудут на место.

— Понял, капитан. Выезжаем.

— Что стряслось? — спросил Крячко.

— Поездка домой снова откладывается. На Ярославском шоссе задержали подозреваемого, — пояснил Гуров, а водителю приказал: — Гони в управление!

— Понял, товарищ полковник. В управление так в управление, — равнодушно проговорил водитель.

В главк Гуров и Крячко прибыли без опоздания, опередив инспекторов ДПС буквально на десять минут. За это время они только и успели, что расположиться в кабинете. Гуров начал составлять запрос к челябинским коллегам, а Крячко принялся ходить из угла в угол, рассуждая о странностях поведения беглеца Яропольцева.

— Знаешь, что мне непонятно? — обращаясь к Гурову, произнес он. — Почему Москва? Отчего Яропольцев, для того чтобы залечь на дно, выбрал такое странное место?

— Что ж тут странного? — спокойно возразил Лев. — Москва — огромный город. Тут человеку затеряться гораздо проще, чем в малонаселенном пункте, где каждый приезжий на виду. К тому же на кусок хлеба заработать в столице не составляет труда. Даже не имея документов.

— Это так, не спорю, но ведь и правоохранительные структуры тут солиднее, чем в каком-нибудь Малореченске.

— Не думаю, что Яропольцева беспокоили проблемы столкновения с правоохранительными органами. Ему не о нас с тобой волноваться нужно было, а о курбановской братве.

— Так ведь и с этой точки зрения тоже нелогично получается. Криминал в крупных мегаполисах похлеще полицейских структур разросся. Курбану всего лишь и нужно-то было, что пару звонков сделать. Остальное московские группировки сделали. Разве нет? Думаешь, как Гробарь и Зачетчик на Яропольцева вышли?

— Возможно, этого обстоятельства он не учел, — пожал плечами Гуров. — Либо у него был свой резон в столицу пробираться.

— Вот это уже больше похоже на правду, — согласился Крячко. — Что-то нашему беглецу от столицы было нужно. Не только поддельные документы. Это уж точно.

В дверь заглянул капитан Хвесин и доложил:

— Задержанного привезли. Куда его?

— Ведите сразу к нам, — ответил Крячко.

Двое мужчин в форме сотрудников ДПС вошли в кабинет, ведя за собой высокого блондина. Тот вяло сопротивлялся, скорее для проформы, чем от недовольства.

— Кто задержанного принимать будет? — недовольно проворчал один из дэпээсников, в звании старшины.

— Я приму, — произнес Станислав. — Показывай улов, командир.

Старшина вытолкнул задержанного вперед. Едва удержавшись на ногах, блондин оглянулся на сопровождающих и гневно воскликнул:

— Эй, полегче! Тут вам не тридцать седьмой год. Времена повальных арестов неповинных граждан давно прошли.

— Вы кого привели? — не обращая внимания на реплику блондина, проговорил Крячко.

— Как кого? Пришла ориентировка — мы задержали. Приметы совпадают, — ответил старшина.

— Приметы, говоришь? Ты давно в полиции служишь, старшина? — начал заводиться Крячко.

— Остынь, Стас! — остановил его Гуров. — Сам знаешь, как выглядит фоторобот, рассылаемый по факсу. А общие приметы действительно совпадают.

— Так это что ж получается, мы не того привезли? — догадался старшина. — Вот непруха! Полгорода отмахали, и все впустую.

— Не совсем, — вглядевшись в лицо задержанного, обнадежил старшину Гуров. — Ваш фрукт не с нашего дерева, но личность выдающаяся. Позвольте представить знаменитого на всю столицу угонщика автотранспорта, гражданина Акремкина Тараса Владленовича, по прозвищу Шумахер. Утро доброе, Шумахер.

— И вам не хворать, Лев Иванович, — сбавляя тон, ответил блондин. — Чего ради кипиш? Потеряли кого?

— Потеряли, Тарас. Правда, не тебя, но и ты сгодишься, — заявил Гуров. — Знаешь, старшина, сколько на Шумахере нераскрытых дел висит? К десятку подходит, верно, Шумахер? И это только те случаи, на которые заявления от потерпевших имеются. Уверен, коллеги по достоинству оценят ваши старания.

— Так вы его берете или нет? — не понял старшина. — Нам что, его обратно в свой район конвоировать?

— Оставляй, старшина. Утром разберемся, — ответил Лев.

Старшина сделал знак напарнику, и они вышли из кабинета. Гуров вызвал дежурного и дал распоряжение увести задержанного.

— Оформи его как полагается, а утром передашь следователю, — приказал он.

Шумахера увели. Крячко проводил его печальным взглядом и устало проговорил:

— Жаль, не срослось с задержанным.

— Ничего, найдется и наш клиент, — не выдавая собственного разочарования, сказал Лев.

— Все, Лева, ты как хочешь, а я на боковую, — потянувшись, заявил Крячко. — Твоя неуемная жажда деятельности доконает меня.

Он вышел из кабинета, направившись прямиком в комнату отдыха, Гуров еще какое-то время возился над составлением запроса, после чего ненадолго прилег прямо в кабинете. Остаток ночи ему пришлось коротать на узком, неудобном диване, чтобы с первыми лучами солнца быть готовым к новому трудовому дню.

## Глава 5

Максим Яропольцев шагал вдоль железнодорожного полотна в сторону станции Непецино. Покинув гостеприимный салон «москвичонка» деда Андрея, он уже через десять минут ходьбы пожалел о принятом решении. Нужно было воспользоваться первоначальным предложением старика и проехаться с ним до Бортникова, а там напроситься на ночлег. Дождь закончился, но тепло все еще не вернулось. Довольно сильный ветер, по-осеннему промозглый, леденил кожу, накаляя промокшую одежду, так и не успевшую высохнуть за время поездки. От этого настроение, и без того мерзопакостное, упало до самой нижней отметки.

Зато сонливое состояние, преследующее Максима вот уже сутки, несколько ослабло. Сколько времени он уже в пути? И сколько часов кряду не спал нормально, в теплой постели и без страха быть пойманным? Ответ на этот вопрос ему был хорошо известен. Перед ночной сменой, отработанной в последний раз на разгрузке вагонов, поспать не удалось из-за ухудшегося состояния Ольги. Головные боли не оставляли ее почти сутки. Не помогали даже те сильные лекарства, которые присоветовал челябинский светила медицинского центра. Ольга лежала на диване, подавляя стоны, чтобы не беспокоить его. Тебе нужно выспаться, превозмогая боль, твердила она. Только до сна ли ему было? Лежал рядом, делая вид, что спит, на самом деле проклинал всех врачей, вместе взятых. Три года не могли поставить диагноз, а под занавес обрадовали. Нашли причину, поставили диагноз. Оказалось, что излечению ее хворь уже практически не поддается. Время упущено, сказал тот самый светила, что так долго размышлял над Ольгиным «феноменом», как он его называл.

Потом темнота в кухонном окне лишила возможности вернуться домой. После того как Ольга не пришла к памятнику, ему пришлось вызволять из камеры хранения сумку и снова пускаться в бега. Неудачная попытка получить расписание пригородных автобусов напугала его больше, чем он ожидал. Как горланила эта глупая толстуха! До сих пор мурашки по всему телу. Еще бы чуть-чуть, и его сцапали бы простые вокзальные охранники. Вот был бы номер! От курбановских головорезов ушел, а привокзальным олухам попался. Но нет, видно, его время еще не пришло. Правда, из колеи выбило основательно, иначе не тащился бы сейчас вдоль железнодорожного полотна, промокший и замерзший.

Да, нервишки подвели, с этим не поспоришь. Мало того что он до утра таскался по московским улицам, а вернее закоулкам, отыскивая дорогу к Кольцевой, так еще, добравшись до места, перепутал направление и чуть ли не полсотни километров отмахал не туда, куда планировал. В итоге к пяти вечера он оказался в районе аэропорта Внуково, хотя на самом деле собирался в Люберцы.

Легким утешением ему служил тот факт, что в какой-то момент его пешей прогулки он потерял связь с реальностью. Боль от осознания произошедшей утраты накрыла, точно десятиметровая волна. Самое страшное в его потере было то, что он даже попрощаться с ней не сможет. И даже если все закончится более или менее удачно для него, он все равно не сможет прийти к ней на могилу, потому что не будет у нее никакой могилы. Как они их называют? Бесхозные трупы? Невостребованные тела? Что-то вроде этого. А с невостребованными телами не церемонятся. В мешок — и в печь...

Выйти из забытья ему помог дождь. По всей видимости, он шел уже давно, так как рубашка к тому времени успела промокнуть насквозь. Остановившись, Максим попытался сориентироваться на местности. Находился он неподалеку от шоссейной развязки. Машины плотным потоком мчались во всех направлениях. Дойдя до указателя, он присвистнул — Киевское шоссе. Далеко же его занесло! И что теперь? Возвращаться тем же путем или попытаться поймать попутку? Оглядев себя, он отбросил мысль о попутке. В таком виде только дачников в Хеллоуин пугать. Значит, придется выбираться своим ходом. Он свернул на первую попавшуюся дорогу, ведущую в нужном направлении, и продолжил путь.

Недалеко от Троицка силы окончательно оставили его. Тогда он вышел на шоссе и остановился на обочине, отдав себя на волю случая. На этот раз судьба смилостивилась над ним. Неказистый «москвичонок» посигналил фарами и остановился прямо перед ним. Доброе, приветливое лицо пожилого водителя сулило временную передышку. Максим забрался в теплый салон машины, согласный ехать куда угодно. Дед ехал в Бортниково. Где это? Какая теперь разница, только бы не пешком, только бы дать отдых натруженным ногам и измученному мозгу. Какое-то время дед Андрей, так водитель представился Максиму, пытался завязать с попутчиком беседу. Он понимал, что поступает невежливо, уклоняясь от разговора, но сил на светские расшаркивания не было. Дедок попался сочувственный. Сообразив, что молоть языком попутчик не расположен, он предоставил Максима самому себе, и тот сразу уснул. Это было неудивительно. К тому времени подходили к концу третьи бессонные сутки.

Сейчас, шагая по железнодорожной насыпи, Максим думал, что несколько часов сна в машине, в неудобной позе, проблемы не решали. Нужно было найти ночлег. Причем срочно, пока он не превратился в ходячего мертвеца. Быть может, ему повезет и он устроится в каком-нибудь вагоне у сердобольной проводницы? Приобрести билет он, естественно, не сможет, но наличные пока есть. Главное, выбрать сговорчивую бабенку и на деньги не скупиться, тогда может и выгореть.

Впереди показались огни железнодорожной станции. Максим облегченно вздохнул. С расстоянием дед Андрей не обманул, хотя его высказывание насчет близкого рассвета и было преувеличено. До рассвета, судя по часам, нужно было еще дожить. Максим ускорил шаг, размышляя, насколько крупной станцией является Непецино и как часто на ней останавливаются пассажирские составы.

Станция его разочаровала. Она оказалась незначительной по своей пропускной способности, всего-то пять транзитных путей. Наверняка с остановками пассажирских составов тут недобор. Практически пустая платформа подтверждала его предположение лучше всякого расписания. Не поднимаясь на платформу, Максим обошел строение, предпочитая производить осмотр с приличного расстояния. Нельзя сказать, что на станции все замерло ввиду позднего часа. Двое станционных рабочих быстрым шагом пересекли платформу и скрылись в здании вокзала. Возле самой двери восседала деревенская баба, окруженная баулами. То ли торговка, то ли запоздалый пассажир, сразу не понять. Возле закрытого питейного заведения притулился бомжеватого вида мужик. Он мирно посапывал, привалившись к стене.

К нему-то и направился Максим. Заслышав шаги, мужик приоткрыл один глаз, оценивающе оглядел его и снова зажмурился. Видимо, он не внушил ему почтительных чувств, и надежда на поживу испарилась, едва появившись. Присев возле мужика, Максим достал из рюкзака пачку сигарет, чудом не вымокшую под дождем, и, демонстративно похлопав себя по карманам, легонько толкнул мужика в плечо:

— Огоньком не богат, приятель?

— Баш на баш, — не открывая глаз, предложил мужик.

— Годится, — быстро согласился Максим, протягивая мужику пачку.

Сон мужика как рукой сняло. Он живо подскочил на месте, выхватил из рук незнакомца сигареты и, высыпав добрую половину на ладонь, вернул пачку обратно. Только после этого извлек из кармана затертой куртки спичечный коробок и, чиркнув спичкой, поднес огонек к сигарете Максима. Тот прикурил, благодарно кивнув. Затянулся и мужик. Помолчали. После третьей затяжки Максим спросил:

— Давно отдыхаешь?

— Да всю жизнь, — весело ответил мужик. — Как школу окончил, так и отдыхаю. А ты, я вижу, из пахарей?

— Типа того, — улыбнулся Максим. — Тоже, как школу окончил, так и пашу.

— На дядю небось? — усмехнулся мужик.

— Не без этого, — кивнул Максим и задал новый вопрос: — Не знаешь, пассажирский скоро?

— Тебе в какую степь надобно? — поинтересовался мужик. — У нас тут с направлениями негусто.

— А куда ходят?

— Кто на запад, а кто на восток.

— Мне как раз на восток, — заявил Максим. — Ждать долго?

— Часа три, — авторитетно объявил мужик. — А билет тебе сейчас не продадут. Манька в отпуске, а без нее ночные кассы не фунциклируют.

— Хреново, — протянул Максим. — Окончания Манькиного отпуска мне ждать никак не с руки.

Мужик захихикал, оценив шутку незнакомца. Потом заговорщицки подмигнул и предложил:

— Могу подсказать местечко, где можно время переждать. В приятной компании и с щедрым угощением. Бабки имеются?

— Ты б лучше подсказал, как побыстрее выбраться отсюда, — высказал заветную мысль Максим.

Он задумчиво всматривался в даль, надеясь увидеть огни приближающегося поезда, поэтому не заметил, как взгляд бомжеватого мужика внезапно изменился. Сначала в глазах появилось некое подобие удивления, сменившееся сомнением, которое моментально превратилось в уверенность. К тому моменту, когда Максим перевел взгляд на собеседника, лицо того приняло обычное скучающее выражение. Снова помолчали. На этот раз молчание нарушил мужик:

— Ты, я вижу, не местный? Каким ветром в нашу глушь занесло?

— К другу приезжал. Думал — надолго, а получилось как всегда, — ответил Максим первое, что пришло на ум.

— Рассорились или на месте не оказалось? — продолжал расспросы мужик.

— Первое, — коротко бросил Максим, которого допрос бомжеватого мужика начал напрягать. — Так что насчет поезда? Посодействуешь с отправкой?

— Все зависит от полноты налитого стакана, — многозначительно проговорил мужик.

— Этим не обижу. Только, чур, расплачиваться после совершения сделки. Идет?

— Это как же, после совершения? — притворно возмутился мужик.

— А так. Посадишь в поезд — получишь сполна. И на стакан, и на бутылку хватит. Может, и на две.

— Из деловых, значит? — хмыкнул бомж. — Ладно. Будь по-твоему. Жди здесь.

— Сам куда? — насторожился Максим. — Поезда-то еще не видно.

— С Акимычем переговорить. Он у нас здесь всем заведует, — пояснил мужик и скрылся за углом.

Максим удивился, что тот не пошел в здание вокзала. Резоннее было бы предположить, что человека, заведующего всем на станции, нужно искать именно там. Но местным виднее, рассудил он и отбросил неприятные мысли. Прошло с четверть часа, прежде чем мужик появился снова. Только на этот раз он был не один. И привел он с собой не своих дружков-собутыльников. Это Максим понял сразу. Вскочив на ноги, он рванул к путям, не дожидаясь, пока бритоголовые братки подберутся ближе.

— Стой, сволота! — заорал один из них. — Стой, падла, пристрелю как собаку!

Максим даже не обернулся. Спрыгнул с платформы и бросился к ближайшим кустам. Бритоголовый не шутил, обещая пристрелить беглеца. Тишину станции разорвали пистолетные выстрелы. Над головой засвистели пули. Пригнувшись, Максим перепрыгнул с одной железнодорожной линии на другую и, петляя, помчался к спасительным кустам. Топот двух пар ног за его спиной оповестил о том, что преследователи так просто его не отпустят.

— Вентиль, заходи слева! Отсекай от кустов! — орал один из преследователей, продолжая стрелять.

В этот момент пути осветили фары электропоезда, несущегося на полной скорости к месту перестрелки. Длинный паровозный гудок предупреждал о своем приближении. Возле кустов появилась фигура Вентиля, бегущая наперерез Максиму. Тому пришлось изменить направление. Он кинулся обратно к платформе, предполагая, что отдалился от первого преследователя на приличное расстояние. Минуту спустя выстрелы возобновились.

Оставался один выход — сократить расстояние до Вентиля и попытаться пробиться к кустам. Иначе за его жизнь не дадут и ломаного гроша. Перепрыгнув в очередной раз через две рельсовые полосы, он бросился на землю и кубарем покатился под откос. Не успел принять вертикальное положение, как в свете фар возникла фигура Вентиля. Совсем близко. Буквально в трех шагах. Он стоял, широко расставив ноги, и целился Максиму в голову.

— Кранты тебе, сволота. Отбегался! — ощерив беззубый рот, прошипел Вентиль. — Поднимайся, побазарим.

71

«Сейчас или никогда», — промелькнуло в голове Максима. Электропоезд издал очередной сигнал, и колеса застучали по рельсам, проносясь в метре от того места, где лежал Максим. Воспользовавшись тем, что от второго преследователя его закрывает поезд, Максим незаметно набрал пригоршню щебня с насыпи и начал подниматься.

— Ваша взяла! — прокричал он. — Берите деньги и валите!

— Гляди ты, какой щедрый, — заржал Вентиль, приближаясь еще на шаг. — Бабки мы и без твоего разрешения возьмем. Ты сюда топай, к паханам пойдешь. За кидалово ответить придется.

Только сейчас Максим сообразил, что это не простые грабители из местной братии. Это по его душу Курбан своих по всей области напряг. «Теперь уж точно либо ты его, либо конец твоей истории напишут прямо здесь, на захудалой станции с дурацким названием». Он резко выкинул правую руку вперед и, целясь в глаза, выпустил щебень, точно дробь из дробовика. Не ожидавший нападения бандит резко отпрянул, хватаясь за глаза, и то ли с испугу, то ли по привычке нажал на курок. Пуля прошила плечо Максима, но остановиться не заставила. Он бросился на Вентиля. Удар ребром ладони по горлу, контрольный в солнечное сплетение, и с Вентилем было покончено.

Отшвырнув ногой пистолет, Максим метнулся в кусты и, не останавливаясь, помчался напролом, не задумываясь о том, куда приведет его дорога. Пока поезд загораживает от второго преследователя то, что творится на насыпи, у него есть шанс затаиться в посадках. Подавив мимолетное сожаление о том, что не подобрал оружие, Максим продирался все дальше сквозь посадки, слыша за спиной гневные крики бритоголового. Видимо, тот нашел своего напарника и теперь пытается привести его в чувство. «Надеюсь, я его не убил», — подумал Максим, выбираясь на ровную дорогу, идущую вдоль посадок. Прятаться больше не было смысла. Как он и предполагал, преследовать его никто не собирался...

Утром Гурова разбудил зычный голос генерала Орлова. Он открыл глаза и не сразу сообразил, где находится. От неловкой позы затекла шея, в голове шумело, как после великой попойки, да еще и желудок издавал жалостливые трели, так как накануне поужинать Гурову не довелось.

— Что это ты, Лев Иванович, казенные диваны протираешь? Перед супругой провинился или она перед тобой? — нависая над Гуровым, спрашивал генерал Орлов, глядя на полковника, скромно приютившегося на миниатюрном диване.

— Доброе утро, Петр Николаевич, — подражая генералу, поздоровался Лев, поднимаясь с дивана и приводя одежду в надлежащий вид.

— Докладывай, чем провинился, — продолжал шутить Орлов.

— Да все по делу Яропольцева, — признался Гуров. — Сначала фоторобот с соседом составляли. Потом по базе пробивали. С Вольновым связались. Короче, крутились, как могли. А под занавес ребята с Ярославского шоссе подарочек преподнесли, задержали мужчину, по приметам схожего с Яропольцевым, притащили его к нам. В итоге оказалось, не того взяли. Пока разобрались, от ночи один хвостик остался. А наутро новая куча неотложных дел. Вот мы со Стасом и решили не тратить время на дорогу.

— А Стас-то где? — оглядывая кабинет, спросил Орлов.

— Должно быть, в комнате отдыха храпака дает, — предположил Гуров.

— А вот и нет. Стас давно уже не спит. Он, между прочим, успел о завтраке для себя и своего друга позаботиться, — донеслось от двери.

В дверном проеме возникла фигура Крячко. Радостно потрясая пакетами из соседнего кафетерия, он предложил Орлову:

— Присоединишься? Еды на всех хватит.

— Пожалуй, откажусь. Сыт, спасибо. А вот рапорт о том, как продвигается расследование убийства Ольги Яропольцевой, выслушать желаю. Вы тут давайте по-быстрому с едой заканчивайте и ко мне на доклад.

— Так можно совместить, — не растерялся Крячко. — И время сэкономим, и в приятной компании позавтракаем.

— Ладно, шут с вами, — сдался Орлов. — Хватайте снедь и перебазируйтесь в мой кабинет. Так уж и быть, кофе с меня.

Гуров наскоро причесался, стряхнул остатки сна, и оба полковника направились в кабинет генерала Орлова. По пути заглянули в информотдел, вручили Жаворонкову запрос для челябинских коллег, пояснив, что приоритет запроса наивысший, что означало для Жаворонкова отложить все дела и постараться добыть информацию в кратчайшие сроки.

В кабинете Орлова сыщики расположились как у себя дома. Приятный аромат кофе, приготовленного расторопной Верочкой, распространялся по всему кабинету. Не дожидаясь команды, они приступили к завтраку. Уминая бутерброд с колбасой, Гуров коротко ввел генерала в курс дела.

— Жаль, что с задержанным оказия вышла. Было бы неплохо пообщаться с Яропольцевым. Сразу все прояснилось бы, — заключил Лев.

— И что же ты обо всем этом думаешь? — поинтересовался Орлов. — Чего ради курбановская братва гоняется за Яропольцевым?

— Да уж не ради того, чтобы привет передать. Наверняка без веской причины Курбан своих людей гонять не стал бы.

— А я думаю, что Гробарь и Зачетчик делают это по собственной инициативе, — возвращаясь к своей версии, произнес Крячко. — На бабки он их кинул. И наличие в тайнике энной суммы доказывает мою правоту.

— Двести «косых», конечно, сумма немалая, — неспешно проговорил Гуров, откладывая бутерброд в сторону, — но только не для Курбана и его приспешников. Они такими деньжищами ворочают, тебе и не снилось. Нет, не станут они ради этой мелочи подставляться.

— Ничего себе, мелочь! — возмутился Крячко.

— К тому же это дело их воровской чести, — вклинился в разговор Орлов. — Неужели Курбан оставил бы безнаказанным того, кто сумел его кинуть?

— С этим не поспоришь, — согласился Гуров. — Тем не менее, я уверен, все тут посерьезнее кучки банкнот.

— Что собираешься предпринять? — поинтересовался генерал.

— Буду искать Яропольцева. Он-то наверняка знает, за что погибла его жена.

— А Гробарь и Зачетчик? Пусть гуляют? — в очередной раз возмутился Крячко.

— А что ты можешь им предъявить? Показания седовласого старца, который видел их во дворе дома, где проживали Яропольцевы? Отпечатков пальцев нет, свидетелей, которые видели Гробаря и Зачетчика непосредственно у квартиры убитой, тоже нет. Да, старик сказал, что бандиты выходили из первого подъезда, и даже подтвердить свои слова в суде не отказался. Но ведь это не доказательство. Поставят твоих братков перед судьей, а они заявят, что приятеля искали, адресом ошиблись или вообще в подъезд не входили.

— Тут Лева прав, как ни крути, — сказал Орлов. — Предъявить нам курбановским нечего.

— Пока нечего, — поправил его Гуров. — Как только выйдем на след Яропольцева, обвинения сразу появятся. Я в этом уверен.

— Да как ты на него выйдешь? Вся московская полиция на ушах стоит, а кроме угонщика Шумахера, ни одной зацепки. Наверняка Яропольцев либо на дно залег, либо свалил уже из столицы. Желаешь по всей России за ним гоняться? — разозлился Крячко.

— Ты, Стас, не кипятись. Есть у меня задумки, как нам на Яропольцева выйти. И гоняться по стране для этого не придется, — осадил его Лев.

— Так выкладывай свои соображения, — потребовал Орлов.

— Есть вероятность, что Яропольцев будет искать защиты у кого-то из старых армейских приятелей. У кого он еще поддержку получит, да без лишних вопросов? Позвоню Вольнову, попрошу прошерстить списки тех, с кем служил Яропольцев. Выберу подходящую кандидатуру и пообщаюсь с товарищем.

— Сколько тебе понадобится на это времени?

— Максимум два часа. Думаю, за это время и из Челябинска ответ поступит, — ответил Гуров.

— Ладно, Лева, действуй, — дал добро Орлов. — Через два часа доложишь, каковы результаты.

Прихватив остатки еды, сыщики покинули кабинет начальника. Вернувшись к себе, Гуров набрал номер Вольнова. Изложив свою просьбу, получил положительный ответ. После этого придвинул папку с материалами недавно завершенного дела и приступил к составлению отчета. Крячко ошарашенно следил за действиями напарника.

— Что не так? — оторвавшись от своего занятия, спросил Гуров.

— Ты серьезно собираешься заняться отчетом? — недоверчиво проговорил Стас. — А как же Яропольцев? Мы даже не обсудим план дальнейших действий?

— Для этого нужно дождаться сведений от челябинских коллег и от Вольнова. Предлагаешь просидеть битый час в ожидании, ничего не делая? По-моему, занять себя полезной деятельностью — это самое логичное решение. Попробуй последовать моему примеру. Не заметишь, как время пролетит.

— Да я просто не смогу усидеть за столом, когда тут такая интрига наклевывается, — честно признался Крячко.

— Тогда сходи, поторопи капитана Жаворонкова, — предложил Лев.

— Думаешь, от этого будет толк? — с сомнением покачал головой Станислав.

— Непременно, — уверенно произнес Гуров, а про себя подумал: «По крайней мере, не будешь над душой стоять».

Крячко еще какое-то время пошатался по кабинету и вышел. Больше часа Гурова никто не беспокоил. Он спокойно закончил текущие дела, разложил документы по папкам, потянулся и удовлетворенно вздохнул. Тут как раз в кабинет вернулся Крячко, держа в руках стопку факсовой бумаги. Лицо его сияло довольством.

— Итак, твой поход был не напрасным, — заключил Гуров, протягивая руку и жестом требуя принесенные отчеты.

— А как же? В отличие от бумажных червей, которых медом не корми, дай только доклады построчить, Крячко даром времени не терял, — выкладывая на стол листы, самодовольно проговорил Станислав.

— Успел изучить? — спросил Лев, пробегая глазами первый лист.

Это была информация от челябинских коллег. Личная жизнь Яропольцева тут была прописана во всех подробностях. Судя по датам, в Челябинске Максим Яропольцев появился спустя полгода после увольнения из армии, сразу устроился водителем в фирму грузоперевозок и проработал там ни много ни мало три с половиной года. Характеристика с последнего места работы была сплошь положительная. И ответственный он, и дисциплинированный. В дурных связях не замечен. Ни алкогольной, ни наркотической зависимости не наблюдалось. В азартные игры не играл, шумных компаний не водил. Уволился два месяца назад по собственному желанию.

Следующий листок содержал информацию о фирме «ГрузТранс», в которой подвизался Яропольцев. Основная деятельность фирмы была напрямую связана с Челябинским фармацевтическим заводом, выпускающим целый ряд медицинских препаратов. Завод поставляет свою продукцию в тридцать крупнейших городов России. В фирме имеется спецбригада водителей-дальнобойщиков, выполняющих рейсы исключительно по заказу завода. В эту группу входил и Яропольцев. Это обстоятельство особо заинтересовало Гурова. Он достал блокнот и выписал телефон владельца фирмы «ГрузТранс», собираясь лично побеседовать с ним.

Третий листок содержал список тех, с кем служил, а главное, общался Яропольцев за время службы. Составлен он был четко и лаконично. Узнав почерк Стаса, Гуров оторвал взгляд от листка и с улыбкой спросил:

— Сам Вольнова побеспокоил? Не дождался, пока тот позвонит?

— Хотел ускорить события, — хмыкнул Крячко. — А что, не разберешь мои каракули?

— Напротив, все очень четко прописано. Ничего лишнего.

— Учти, Вольнов передал информацию сугубой секретности. В список вошли только те, кто по тем или иным причинам оставил службу в секретном подразделении «Коршун». Сам понимаешь, личности этих ребят не афишируют, — довольный похвалой, прокомментировал Крячко.

— Надеюсь, этого хватит. Вряд ли Яропольцев обратился бы за помощью к кому-то из тех, кто все еще несет службу в «Коршуне».

— Думаешь, побоялся бы, что сдадут?

— Такое тоже возможно. Для этих ребят государственные интересы превыше всего. И потом, мы еще не знаем, во что вляпался Яропольцев, а товарищам ему придется раскрыться.

— Ты читай, читай, — поторопил Крячко.

Гуров углубился в изучение списка. Он был не особо длинный. Всего пять фамилий. Двое сослуживцев в настоящий момент проживали в Москве. Один служил в системе охраны банков. Второй занялся коммерческой деятельностью. Их кандидатуры Гуров отмел сразу. Если бы кто-то спросил его о причинах такого решения, он бы, наверное, не смог дать вразумительного ответа. Просто посчитал, что Яропольцев не стал бы обращаться за помощью к ним. Возможно, причиной тому была дорожная сумка, дожидавшаяся своего часа в камере хранения круглосуточного торгового центра. Да и деньги, замурованные в стене, скорее подтверждали эту теорию, чем опровергали ее. Куда проще было бы в случае необходимости созвониться с бывшим сослуживцем и получить вещички, так сказать, с доставкой. Вот если бы ему, Гурову, пришлось рвать когти из столицы, он бы наверняка так и поступил. Позвонил бы Крячко, назначил встречу где-нибудь за МКАД, принял сумку с деньгами и документами и отчалил в неизвестном направлении. Конечно, была вероятность, что Крячко «примут» соответствующие органы, а подставлять друга как-то не по-товарищески. Но уж если обстоятельства исключительные, то кто поможет, если не верный друг?

Еще одну фамилию Гуров вычеркнул из списка по причине сильной удаленности его настоящего местопребывания как от Москвы, так и от Челябинска. Парень проживал где-то в дебрях Калмыкии. Маленький захудалый населенный пункт, куда и железнодорожная развязка-то вряд ли подходила. Поездка туда увела бы Яропольцева слишком далеко от конечной цели, а Гуров по-прежнему был уверен в том, что корни проблем четы Яропольцевых тянутся именно из Челябинска. Значит, Калмыкию можно смело вычеркивать.

В списке осталось всего две фамилии, и обе они заслуживали пристального внимания. Уфа и Нижний Новгород. В Уфе доживал свой век первый командир Яропольцева Константин Зверев. В Нижнем осел его последний напарник, Сергей Чекменев. Помимо прочего, оба парня, согласно данным Вольнова, являлись должниками Яропольцева. Долг этот был неоплатный, который парой добрых дел не окупится. И тому, и другому Яропольцев спас жизнь. Обычное дело для солдат спецподразделения. И тем не менее такое не забывается, сколько бы лет ни прошло с тех пор.

Гуров снова взялся за блокнот. Аккуратно перенося сведения в записную книжку, он начал рассуждать.

— Что у нас получается, друг мой Стас. А получается у нас следующее. Несколько лет Максим Яропольцев оттрубил водителем-дальнобойщиком при Челябинском фармацевтическом заводе. Само место работы довольно знаковое, ты не находишь? Большие возможности для грязных делишек, о которых не подозревают государственные структуры, но которые могли стать известны бывшему спецназовцу. Могло это послужить причиной внезапного отъезда Яропольцева из Челябинска? Думаю, могло.

— Почему ты решил, что его отъезд стал внезапным? — остановил рассуждения Гурова Крячко.

— Этому выводу есть неоспоримое доказательство. Посуди сам: семейный мужчина решает сменить место жительства, а нового места для себя заранее не присмотрел. Странно? Весьма. Я бы еще поверил в спонтанность решения, если бы Яропольцев был безусым мальцом. Надоела рутина, захотелось перемен. Сложил вещички, и айда колесить по свету. Но Яропольцев не безусый малец. Многое на своем веку повидал. Бросать насиженное место, квартиру, работу, наверняка неплохо оплачиваемую, и мчаться в неизвестность? Ради чего? Ради съемной квартиры и шабашки грузчика в столице? Похоже это на бывалого бойца?

— Согласен. Но ведь у него могли быть и бытовые причины, — возразил Крячко.

— И какие же?

— С начальством поругался. Выгодные заказы стали проходить мимо него, а он терпеть этого не стал. Гордость взыграла, его, бывшего спецназовца, задвигают на задний план. Как тебе такой поворот?

— Поругался, говоришь? И именно по этой причине его начальник выдал ему такую блестящую характеристику, сравнимую разве что с характеристикой чудесной девушки Нины из «Кавказской пленницы»? Логично, ничего не скажешь, — рассмеялся Гуров.

— Ладно, Лева, уел. В этом вопросе мне придется с тобой согласиться. Нового места себе Яропольцев действительно заранее не присмотрел. К тому же нельзя забывать, что целый месяц до Москвы он тоже где-то валандался. Но почему он, узнав, что на заводе происходит нечто противозаконное, не обратился к властям?

— А вот это правильный вопрос, — согласился Гуров. — И объяснение может быть только одно: парень и сам замазан по самые помидоры.

— Да брось! Яропольцев и криминал? Больно лихо заворачиваешь, полковник, — недоверчиво произнес Крячко.

— Твоя версия?

— Пока неясно.

— А ты порассуждай, — настаивал Гуров.

— Допустим, у него не было возможности. Нужно было спасать свою шкуру, а в лояльности местных правоохранительных органов он не был уверен, — начал Крячко.

— Неплохо, но спорно, — возразил Лев. — С момента отъезда из Челябинска у Яропольцева была масса возможностей обратиться куда следует. Или к столичным сыскарям у него тоже доверия нет?

— А чему ты удивляешься? Нашего брата, мента, как только не склоняют. Неудивительно, что простой обыватель считает, что и в прокуратуре, и в полиции все схвачено и правды тут не добьешься.

— Тоже правдоподобно, только вот наш беглец не относится к разряду простых обывателей. Он как-никак много лет сам относился к госструктурам, — заметил Гуров.

— И что с того? — упрямился Крячко.

— Сам знаешь что. Если бы целью Яропольцева являлось разоблачение бывших работодателей, он мог обратиться к своему бывшему начальству, а уж они подсказали бы, куда следует нести информацию. Однако этот вариант Яропольцев проигнорировал, предпочтя жить инкогнито по поддельному паспорту. И жена его, судя по всему, никаких возражений против такого расклада не имела. Да еще не забудь про увесистую пачку денег, найденную в тайнике на съемной квартире. Похоже это на то, что Максим Яропольцев совершенно чист перед законом и только жизненные обстоятельства загнали его в угол? Кстати, я тут поразмышлял на досуге. Уж больно чистая подделка эти паспорта. Наверняка влетели Яропольцеву в копеечку. Надо бы потрясти местных умельцев на предмет изготовления поддельных документов для четы Яропольцевых. Кто знает, может быть, парень где-то прокололся и невольно выдал какую-то информацию тому, у кого делал заказ. По крайней мере, узнаем, как он вообще на них вышел.

— Кого собираешься напрячь? — воодушевился Крячко.

— Есть один вариант. Помнишь, в прошлом году мы накрыли наркопритон? Там еще парнишка один не вовремя в эту бодягу вписался, — напомнил Гуров.

— Это тот, которого ты так ловко отмазал? — припоминая события годичной давности, уточнил Крячко.

— Я его не отмазывал, — нахмурился Лев. — Парень был не при делах, и тебе это известно не хуже моего. Его хотели сделать козлом отпущения, а я таких выкрутасов не люблю. Я просто поставил все на свои места.

— И этот парень оказался крупным дельцом, специализирующимся на подделке документов? — пошутил Стас.

— Не он, а его близкий родственник. Точнее, дядя.

— И кто же наш дядя?

— Небезызвестный Ваган Мастырщик.

— Ваган? Ты шутишь? — искренне удивился Крячко.

Ваган был известен всей Москве. Криминальной, естественно. То, что он сошелся с Гуровым, было делом из ряда вон выходящим, но и Гуров был непростым опером. Даже в криминальной среде он славился своей честностью и справедливостью. Скорее всего, этот факт сыграл не последнюю роль в решении Вагана привлечь мента к спасению племянника от ментовского беспредела. Если бы Лев тогда не вмешался, повесили бы на парнишку все дела, что залежались в отдельно взятом участке.

— Никаких шуток, — на полном серьезе ответил Гуров. — Именно Ваган помог мне тогда с раскрытием дела. Не то чтобы он сдал тех, кто вознамерился подставить его племянника, но наводку дал хорошую. Так вот, думаю, пришло время обратиться за возвратом долга. Как считаешь?

— Валяй, — согласился Крячко. — Если Ваган такой крутой в этом деле, может, он сам Яропольцева паспортами и снабдил?

— На подобное везение я даже не рассчитываю, но за консультацией обращусь. Сейчас нужно решить еще один вопрос: куда двинет Яропольцев, в Уфу или в Нижний Новгород?

— Я бы в Нижний махнул.

— Пожалуй, я поступил бы так же. И к Челябинску ближе, и возраст у Чекменева более подходящий для подобных передряг, — кивнул Гуров. — Значит, так: я к Вагану, а ты к Орлову командировочные выбивать.

## Глава 6

Место, где Гуров мог найти Вагана, подсказал ему сам Мастырщик. После того как его племянника выпустили из СИЗО, сняв с него все обвинения, Ваган специально подкараулил Гурова в его дворе и, заявив, что теперь он его вечный должник, передал небольшой листок, на котором был нацарапан адрес скромной забегаловки. «Стоит вам прийти туда и назвать свое имя, и ваши проблемы станут моими проблемами», — без излишнего пафоса заявил он. У Гурова не было сомнений в серьезности этого заявления. Ваган был серьезным мужиком, несмотря на свой нелегальный бизнес. Это чувствовалось во всем.

По чистой случайности забегаловка располагалась в десяти минутах ходьбы от главка, поэтому Гуров решил пройтись пешком. Полуподвальное помещение, больше похожее на средневековый винный погребок, чем на воровской притон двадцать первого века, встретило полковника абсолютной тишиной. Ни в самом зале, насчитывающем пять четырехместных столов, ни за барной стойкой деревянной конструкции никого не было. На появление Гурова просто некому было обратить внимание. Он подошел к прилавку, на котором располагался допотопный кассовый аппарат, и, к своему удивлению, обнаружил на нем механическую кнопку звонка, в стиле голливудских вестернов. «Какая прелесть», — подумал он, ударяя по кнопке. Помещение огласилось мелодичным звоном. Спустя мгновение в дверях, ведущих из подсобных помещений, показалась улыбающаяся физиономия. По всей видимости, это был сам хозяин заведения. Низкорослый круглолицый толстяк в слегка помятом твидовом костюме и канареечного цвета рубахе.

— Хотите заказать завтрак? — протирая руки сомнительной свежести ветошью, поинтересовался он.

— Все может быть, — многозначительно ответил Гуров.

— Могу предложить вам баварские сосиски с соусом чили. Вы пробовали наш соус? О, не отвечайте, по глазам вижу, что нет. Впервые в нашем заведении, не так ли? — скороговоркой произнес толстяк и, не дожидаясь ответа, продолжил: — Позвольте представиться: мистер Коучер. Это фамилия, если вы вдруг не догадались. Коучер — фамилия матери. Она была потомком немецкого рода возниц. С немецкого Kutscher переводится как карета или повозка. Мой прапрапрапрадед занимался извозом. Как видите, я не унаследовал его стремления к скорости. Тем не менее родовая фамилия накладывает отпечаток и на мой бизнес. И вы сможете в этом убедиться, будьте уверены. Вам кажется, что я просто болтаю языком, вместо того чтобы быстро обслужить заинтересованного клиента?

Гуров не сдержал улыбки, так как именно об этом и подумал.

— А вот и нет. Ваш заказ готов, — торжественно проговорил Коучер, и в тот же миг в дверном проеме материализовалась сухощавая фигура с подносом в руках.

По комнате распространился одуряющий запах поджаренных сосисок. Рот Гурова непроизвольно наполнился слюной. Он перевел взгляд на поднос. Широкое блюдо с горкой сосисок буквально загипнотизировало его, заставляя следить за продвижением сухощавого официанта.

— Вот ваш заказ. К данному блюду рекомендую чешское пиво. О, не торопитесь с отказом. Я понимаю, что вы на службе, но пинта пива, право, не принесет вреда вашим сыскным способностям, — жестом руки отметая все возражения, произнес Коучер.

— Снимаю шляпу перед вашими дедуктивными способностями, — рассмеялся Лев, принимая тарелку из рук сухощавого официанта. — Вы абсолютно точно воспроизвели то, что я готов был сказать в ответ.

— Никаких дедуктивных способностей, — отмахнулся Коучер. — Всего лишь жизненный опыт, поверьте.

— Именно ваш жизненный опыт подсказал вам, что я на службе? — заинтересовался Гуров.

— О нет. О том, что вы являетесь представителем правоохранительных органов, уведомил меня мой давний приятель. Думаю, его имя известно и вам. Вы ведь пришли к Вагану, не так ли?

— Верно, — слегка растерянно подтвердил Лев. — Только вам-то это откуда известно?

— Позвольте оставить некую долю загадки для потомков, — произнес Коучер. — А вот и сам Ваган. Доброго утра, друг!

Гуров оглянулся, следуя за взглядом Коучера. Позади него стоял не кто иной, как Ваган. Собственной персоной. Заложив руки в карманы белоснежных брюк, он бросил многозначительный взгляд на Коучера, после чего тот испарился, будто его и не было вовсе.

— Доброе утро, — произнес Ваган, осматривая блюдо в руках Гурова. — Баварские сосиски с соусом чили? Неплохой выбор.

— Боюсь, выбор состоялся без моего участия. Как вы узнали, что я ищу вас?

— Я же обещал: стоит вам прийти сюда и назвать свое имя, как ваши проблемы станут моими. Вы сомневались в моих словах?

— Если бы сомневался, не пришел бы, — ответил Гуров, опуская ту подробность, что имени своего хозяину заведения он назвать так и не успел.

— Так как оба мы люди занятые, — начал Ваган, — предлагаю перейти сразу к делу. Какого рода помощи вы ждете?

— Некоторое время назад одна приезжая пара приобрела поддельные паспорта. Думаю, произошло это здесь, в Москве. Сам факт фальсификации документов меня мало интересует. Скорее мне важно знать, не упоминал ли заказчик о цели своего приобретения. Стоит заметить, что личность человека, заказавшего паспорта, не относится к разряду криминальных структур. Вполне добропорядочный гражданин, внезапно сменивший насиженное место, а вместе с ним и фамилию.

— Обычно мы не интересуемся причинами, которые подтолкнули заказчика к смене фамилии, — перебил Гурова Ваган. — Вряд ли я смогу вам помочь.

— Это я понимаю. Просто я должен использовать все, даже самые ничтожные шансы.

— Что он натворил? — поинтересовался Ваган.

— Пока не знаю. Мне известно лишь то, что за это его жена поплатилась жизнью. Думаю, от аналогичного исхода парня спасло исключительное везение. Я должен найти его прежде, чем до него доберутся те, кто убил его жену, — спокойно ответил Гуров и, повинуясь внезапному порыву, добавил: — В деле замешаны люди Курбана. Слышал о таком?

Ваган присвистнул, что должно было означать утвердительный ответ. Покачав головой, он нехотя проговорил:

— Плохи дела у вашего парня. Когда Курбан берется за дело, считай, что ты уже в деревянном смокинге. — Подумав немного, он продолжил: — Ладно. Не стану совать нос в чужие дела. Мне нужна информация. Кого ищем?

Гуров достал из внутреннего кармана поддельные паспорта, которые были найдены в квартире Яропольцевых. Ваган взял их в руки, полистал страницы и, вернув документы, уверенно произнес:

— Это работа не столичных умельцев.

— Как так? — удивился Гуров. — Не может быть! Кроме как в Москве им негде было разжиться поддельными документами.

— Москву исключаем, — повторил Ваган. — Это не наши ребята постарались, могу ручаться. Вас уже проинформировали, что тут произведена замена лишь ламинированной страницы? Вижу, что да. Надо признать: работа выполнена безупречно. Просто удивительно, что ваши люди вычислили подделку. Так вот, для продажи подобная работа слишком дорога. Ни один «добропорядочный» гражданин за те деньги, что спросят за такой документ, купить его просто не в состоянии. Бьюсь об заклад, что людей с такими данными в реальном мире не существует. Вы не сумеете нарыть на них ничего. Ни во всемирной помойке под названием Интернет, ни в государственных архивах. Абсолютно чистые личности. Без прошлого, без связей и зацепок. Идеальный вариант обезличивания. Также не побоюсь предположить, что и в других городах такими книжечками в подземном переходе не торгуют.

— Тогда откуда они?

— Попробую навести справки, — предложил Ваган. — Через сутки будет ответ.

— Через сутки меня уже в Москве не будет, — рассеянно произнес Гуров, прорабатывая в голове возможные варианты происхождения поддельных документов.

— Двадцать первый век, — спокойно заметил Ваган. — Сотовый телефон уже не в диковинку, или ваше начальство не одобряет использование современных технологий?

— Да, действительно. Ведь нужные сведения можно сообщить и по телефону. Вы позвоните или мне самому вас набрать?

— Ждите звонка, — коротко произнес Ваган и, резко развернувшись, покинул забегаловку.

Тут же как по мановению волшебной палочки возле Гурова возник Коучер. Он взглянул на нетронутое угощение и неодобрительно покачал головой:

— Вижу, вы даже не попробовали угощение? Сомневаетесь в качестве предложенного товара? Нехорошо оставлять нетронутым угощение, тем более при первом визите.

— И в мыслях не было отказываться, — заверил Гуров, обмакивая первую сосиску в соус и запихивая ее в рот.

— Чешское пиво, — услужливо предложил Коучер, проворно наполняя высокий стакан.

Ни отказаться, ни дать согласие Гуров не смог. Глаза его полезли на лоб, ртом он судорожно хватал воздух. Соус чили оказался не просто острым, он был термоядерным. Схватив со стойки кусок грузинской лепешки, Лев пытался заесть остроту соуса, бросая свирепые взгляды на хозяина заведения. Тот и бровью не повел.

— Ваше пиво, — вежливо проговорил он, вкладывая стакан в руку Гурова.

Именно в этот момент зазвонил телефон. Рывком отставив стакан, Лев выхватил аппарат из кармана и нажал кнопку приема сигнала. Это был Крячко.

— Лева, ты где? Гони скорее в управление! Тут новости похлеще ночных, — затараторил Стас. — Яропольцев нашелся. И не как в прошлый раз. Имеется свидетель, который общался с ним не менее трех часов. Какой-то старый дед. Подобрал попутчика недалеко от МКАД. Это точно он, Лева! Чего ты молчишь? Воды в рот набрал?

— Было бы неплохо, — справившись с приступом удушья, прохрипел Гуров. — Свидетель у нас?

— Нет. Он в Бортникове. Немногим больше ста километров от Москвы, — ответил Крячко.

— Когда он видел Яропольцева? Ну, же, Стас, не тяни кота за... Короче, сколько времени прошло с тех пор?

— Часов десять-двенадцать, я думаю, — слегка опешив от напора, сообщил Крячко. — Дед сказал, что высадил попутчика недалеко от железнодорожной станции Непецино около полуночи. К нам позвонил с полчаса назад.

— Почему так долго? О чем он вообще думал, откладывая свой звонок? — раздраженно проговорил Лев. — За это время он мог уйти настолько далеко, что и представить сложно.

— Он не был уверен. А потом кто-то из односельчан сообщил о перестрелке на станции минувшей ночью, и он подумал, что это касается его попутчика, — объяснил Крячко.

— Перестрелка? Час от часу не легче. Стас, слушай сюда: планы меняются. Бери мою машину и гони к Сретенке на угол с Костянским переулком. Да! Забеги к Орлову, предупреди, чтобы скоро не ждал. Связь по мобильному. Действуй, Стас! Десять минут тебе на все про все.

Гуров выключил телефон и поспешил к дверям.

— А как же сосиски? — крикнул ему вслед Коучер, явно разочарованный тем, что прервали его милую забаву.

Лев остановился на пороге и повернулся к нему.

— Вашу шутку я оценил, господин Коучер, не сомневайтесь. Как знать, быть может, и мне доведется принимать вас у себя на Петровке. Будьте уверены, угощение будет под стать, — проговорил он, весело подмигивая хозяину заведения, который от этих слов в одно мгновение растерял всю свою веселость. — До встречи, господин Коучер!

Приподняв воображаемую шляпу, отвесил хозяину заведения поклон и вышел на улицу. Не теряя времени, прошел до перекрестка, где его должен был поджидать Крячко. Знакомого «Пежо», служившего Гурову верой и правдой не один год, видно не было. Стоять на месте и покорно ждать напарника он просто не мог, его буквально разрывала жажда деятельности. Дело наконец сдвинулось с мертвой точки. Тот факт, что Ярополльцева видели в районе станции Непецино чуть ли сутки назад, не особо смущал опытного опера, след обязательно отыщется. А уж воспользоваться этим следом он сумеет, можете не сомневаться. Такие мысли проносились в голове полковника, пока он двигался навстречу Крячко. Дорога здесь была одна, поэтому разминуться с ним Гуров не боялся. Он успел пройти квартал, прежде чем на горизонте возник его автомобиль. Крячко резко затормозил, прижимаясь к обочине. Гуров отрыл дверь и скомандовал:

— Освобождай баранку! Машину поведу я.

Быстро перелезая на свободное сиденье, Стас притворно забрюзжал:

— Никакого уважения к равному по званию. Крячко сюда, Крячко туда. Садись за руль, выметайся из-за руля. Где, спрашивается, должное уважение? Где благодарность?

— Как Орлов отреагировал? — не обращая внимания на ворчание Стаса, спросил Гуров, выруливая на центральную дорогу.

— Как и положено начальству, — переключился на генерала Крячко. — Сначала орал, что ты, полковник, нарушил его приказ, не явившись к нему с докладом. Потом возмущался необходимостью субсидировать твои альтруистические порывы. Но решение проблемы было в надежных руках. Полковник Крячко не даром свой хлеб жует. В итоге нам выделена энная сумма на бензин, плюс командировочные и кое-что на непредвиденные расходы. Красиво?

— Красиво, — кивнул Лев и тут же перешел к делу: — Выкладывай, что там с Яропольцевым.

— Как мы и предполагали, парень дал деру. Из Москвы ему выбраться удалось без труда, — став серьезным, начал докладывать Крячко. — Благополучно миновав все посты, он вышел за МКАД. Там его, по всей видимости, немного потрепало. Наш добрый самаритянин в лице деда Андрея подобрал его аж у Троицка. Желающие подвезти вымокшего до нитки и не больно четко изъясняющегося мужика в очередь не стояли, поэтому он не особо интересовался, куда именно может подбросить его дед. Уселся в салон, и все.

— Каким образом дед узнал, что это наш беглец? — спросил Гуров.

— Не поверишь, услышал сводку новостей по радио. Полуночный выпуск. Он как раз высадил Яропольцева на пересечении шоссейной и железной дорог. Указал направление к станции Непецино, тронулся, и тут по радио объявляют. Дед приметы сравнил, сложил два и два и получил законные четыре. Потом засомневался и решил отложить решение проблемы до утра. А утром в его родное Бортниково пришло известие о перестрелке на станции, и он, уже нисколько не сомневаясь, взял и позвонил. Да не просто в 02. Дождался очередного выпуска новостей, записал номер горячей линии и попал сразу к нам. Вот такие дела, друг мой Гуров, — подытожил Крячко.

— Какие-то еще подробности известны? Кто с ним беседовал? — задал новый вопрос Лев.

— Почти ничего. Говорил с ним лейтенант Заволокин. Ты его должен знать. Толковый парень. Только связь уж больно нестабильная с этим самым Бортниковым. Деревушка захудалая. Всего четырнадцать дворов, да и из них наверняка половина пустует. Кто там станет связь налаживать? Кое-как соединяет, и ладно. Короче, разговор не заладился. Заволокин велел ему сидеть дома, никуда не отлучаться и дожидаться «послов» из столицы.

— Долго же ему ждать придется, — вздохнул Гуров, пристраиваясь в хвост длиннющей очереди из автомобилей. — До Кольцевой не меньше часа добираться будем. А там еще сотню километров отпахать придется. Яропольцев, если дураком не будет, успеет за это время на полтыщи километров уйти. А в каком направлении, попробуй вычисли.

— Это точно, — согласился Крячко. — Укатит как пить дать.

— Что по перестрелке узнал? — переключился Лев на более насущные вопросы.

— А ничего не узнал, — развел руками Станислав. — Ты же сам орал как очумелый, мол, давай, Стас, быстрее. Все бросай, гони к Сретенке. Вот я и погнал.

— И даже со станционным начальством не связался? — Гуров даже про дорогу забыл, уставившись осуждающим взглядом на друга.

— Что ты на меня так смотришь? — рассердился Крячко. — Да, не связался. Это преступление? Как я мог одновременно делать сотню дел, да еще с учетом того, что ты, полковник, отвел мне на все про все ДЕСЯТЬ минут!

— Звони дежурному. Пусть узнает, кто занимается перестрелкой в Непецине, свяжется с ними и сообщит о нашем приезде. Хотя бы информацию подготовить к нашему приезду успеют, — снова глядя на дорогу, распорядился Лев.

91

Крячко безропотно выполнил указания. Несмотря на то что Гуров действительно торопил его, промах был на его совести, и он это прекрасно понимал. Некоторое время ехали в полной тишине. Машины тащились еле-еле, добавляя напряженности в и без того накаленную атмосферу. Первым не выдержал Станислав. Смущенно откашливаясь, он негромко заговорил:

— Признаю, сплоховал. Надо было задержаться и связаться с Непецинским отделением. Сейчас бы уже знали, что они думают о ночной перестрелке.

— Забудь. Все равно ничего не изменилось бы, — махнул рукой Гуров. — Не видишь, что на дорогах творится? Сорок раз успеешь и с Непецинским отделом пообщаться, и до деда Андрея дозвониться. Одного нам не успеть — перехватить Ярпольцева на станции. Но это уже не в твоей власти. Поищи пока в Интернете информацию по Непецину и ее окрестностям. Хоть карту изучим по дороге, вдруг пригодится.

Через несколько минут Крячко увлеченно разучивал карту, читал всевозможные новости, связанные со станцией и прилегающими населенными пунктами. Потом принял доклад дежурного о выполнении задания. Перестрелкой занимался некий лейтенант с традиционной русской фамилией Сидоров. Непецинские власти отнесли дело в разряд незначительных, поэтому поручили его чуть ли не стажеру. С самим Сидоровым ни дежурному, ни полковнику Крячко связаться не удалось. Сколько ни набирали выданный отделом номер, тот был неизменно занят. Видимо, у лейтенанта настолько бурная жизнь, что звонки поступали непрерывно, а поговорить он желал с каждым. А может, по рассеянности стажер забыл отключить связь, прервав последний разговор, а его собеседник и вовсе не имел привычки нажимать кнопку «отбой». Но, вероятнее всего, аппарат у лейтенанта вышел из строя, а на новый он заработать еще не успел.

Бросив бесплодные попытки, Крячко вернулся к изучению того, что мог предоставить ему Интернет, расписывая красоты Непецина. К тому времени как «Пежо» Гурова вырвался из цепких объятий столицы и покатил по Новорязанскому шоссе, Крячко чуть ли не наизусть знал названия всех улиц поселка, а также плотность населения, список достопримечательностей и многое другое. К перекрестку, разделяющему шоссе и уводящему проселочные дороги в двух противоположных направлениях, на Бортниково и Непецино, подъехали ближе к часу дня. Остановив машину, Гуров посмотрел на Стаса и поинтересовался:

— Кого посетим первым: деда Андрея или лейтенанта Сидорова?

— Я бы поставил на деда, — высказался Крячко.

— Хочешь убедиться, что дед не ошибся? — уточнил Гуров.

— Не помешает. Предъявим фото, потребуем подробного отчета, а после уж лейтенанта захватим, и на станцию.

Гуров свернул влево, и «Пежо» затрясся на ухабах. Дорогой здесь явно не занимались лет триста. Само название «дорога» мало подходило к расхлябанной грунтовке, вязкой жижей растекающейся под колесами легковушки. Земля еще не успела как следует просохнуть после продолжительного дождя, затрудняя движение. Хорошо хоть ехать было недалеко. Миновав встречный поселок, наконец въехали в Бортниково. Здесь отыскать двор деда Андрея оказалось совсем просто. Третий дом от дороги и был тем местом, где проживал дед. Крупную цифру «три» на добротном заборе было видно издалека. Заглушив мотор, Гуров вышел из машины. Крячко двигался следом. Толкнув калитку, прошли во двор. Навстречу им уже спешил хозяин.

— Из столицы прибыли? — спускаясь с крыльца, поинтересовался дед.

— Так точно, отец. А ты, значит, и есть дед Андрей? — отозвался Крячко.

— Я, милок, кто ж еще? — согласно закивал дед. — По мою душу или просто побеседовать?

— За душой в другой раз, отец. Нынче просто для беседы. В дом пригласишь или здесь разговор поведем? — подлаживаясь под манеру хозяина, ответил Гуров.

— А это где вам угоднее, — услужливо проговорил дед. — В доме сидячие места мягче, а во дворе воздух свежее. Что до охочих подслушивать, так в нашей деревне одни глухари остались. С двух метров недослышивают, куда уж с такого-то расстояния.

— Тогда и правда лучше на воздухе, — кивнул Лев, присаживаясь на завалинку. — Для начала мы хотели бы убедиться, нашего ли беглеца вы подвозили прошедшей ночью.

Он извлек из кармана паспорт Яропольцева и предъявил фото деду Андрею. Тот внимательно вгляделся в снимок и уверенно сказал:

— Он это, как пить дать он. Правда, тут он малость повеселее и поопрятнее. Ну, да ночью-то измученный вконец был. Видать, долго мотыляться по дорогам пришлось.

— Уверен, дед? — переспросил Крячко. — Может, очки из дома принести, чтоб уж наверняка?

— Не пользуюсь я очками, сынок. Зрением не обижен, — заявил дед. — А дружка вашего и без очков признал. Больно личность у него приметная. В наши дни натуральных блондинов днем с огнем не сыщешь. Повырождались все. Ваш вот последний, поди, остался.

— А теперь во всех подробностях, — попросил Гуров. — Где посадил, о чем разговор вели, в каком месте и в котором часу расстались.

Дед Андрей выложил все, о чем спрашивал Гуров, а потом заговорил о наболевшем:

— Я ведь вину свою чую, сынок. Упустил разбойника. В руках, считай, держал и упустил. А все страх этот. Напугался я, сынок. В Отечественную фашистов не трухал, а тут на тебе, за шкуру свою старую затрясся. Да не маши ты головой-то, сынок, знаю, о чем говорю. Он ведь как в «Москвича» моего сел, почти сразу и уснул. А во сне такое болтал, что поневоле забоишься. Я ведь поперву собирался его к себе позвать. Обсохнуть, выспаться, все такое. Потом как представил, что разбойника в нашу деревушку приволоку, а он как начнет тут бесчинствовать, как потом людям в глаза смотреть? А уж когда высадил его да передачу с приметами прослушал, понял, что не напрасно боялся. За себя-то ладно, а за деревенских порадовался. Негоже людей к могиле раньше срока подталкивать.

— Вы сказали, что ваш попутчик во сне разговаривал. Не припомните, что именно он говорил? Может, фамилии какие-то называл или названия географические?

— Фамилии не фамилии, а клички говорил. Чаще других Гробаря какого-то поминал и еще одного. Точно не помню, вроде бухгалтера или звездочета, — начал вспоминать дед Андрей.

— Зачетчик?

— Во! Точно, Зачетчик. Они вроде бы дорогу ему перешли. Сами они в банду входят, не иначе. Только вот названия банды он не упоминал. Еще женщину какую-то все потерпеть умолял. Обещал, что скоро все изменится, то ли ей лучше станет, то ли им двоим. Точнее сказать не могу, больно отрывисто парень говорил.

— А ты, дед, не старайся гладко излагать. Ты его словами говори, — посоветовал Крячко. — Что вспоминается, то и говори. Складывать — это наша забота.

Дед Андрей покряхтел, потер лоб, сосредоточился и начал выдавать отрывочные фразы так, как всплывали в памяти. Слушать его было жутковато, словно говорил он под гипнозом. Глаза закрыты, руки сцеплены в замок, голова откинута, а изо рта отрывочные фразы вылетают. И будто даже голос изменился, моложе стал и злее.

— Гробарь, сука, твоих рук дело... Поймаю, сперва пальцы переломаю, по одному вырву... Хотели быстро дельце провернуть? Промахнулись с дичью. Ярило никогда кроликом не был... Вашей конторе раскошелиться придется. За такую инфу добро дадут... Не гуди, Рокот, облажался, обтекай... И чтоб ни секундой позже, я шутить не буду... Что, милая, больно? Потерпи, скоро все изменится, вот увидишь... Ах ты ж падла, Зачетчик, фуфло мне втюхать задумал? Говори, где... За что? Зачем? Выродки! До всех доберусь и до тебя... Ты умирать будешь долго, это я тебе обещаю... Вот вы у меня где все, сволочи! Железо раскаленное глотать... Нет больше... Радость моя, не смог я... Ублюдки, твари, я вам нужен. Получите вы меня в цветной упаковке, со шнурочком огненным...

Речь деда Андрея прервалась. Тяжело дыша, он открыл глаза и невидящим взглядом окинул окрестности. Гуров слегка похлопал его по руке, пытаясь привести в чувство.

— Может, водички? — настороженно следя за дыханием деда, предложил Крячко.

— Не нужно воды, — медленно протянул дед Андрей. — Я в норме. Вспоминать неприятно было, вот и разволновался.

— Ты молодец, отец, и воспоминания твои нам очень помогли, — похвалил Гуров, вставая с завалинки. — Телефон тебе оставлю. Если еще что-то важное вспомнишь, сразу звони. Есть аппарат-то у тебя?

— У Актинихи есть. Через двор живет. Доползу, если что, — ответил дед Андрей.

— Тогда бывай! — Гуров пожал деду руку. — А про то, что струсил, не думай. Это не трусость, отец, это дальновидность.

— Вам виднее, — произнес дед Андрей. — А по мне, так штаны наложил бравый солдат Нырков.

— Это ты, что ли, Нырков? — улыбнулся Крячко.

— Кто ж еще? Две медали «За отвагу». Это в бою, а на гражданке — вот струсил.

— Забудь, дед, правильно тебе полковник Гуров сказал. Кто знает, как бы дело обернулось, притащи ты его в деревню. От Актинихи твоей, может, уже один телефон остался бы, — попытался взбодрить старика Крячко. — А попутчика твоего мы отыщем, не сомневайся. И не без твоей помощи. Помни об этом, отец.

Он похлопал деда Андрея по плечу и побежал догонять Гурова. Усевшись в машину, предложил:

— Набрать, что ли, номер лейтенанта? Вдруг ответит?

Гуров согласно кивнул, занятый мыслями о том, что поведал дед Андрей. Стас достал телефон, выбрал нужный номер и нажал кнопку вызова. Как ни странно, на этот раз лейтенант ответил после первого гудка. Крячко представился, сообщил о цели визита и поинтересовался, где того можно застать. Оказалось, что лейтенант находится на станции.

— Гони на станцию, — проговорил Станислав, закончив разговор. — Лейтенант Сидоров ждет нас там.

— Дозвонился? — будничным тоном спросил Гуров.

— И вам не хворать, Глафира Андревна, — засмеялся Крячко. — Ты что, как тот дед, в сомнамбулическое состояние вошел? При тебе ж разговаривал.

— Да я тут пытаюсь концы с концами свести, правда, что-то туго идет.

— А ты отбрось подальше те концы, что складываться не хотят. Пусть отлежатся до поры, — на полном серьезе посоветовал Крячко. — Тебе сейчас ясная голова понадобится. Вон уже станция виднеется. Пойдем улики собирать.

Вдалеке действительно показалось здание железнодорожной станции. Гуров свернул на подъездную дорогу и вскоре припарковался на заднем дворе станции. К машине спешил молоденький лейтенант. Козырнув, он произнес:

— Здравия желаю, товарищи полковники! Лейтенант Сидоров. Из отдела пришла директива содействовать вам всеми возможными способами.

— Вольно, лейтенант, — отмахнулся Крячко. — Давай без пафоса, ладно? Мы сейчас только одного ясновидящего допрашивали, так что высоких материй нам хватило. Докладывай, что тут у тебя?

Гуров молчал, предоставив напарнику наводить мосты с местными органами. Лейтенант немного опешил от неожиданности. Как же? Такие шишки! Из самой столицы! Целых два полковника, и вдруг такое панибратство! «В голове не укладывается», — было написано у него на лице. Тем не менее начал он довольно бодро:

— Прошедшей ночью, ближе к часу, на станции произошел инцидент. Неизвестные личности открыли пальбу. Сигнал в соответствующие органы поступил с запозданием, поэтому раскрыть преступление по горячим следам не представляется возможным.

— Что значит с опозданием? Поясни, лейтенант, — перебил его Крячко.

— Да утром только и доложили, — расстроенно произнес Сидоров. — Наш отдел находится не в пристанционном поселке, а в центральном Непецине. Здесь только станционная охрана, а они не всегда на месте бывают. Но начальство с них уже стружку сняло.

— Как мило, — ехидно улыбнулся Стас. — Мне здесь все больше нравится, Лева. Проказники пошалили, охрана проспала, а начальство пожурило. Вот бы и у нас так. Не вышел на работу, а генерал Орлов тебе: «А-я-яй, Стасик, как не стыдно?»

— Так кто же доложил об инциденте? — недовольно поморщившись, спросил Гуров.

— Начальник станционный. Говорит, раньше не мог, — смущенно ответил лейтенант.

— Что, у начальника тоже загул был? — догадался Крячко. — Ждал, пока протрезвеет?

Лейтенант не ответил, но, судя по тому, как забегали глаза, Крячко попал в точку. Гуров сделал знак полковнику, чтобы тот умерил свою язвительность. «Ни к чему настраивать этого юнца против себя», — говорил его взгляд. Лейтенанту же сказал:

— Отложим этот вопрос. Скажите, начальник станции видел стрелявших?

— Никак нет, — подтянулся Сидоров. — Свидетелей инцидента нет. Когда начальник станции выглянул в окно, все уже закончилось.

— Значит, никто не знает даже количества стрелявших?

— Ни кто стрелял, ни сколько их было, ни причины пальбы. Ничего не известно, — виновато проговорил лейтенант.

— Тогда что известно? — встрял Крячко. — Что стреляли? Как в фильме про Саида? Ты хоть смотрел этот шедевр отечественного кинематографа, а, Сидоров? «Белое солнце пустыни», слыхал о таком?

— Стас, сходил бы ты к начальнику станции, опросил его, чтобы время не терять. А мы тут с лейтенантом пообщаемся, — угрожающе сдвинув брови, то ли предложил, то ли приказал Гуров.

Крячко пожал плечами и направился в сторону станционного здания. Лейтенант Сидоров с облегчением вздохнул. Вести беседу с Гуровым ему было куда приятнее, чем с его язвительным товарищем.

— Так что все же удалось выяснить, лейтенант? — напомнил Гуров.

— Да практически ничего, — ответил лейтенант. — Стреляли из двух пистолетов. Оба «макарова», насколько я могу судить по найденным гильзам от патронов. Вероятнее всего, стрелявших было двое. Один находился на платформе, второй на насыпи у лесополосы. Должно быть, у того, на кого они охотились, оружия не было. И еще. Этот третий был ранен. Рана, должно быть, серьезная, кровищи натекло нешуточно.

— Это вы сами до всего дошли или все же свидетель имеется? — уточнил Лев.

— Если честно, свидетель есть, — переходя на шепот, признался лейтенант, — только мне он ничего не расскажет. Я уже пытался. А насчет выводов, так тут и думать нечего. Все ж как на ладони.

— Пойдемте-ка, покажете, где все случилось, — жестом предлагая лейтенанту идти первым, сказал Лев.

На платформе лейтенант живенько обрисовал ситуацию, показал и место, откуда началась стрельба и где нашел гильзы. Потом спустились к насыпи. Там щебень был разбросан. Сразу ясно, что здесь противники сцепились в рукопашной. Вот и лужа крови, про которую упоминал лейтенант. Гуров сделал вывод, что рана сквозная, либо клок мяса пуля вырвала, либо раненый долго лежал на щебне. Он склонялся к первому варианту.

Они с Сидоровым двинулись дальше. Как Лев и предполагал, раненый сумел-таки сбежать от своих преследователей и скрылся именно этим путем. Эту версию подтверждали и поломанные кусты, через которые продирался беглец, и следы крови, капавшей из раны.

— Так, говорите, свидетель имеется? — повернувшись к лейтенанту, переспросил он.

— Должен быть, — уверенно заявил лейтенант. — Есть тут у нас местный алкаш. Он всегда на платформе отирается и не мог не видеть, что тут ночью творилось. Только мне ничего не скажет.

— Может, он со мной окажется более сговорчивым? — задумчиво покачал головой Лев.

Возвращаясь на платформу, они встретили Крячко. Тот довольно потирал руки. Первое, что услышал от него Гуров, было заявление о найденном свидетеле. Вернее, свидетельнице. Некая гражданка Осокина, торговка из Непецина, посопротивлявшись для проформы, доложила, что ночью на станцию пришел человек. Среднего возраста, с дорожной сумкой на плече. Общался он с местным алкашом Бурчиком. Потом Бурчик куда-то ушел, а когда вернулся, привел за собой двух бугаев. Они-то и палили из пистолетов. Чем закончилась пальба, гражданка Осокина не имела удовольствия лицезреть, так как со страху помчалась в поселок, только пятки сверкали. Ему же, полковнику Крячко, Осокина заявила, что ни в какие суды не пойдет, от показаний своих откажется. Жить, говорит, хочется больше, чем полиции помогать.

— Так и сказала, — подытожил Крячко. — Вы, говорит, как приехали, так и укатите в свою столицу, а мне тут жить. Из чего я сделал вывод, что бугаи местного разлива.

— Они нас не интересуют, — заявил Гуров. — А вот причину их неудовольствия пришлым прояснить стоит. Ты как насчет пивка, Стас, не откажешься выпить с алкашом Бурчиком?

— Почему бы и нет? Хорошую компанию я завсегда поддержу, — ухмыльнулся Крячко, наблюдая искреннее удивление, написанное на лице лейтенанта. — А ты как, стажер? Поддержишь компанию?

— Боюсь, эту лекцию наш стажер прогулял, — улыбнулся Лев. — Пойдем, Стас. Это дело не для молодежи.

— В бой идут одни старики, так, полковник Гуров? — Продолжая балагурить, Крячко двинулся к пивной.

Через двадцать минут у Гурова и Крячко была вся нужная им информация. Дожидавшемуся их возвращения лейтенанту Гуров дал описание бандитов, устроивших стрельбу на станции. С кличками и адресами. Выслушав их, лейтенант сник. Он сразу понял, что дело это спустят на тормозах. Бандиты, охотившиеся прошлой ночью на пришлого, входили в авторитетную группировку, связываться с которой ни он, ни более высокие чины наверняка не станут. Тем более что убитых нет, и заявление о ночном инциденте никто писать не собирается.

— Не расстраивайся, стажер, — похлопав по плечу лейтенанта Сидорова, обнадежил Крячко. — Когда-нибудь и на твоей улице наступит праздник, и ты единолично обезвредишь всю их шайку-лейку.

Лейтенант в сердцах махнул рукой и пошел прочь от насмешника. Гуров печально посмотрел ему вслед. В какой-то степени ему было жаль того пыла, с которым парень начал, быть может, первое самостоятельное дело. Но ввязываться в разборки с местной братвой, а тем более с местными правоохранительными органами он в данный момент никак не мог. Нужно было торопиться. Яропольцев ждать не будет. Если брать в расчет то, что Гуров услышал от деда Андрея, Яропольцев собирается мстить. А вот это уже скверно, как ни крути. Первоочередная задача Гурова — остановить парня, не дать наделать глупостей. А с перегибами на местах можно разобраться и позже. Никуда это от него не денется.

## Глава 7

— Смотри, что получается: не успел Яропольцев появиться на станции, как его тут же вычислили непецинские головорезы. И не просто вычислили, а устроили на него настоящую охоту. С пальбой и догонялками. Думаю, уйти ему удалось только благодаря нешуточной подготовке, которой славятся все секретные подразделения, бойцом одного из которых он некогда являлся.

Гуров стоял на насыпи, рассматривая место развернувшейся тут вчера борьбы. После того как лейтенант ушел, они с Крячко вернулись на железнодорожные пути, собираясь пройти весь путь, который проделал раненый Яропольцев.

— Выходит, кто-то дал четкие указания насчет этого парня. Раз даже Бурчик знал Яропольцева в лицо, дела его совсем плохи. Только представь, сколько таких отморозков вроде вчерашних стрелков охотятся сейчас за нашим беглецом. Случайного совпадения тут быть не может, верно? — Крячко ковырнул носком ботинка горку щебня.

— Согласен. На совпадение это мало похоже. И этот кто-то никак не может быть ни Гробарем, ни Зачетчиком. Мелковато плавают ребята для подобного размаха, — согласился Гуров. — Тем быстрее должны действовать мы с тобой. Выловить Яропольцева для криминальных структур — вопрос времени. Если бы он имел хороший тыл, то сразу бы залег на дно. Не может он не понимать, что долго не пробегает. Куда бы ни пришел, где бы ни показался, везде найдутся такие вот Бурчики, которые за бутылку или пару «косых» сдадут его с потрохами.

— Это понятно, только где ж мы его теперь искать будем? С момента перестрелки прошла уйма времени. И как ты собираешься определить, в какую степь на этот раз его занесло? — продолжая ковырять щебень, вздохнул Крячко. — Может, он в Тулу подался, а может, и во Владимир. Да что Тула, вариантов масса. Железная дорога под боком, кати куда душа запросится.

— А вот тут ты не прав, — возразил Гуров. — Думаю, беглец наш не так далеко, как тебе кажется. Возможно, мы еще не слишком опоздали.

Говоря это, он переместился в посадки и двинулся вбок, ориентируясь по оставленным Яропольцевым следам.

— Позволь усомниться в твоих выводах, — отодвигая в сторону ветки, хлестко бьющие по плечам, проворчал Крячко.

— Давай порассуждаем, — предложил Лев. — Из слов деда Андрея мы знаем, что Яропольцев на грани истощения. Он уже не первые сутки в бегах. Поспать ему удалось лишь в машине деда. К тому же теперь он еще и ранен. Видел, сколько крови натекло на насыпь? Это наверняка усугубило его физическое состояние. Яропольцеву катастрофически необходима передышка. Раны зализать, немного отоспаться, провизией разжиться. Я уверен, что он еще где-то здесь.

— Почему ты думаешь, что непецинские бандиты не прошлись этой дорожкой, чтобы отыскать раненого? Они ведь не совсем тупоголовые. Если ты пришел к выводу, что Яропольцев мог где-то затихариться, отчего бы и им к такому выводу не прийти? — высказался Крячко.

— Да потому, что нет здесь ничьих следов, кроме Яропольцева, — ответил Гуров. — Сам видишь, по кустам пробирался один человек. Причем половину пути он мчался, не задумываясь о том, что оставляет слишком заметный след. Думаю, те парни, что в него стреляли, отказались от преследования. Скорее всего, тот, что схватился с Яропольцевым врукопашную, был не в состоянии передвигаться. Нет, он его не убил, если ты подумал об этом, но вырубил конкретно. А второй либо побоялся преследовать Яропольцева в одиночку, либо не захотел оставлять дружка у железнодорожного полотна. А может, оба эти варианта в одном флаконе, так сказать.

— Допустим, ночью они его преследовать не стали, — вынужден был согласиться Крячко. — Но почему не вернулись утром? С подкреплением?

— Да потому, что, как и ты, решили, что Яропольцева уже и след простыл. Он, кстати, должен был сделать такие же выводы. И воспользоваться преимуществом, чтобы прийти в себя и разработать новый план действий, — заметил Гуров. — А вот и доказательства.

Он остановился, довольно оглядывая поредевшие посадки. Следы на мокрой земле в этом месте прерывались. Ощущение создавалось такое, будто шел-шел человек и вдруг исчез. Испарился, точно и не было его. Крячко обогнал Гурова, кругом обошел последний оставленный кроссовками Яропольцева след и удрученно почесал затылок:

— Не понял, он что, испарился? Да нет, он просто вернулся назад. По своим же следам. Так?

— Не думаю. — Гуров начал скользить по траве, передвигаясь левее от следов. — Он всего лишь использовал один из спецназовских трюков. Начал заметать следы. Вероятно, в этом месте до него дошло, что дает ему отсутствие преследования.

— И на этом этапе наши поиски заканчиваются, — невесело усмехнулся Крячко. — Вернулись к тому, с чего начали. Отсюда наш беглец мог двинуться куда угодно. Или тебе известны секреты, как вычислить направление спецназовца, решившего замести следы?

— К сожалению, нет. — Гуров вгляделся в даль. — Сплошные поля. И ни одного заброшенного сарая в обозримом пространстве. Хотя и это еще не конец. Послушай, Стас, ты же всю дорогу изучал окрестности. Давай-ка поройся в своей памяти и прикинь, где мог спрятаться раненый человек, попавший в окрестности станции. Не может быть, чтобы не нашлось такого места.

Крячко крепко задумался. Потом отыскал в бездонных карманах телефон и принялся рыться в недрах Интернета. Гуров терпеливо ждал. Пять минут спустя на лице Крячко расцвела довольная улыбка.

— Мозг у тебя, Лева, десяток справочников заменит. И как только тебе в голову пришло искать убежище Яропольцева, не сходя с места? — восхищенно произнес он.

— Что нашел? — нетерпеливо проговорил Гуров.

— Есть тут одно местечко. Как на заказ сработанное, — заявил Крячко. — Смотри: на станции две пассажирские платформы. Островная находится между главными путями.

Но имеется и еще одна. Она несколько в стороне, с северной стороны у третьего пути, а рядом с ней... внимание!.. заброшенное здание старого вокзала! Чем не приют для обессиленного человека? Вдали от цивилизации и посторонних глаз, и «железка» под боком. Выспался, подкрепился, прыг в поезд, и тю-тю. А главное преимущество в том, что третий путь является дополнительным и эксплуатируется не так часто. Короче, тихое местечко.

— На каком расстоянии от действующей станции находится заброшенный вокзал? — уточнил Гуров.

— Судя по карте, оно вообще на противоположной стороне, — увеличив масштаб, показал карту Крячко.

— Отлично! То, что нужно, Стас. — Гуров вернул телефон и зашагал вдоль посадок. — Пройдем метров пятьдесят, углубимся в посадки. «Светиться» не хочется. Доберемся до места, там сориентируемся, как действовать.


Максим очнулся, точно от удара. Приподнял голову, огляделся, пытаясь понять, где находится. Боль широкими волнами разлилась по всему телу, выстреливая огненным лучом в плечо. Он покосился на плечо и тут же все вспомнил. Станция. Беседа с бомжеватого вида мужиком. Обещание. И бритые головорезы с пистолетами. Схватка врукопашную, пуля, вырвавшая клок из накачанного бицепса, и бегство. Бешеная гонка по кустарнику, головокружение. Дальше туман. Он вспомнил, что его не преследовали. Одного он вырубил, скорее всего, надолго. Второй изрыгал проклятья, но за Максимом не побежал. Он посчитал это хорошим знаком. Смешно! Гонится в полночной тьме с пробитой, кровоточащей рукой и считает это хорошим знаком.

Вспомнил, как заставил себя остановиться. Паника — плохой советчик. Нужно успокоиться и сосредоточиться, иначе легко погореть. Козырную карту надо использовать с умом, а отсутствие погони и есть эта самая козырная карта. Рану разрывало на части, от нестерпимой боли кружилась голова, путая мысли. «Я должен поменять направление.

Должен скрыть следы. Должен добраться до такого места, где смогу отдохнуть. Хоть немного, хоть самую малость. Иначе мне крышка, ее смерть останется безнаказанной, а этого допустить нельзя», — думал Максим, вжавшись спиной в ствол дерева. Он прислушался. Позади по-прежнему ни звука. Значит, насчет погони он не ошибся.

Дальше действовал на автопилоте. Наломал веток, выбирая те, на которых побольше листвы, и привязал к ступням. Превозмогая боль, подтянулся, ухватившись за толстую ветку, раскачался и прыгнул. Проделал это несколько раз подряд. Кровотечение, остановившееся было, возобновилось с новой силой. Пришлось сделать еще одну остановку. Разорвав рубаху напополам, перетянул рану, вторую часть рубашки разодрал на полосы, соорудив нечто вроде перевязи. Перекинув ее через шею, втиснул в петлю руку. Теперь можно было двигаться дальше. Только вот куда? Полагаясь лишь на интуицию, прошел несколько метров, держась лесополосы. И тут удача улыбнулась ему. Это он тоже сразу понял. Старое, покосившееся здание стояло от железнодорожного полотна, вдоль которого он двигался, примерно метрах в десяти. Широкая площадка перед зданием подсказала Максиму, что некогда это здание служило вокзальным помещением. Сейчас же оно было заброшено. Станция расширила свои горизонты, проложенные дополнительные пути уже не удовлетворяло древнее строение, да и расположение этой древности оставляло желать лучшего.

Максим заставил себя пройти еще несколько метров, чтобы убедиться, что здание пустует. Наткнулся на железнодорожную ветку и, изучив ее, понял: она не заброшена, по ней по-прежнему ходят поезда. «А вот это может оказаться кстати», — машинально подумал он и, уже не таясь, направился к заброшенному зданию. Домишко был неказистенький. Всего три комнатки и центральный зал, размером с гостиную в типовой многоэтажке. В подвал Максим не пошел, чердак, как временное убежище, тоже забраковал. Уж больно хлипкая конструкция, чтобы выдержать вес тяжелее воробьиного.

Заглянув в каждую из комнат, остановил выбор на угловой. Преимущественно из-за окон, выходящих на две стороны и дающих максимальную возможность для наблюдения за окрестностями и бегства в случае возникновения такой необходимости.

Пошарив по углам, отыскал два колченогих стула, выбил тканевые сиденья и, кое-как устроившись на полу, одно подложил под голову, второе — под простреленное плечо. Пошарил в сумке, извлек оттуда теплый свитер, натянул через голову и тут же отключился, выброшенный из реальности очередным взрывом боли.

Первый раз он очнулся, когда начало светать. Посмотрев на часы, понял, что проспал всего ничего. Нестерпимо хотелось пить. О еде он и не мечтал. Утолить жажду и снова спать. С едой придется повременить. Тот скудный запас, что был в сумке, давно иссяк. Хорошо бы, вода осталась. Подтянул сумку, нащупал пластиковую бутылку. Воды оставалось на полглотка. «Да, этим жажду не утолишь», — опрокидывая содержимое бутылки в рот, подумал Максим. Руки слегка тряслись, кожа покрылась испариной, легкое дуновение ветерка в окно, стекла которого были давно выбиты, заставило содрогнуться от холода.

— Похоже, у тебя жар, дружище. Поздравляю, — вполголоса проговорил он.

С этим надо было что-то делать. В боковом кармашке сумки лежал аспирин. Максим извлек сразу четыре таблетки, разжевал и проглотил, не запивая. Поморщился и снова произнес вслух, в глубине души полагая, что несет настоящий бред:

— Воду придется добыть.

Высказанная вслух мысль не казалась уже такой бредовой. А почему бы и нет? Продолжать путешествие в таком состоянии он все равно не может. Нужно еще немного времени. Хотя бы жар сбить. Сейчас он больше похож на привидение из любимых американцами фильмов ужасов, чем на неприметного путешественника. Значит, ему необходима вода. Вы-

107

глянув в окно, он увидел метрах в двадцати от заброшенного здания торчавшую из земли трубу водоразборной колонки.

— Хорошо бы работала, — произнес Максим, выбираясь из убежища. — Вылазку за водой нужно сделать сейчас, пока не рассвело.

Он уже не волновался насчет того, что разговаривает сам с собой. Странным образом это успокаивало. Сунув бутылку за пазуху, Максим почти бегом добрался до колонки и дважды нажал на рычаг. Из выгнутого крана полилась вода, заливая обувь. Он сунул голову под струю, и сразу стало легче. Затем начал хватать ртом теплую воду, слегка отдающую болотом. Пил долго и только усилием воли заставил себя оторваться. Орудуя здоровой рукой, подкачал насос, подставил бутылку, наполняя до краев. Крышку завинчивал уже на ходу. Только оказавшись снова внутри помещения, Максим поверил, что рисковая выходка обошлась без эксцессов. Жар понемногу отступал. Видимо, начал действовать аспирин. Надолго ли? Неважно. Спать, спать, спать...

На этот раз он проспал очень долго. Намного дольше, чем мог позволить себе в сложившейся ситуации. Солнце стояло в зените. Тишину импровизированного убежища нарушал шум, доносящийся от платформы. Осторожно выглянув наружу, Максим увидел, как по платформе снуют несколько рабочих, обслуживая грузовой состав, появившийся на пути за время его сна. На заброшенный вокзальный домишко никто внимания не обращал.

«Тогда что заставило тебя проснуться? — сам себе задал вопрос Максим и сам же ответил: — Ты в опасности, вот что». Чувство, возникшее внезапно и вырвавшее из объятий Морфея, было настолько хорошо знакомо Максиму, что сомневаться в его происхождении невозможно. Опасность приближалась, он пока не знал, откуда ее ждать и в чем она заключается, но был уверен, что из дома нужно выбираться. И как можно скорее. «Кто на этот раз пришел по мою душу? Гробарь и Зачетчик? Местные отморозки? Другие курбановские прихвостни? Или же доблестная полиция?» — Мысли проносились в голове, пока Максим спешно засовывал в дорожную сумку бутылку с водой и пристраивал ее на плече.

Он подошел к окну, собираясь выпрыгнуть наружу, и тут увидел их. Двое мужчин возле лесополосы. Нет, это не курбановские. Значит, полиция? Отыскали-таки!

— Хреново, — вполголоса произнес Максим, отшатнувшись от окна.

Неслышно переместился к противоположной стороне стены. Итак, к посадкам не прорваться, попадешь прямиком в лапы этой парочки. А они осторожничают. Уверены, что он внутри? Где же он прокололся? Или на их стороне везения побольше, чем у него? Ладно, сейчас не до гадания на кофейной гуще. Что дальше? Во время утренней вылазки Максим успел изучить территорию. Справа лесополоса, прямо перед зданием железнодорожная платформа, в остальных направлениях, насколько хватает взгляда, лишь поля, там не укрыться. «А может, сдаться властям? — промелькнула шальная мысль. — Разом покончить с беготней, вверить свою судьбу тем, кто должен заниматься моей защитой?» Мысль была настолько соблазнительной, что Максим сделал пару шагов в направлении того окна, за которым к заброшенному зданию подбирались двое незнакомцев. «Что, если ты ошибся? — остановил его взявшийся из ниоткуда внутренний голос, до боли похожий на голос жены. — Что, если это все же курбановские? Что тогда случится с тобой? Прямо здесь, на захолустном полустанке? Так ты мечтал окончить свои дни? И потом, даже если это полицейские, что ты можешь им сказать? И как они посмотрят на те делишки, которые ты пытался провернуть ради своей выгоды там, в Челябинске?»

Больше Максим не сомневался. Вернувшись ко второму окну, выходившему на платформу, перебрался через подоконник и тихо приземлился на траву. Вжавшись в стену, начал медленно продвигаться к углу. Его сомнения не прошли бесследно — драгоценное время было потеряно. Не успел он дойти до угла, как один из преследователей показался буквально в нескольких метрах от него. От неожиданности он остановился, уставившись на Максима. Какое-то время они смотрели друг на друга, а потом все завертелось. Как в замедленном кино, мужчина поднял руку и закричал:

— Лева, я его вижу! Вот он! — Указательный палец незнакомца, как обвиняющий перст, указывал в его сторону.

Максим оттолкнулся от стены и во всю прыть помчался к платформе. Товарный вагон все еще стоял там, но уже начал свое движение, постепенно наращивая скорость. Из-за поворота показался второй мужчина. Максим уловил движение боковым зрением, но скорость не сбавил. Все его внимание было приковано к товарняку. Успеть добраться до платформы до того, как последний вагон пронесется мимо, и тогда он спасен. Пусть на короткое время, но все же.

Первый мужчина, разгадав его замысел, бросился наперерез. Максим легко увернулся от столкновения. Рука мужчины вскользь прошлась по спине, не успев ухватить ткань. Максим поднажал. До заветной цели оставались считаные мгновения. Вскочив на платформу, он почувствовал, как преследователь вцепился в его ботинок. Яростно лягнув ногой пространство позади себя, удовлетворенно отметил, что удар достиг цели. Практически сразу услышал крик боли, но оглядываться, чтобы посмотреть, что происходит там, за спиной, не стал. Еще пару шагов, и он у товарняка. Это был тот тип вагона, с открытым верхом, в каких обычно перевозят гравий, песок и им подобные сыпучие грузы. Ухватившись здоровой рукой за металлическую перегородку, Максим подтянулся и уже считал себя спасенным, но преследователь сдаваться не собирался. Оклемавшись от удара, он настиг его в тот самый момент, когда ноги Максима нашли опору.

— Стой, паразит, слезай на землю!

— Перебьешься! — грубо бросил Максим, нанося удар ногой по лицу преследователя.

На этот раз он бил прицельно. Жесткий край туристического ботинка попал точно в переносицу. Мужчина отшатнулся и, не удержав равновесие, упал на платформу. Максим успел заметить, как фонтан алой крови брызнул из разбитого носа. «Прости, приятель, ничего личного, чисто жизненная необходимость», — мысленно произнес он, подтягиваясь на руках и перебрасывая тело в недра вагона. Тело приземлилось на что-то мягкое.

— Стой, Яропольцев! — услышал он вдруг приглушенный металлическими стенками вагона голос второго преследователя. — Мы не враги. Остановись, мы можем тебе помочь.

— Ага, как же! Помочь. Как волк козе, — вполголоса пробурчал Максим, машинально отмечая тот факт, что преследователь назвал его по фамилии. Рана в плече вновь открылась, и боль разливалась по всему телу. «Скоро сознание снова помутится, — отстраненно подумал он. — Надо достать таблетки. Без них я не смогу мыслить ясно». Но сначала нужно выяснить, успели ли те двое догнать поезд. Максим приподнялся на песке, которым был заполнен вагон, и осторожно выглянул наружу. То, что он увидел, одновременно и порадовало, и огорчило его. Мужчина, которого он ударил, все еще лежал на платформе. Второй успел добраться до него и стоял теперь, склонившись над товарищем, который не шевелился. «Давай же, поднимайся! — звучал в голове призыв, будто это могло что-то изменить. — Не такой уж сильный был удар. Вставай! Я должен знать, что ты в порядке».

Будто услышав его, мужчина с разбитым носом приподнялся. Второй помог ему обрести вертикальное положение, и оба проводили взглядом удаляющийся поезд. «Вот и отлично. Я в безопасности, он тоже. Жить будем», — заключил Максим, скрываясь за железом вагона.

Для Гурова же и Крячко преследование на этом не закончилось. Напротив, оно только начиналось. Выудив из кармана носовой платок, Лев сунул его в руку Стаса и приказал:

— Позади тебя колонка. Пойди умойся.

— А ты куда? — невнятно спросил Крячко, сплевывая на платформу кровь.

— Пойду пообщаюсь с рабочими, — на ходу бросил Лев.

К ним уже бежали станционные рабочие. На полпути они встретились.

— Куда направляется этот состав? — доставая из кармана красные корочки и показывая рабочим, властно спросил Гуров.

— В Непецино, — быстро ответил один из рабочих. — Там, дальше, линия сворачивает на подъездной путь к непецинской промбазе.

— Далеко это?

— Километров десять. По шоссейке минут двадцать, напрямую короче, — сообщил рабочий.

— Дальше куда?

— Что «куда»? — не понял тот.

— Состав куда дальше отправится? — сдерживая раздражение, пояснил Гуров.

— Никуда. Грузиться будет. Потом обратно к нам, а там в зависимости от маршрутного листа, — сообразил наконец рабочий.

— По пути остановки есть?

— Да зачем же? У него путь короткий, цель конкретная, — в недоумении пожал плечами рабочий.

— Благодарю за помощь, — кивнул Лев и пошел к колонке, возле которой приводил себя в порядок Крячко.

— Упустили? — коротко спросил он.

— Может, и нет. Идти можешь? Нужно возвращаться к машине. По шоссейной дороге доедем до промбазы. Состав идет туда, — ответил Гуров.

Спрыгнув на рельсы, они пошли в сторону станции, где оставили машину. Усевшись за руль, Гуров завел двигатель и рванул машину с места. Дорога была пустынна. До перекрестка, ведущего к Непецину, домчали в рекордно короткий срок. Дальше скорость пришлось сбавить. Движение на этом направлении Новорязанского шоссе хоть и не входило ни в какое сравнение с МКАД, но все же было довольно интенсивным.

Как ни торопился Лев, а к промбазе они прибыли через тридцать минут. По шоссейке шли бодро, а вот когда свернули на подъездную, дорогу преградила колонна

112

грузовиков. Пришлось пятиться назад и пропускать колонну, так как дорога на двустороннее движение явно не была рассчитана. Пока искали место для парковки, пока выбирались из машины, искали хоть кого-то, кто был в курсе функционирования базы, прошло еще десять минут. Когда наконец отыскали нужный состав, Яропольцева и след простыл.

— Проклятье! — ожесточенно сплюнул Крячко. — А все из-за моей нерасторопности. Ведь в руках уже держал!

— Не переживай, Стас. По крайней мере попытались, — успокаивал его Гуров.

— Что с этих попыток? — кипятился Крячко. — Пропустить такой ожидаемый удар! Как студент-первогодок на простейшем экзамене завалился.

Они направились к машине, размышляя о том, что предпринять дальше. У самых ворот их нагнал худощавый парнишка в спецодежде работника промбазы.

— Прошу прощения, вы ведь за тем блондином гонитесь? — осторожно осведомился он.

— За каким блондином? — Гуров остановился, внимательно глядя на парнишку.

— За тем, что из вагона выпрыгнул. Я видел.

— И куда же он направился? А ну, выкладывай как на духу, — выдвигаясь вперед, зарычал Крячко.

Вид у него был ужасный. Перебитая переносица, всклокоченные волосы, мокрыми сосульками свисающие на лоб, светлая рубашка в кровавых потеках. Парень отшатнулся и, пятясь назад, залепетал:

— Да я толком ничего не видел. Я только видел, как он из вагона на ходу сиганул. Еще до того, как состав на базу въехал.

— Ты, парень, не смущайся. Мы из уголовного розыска. Москва, — предъявляя удостоверение, произнес Гуров. — Нам сейчас любая помощь позарез нужна. Говоришь, на ходу спрыгнул? А дальше куда подался, видел? Хотя бы направление подскажи.

— Да к трассе. Там автобусы останавливаются. А на остановке бабы всякой снедью торгуют. У них поспрашивайте, может, видели, — немного успокаиваясь, сообщил парнишка.

— Вот за это мерси огромное. От лица всего уголовного розыска, — привычно шутливым тоном проговорил Крячко, пожимая парню руку.

— Всегда пожалуйста, — вежливо произнес тот, вырывая ладонь из крепкой хватки Крячко. — Вы бы поспешили. В это время здесь много автобусов проходит. Улизнет ведь.

Гуров открыл дверцу машины, кивком поблагодарив парнишку. Уже когда машина тронулась, парнишка не выдержал и спросил:

— А что он натворил, блондин этот? Убил кого-то?

— Ага, с десяток на тот свет отправил. Так что тебе, парнишка, повезло, что он до базы не доехал, — прокричал в ответ Крячко. — Берегись блондинов, парень!

Тот побелел как полотно и в запоздалом ужасе прижал руки к груди.

— Чего пугаешь пацана? — беззлобно пожурил напарника Лев. — Он тебе наводку дал, а ты ему чем отплатил?

— Ничего, осторожнее будет, — рассмеялся Станислав. — Ты рули давай. Будем баб со снедью разыскивать.

Выехав на трассу, Гуров повел машину медленно, выискивая автобусную остановку, о которой говорил парнишка. Метров через пятьдесят впереди замаячила добротная конструкция остановки, а подъехав ближе, сыщики увидели ряд «баб, торгующих всякой снедью». Притормозив у обочины, вышли из машины.

— Не мешало бы подкрепиться, — потирая руки, заметил Крячко.

Услышав его слова, бабы наперебой начали предлагать свой товар.

— Пирожки горячие. С мясом, рыбой, капусткой.

— Рыбка вяленая, копченая.

— А вот яблочки. Наливные, сочные. Недорого отдаю. Полтинник за кило.

— Картошечка с пылу с жару. Огурчики маринованные. Налетай, мужики!

— Я бы от картошечки не отказался, — мечтательно протянул Крячко. — Почем картофан, бабуля?

— Какая я тебе бабуля, дармоед? — вскинулась бабенка средних лет. — Да я тебе в дочки гожусь.

— Отчего не в зазнобы? Я бы от такой не отказался. Сеновальчик, самогоночка... Лепота!

— Да ну тебя, оголтелый, — засмущалась баба. — То в старухи записал, а то про сеновал!

— Картошку будешь торговать, красавица? — останавливаясь возле торговки, спросил Стас. — Отгрузи-ка мне с полкило. И огурчиков не жалей. Я малосольные уважаю.

— Забирай всю. Тут немного. Таким видным мужчинам на один укус, — проворно выкладывая картошку в пакет, веселилась торговка.

— Сколько стребуешь, красавица? Пары поцелуев хватит? — балагурил Крячко, выуживая деньги из кармана.

— Пара поцелуев, пожалуй, многовато. А вот соточку за картошку, да соточку за огурчики — в самый раз будет, — выдергивая деньги из его рук, загототала торговка.

— И у меня пирожков возьми, молодой человек, — потянула Крячко за рукав сененькая старушка. — Тесто как облако. Легчайшее. Ты таких за всю жизнь не пробовал.

Крячко купил и пирожки, и яблоки, и рыбку. Набрав полные руки, оглянулся на Гурова и подмигнул ему:

— О деле ты будешь спрашивать или мне уж по старой дружбе доверишь?

— Валяй, только быстро, — уступил первенство Гуров.

— А что, бабоньки, давно автобуса не было? — обращаясь ко всем торговкам разом, поинтересовался Крячко.

— Тебе-то зачем? Или тачку продать решил? — отозвалась та, что торговала картошкой.

— Для общего развития, красавица. Интеллект повысить надумал, — пошутил Стас.

— Минут десять, как последний отошел, — за всех ответила седенькая старушка.

— А что, бабуля, не видала ли, садился в автобус блондинистый парень в черном свитере? — сосредоточив внимание на старушке, спросил Крячко.

— Не видала, милок. Женщина с ребенком грузилась, это видела. А блондина, да еще и в свитере? Не было у автобуса такого.

— Я видала! — подала голос женщина, торгующая яблоками. — Блондин, в черном свитере. Я еще удивилась, чего это ради он в такую жару кофту нацепил. Вид у него неважный был. Точно больной.

— И куда ж он делся, если в автобус не садился? — переспросил Крячко.

— А с Васькой-дальнобойщиком укатил, — ответила торговка. — Васька тут останавливался. У Фроловны кукурузу брал. Он его и подсадил. Васька, он любитель попутчиков сажать. Уж сколько ему Настена твердила, не связывайся с чужаками, накличешь беду, а он все свое. Без компании, говорит, в дороге тоска смертная. А я везучий, меня неприятности за семь верст обходят.

— Так, так, что за Васька? — встрепенулся Станислав. — Давай-ка с подробностями, дорогуша.

— Да местный он. Из Андреевки. Это километров пятнадцать отсюда. С Настеной в крайней избе живут. Он на дальнобое работает, с промбазы грузы возит. Сегодня загрузился и в рейс ушел, — объяснила торговка.

— Куда следует, конечно, не в курсе? — с надеждой в голосе спросил Крячко.

— Откуда ж, мил человек? Он передо мной доклад не держит. Вы у Настены спросите. Она всегда дома. Хозяйством заведует, вот от двора и не отлучается. Хозяйство у них видное. И коровка, и свиней штук шесть. Куры, утки — вообще без счета.

— Спасибо, гражданочки, за хлеб-соль и за помощь, — склонился в шутовском поклоне Стас. — С вами хорошо, а дело не терпит. Прощевайте, бабоньки!

— До свиданьица, красавчик! Заезжай, если что, — хохотнула баба, торгующая картошкой.

Гуров уже возвращался к машине. Пока Крячко со своими покупками усаживался в салон, он быстро соображал:

— Едем в Андреевку, отыскиваем Настену. Попытаемся с ее мужем связаться. Аккуратненько посоветуем на ближайшем дорожном посту попутчика сдать. Если удастся, еще засветло Ярпольцева задержим, а нет, так хоть маршрут определим и по дороге перехватим. У фуры скорость не чета моему «Пежо», догоним.

— Эх, плакал мой обед! — Сбрасывая покупки на заднее сиденье, Крячко впился зубами в пирожок. — Одна отрада, рано или поздно все это закончится, вот тогда и наемся до отвала.

## Глава 8

«Пежо» неспешно катил по ночной трассе М-7. Гуров внимательно следил за дорогой, время от времени бросая взгляд на заднее сиденье, где похрапывал сытый и умиротворенный Крячко. Он находился за рулем уже около четырех часов. От непривычно долгой езды спина потихоньку начала затекать, но спать пока не хотелось. Всю дорогу Лев сохранял стабильную скорость, выдерживая стрелку спидометра на отметке 100. Торопиться и гнать машину на максимальных скоростях уже не имело смысла. Помимо того что в Андреевке было потеряно драгоценное преимущество во времени, сыщики не владели координатами конкретной точки следования и необходимыми сроками ее достижения. Связаться с Васькой-дальнобойщиком им так и не удалось.

Досада и раздражение на непредвиденные задержки, точно снежная лавина, обрушившиеся на оперативников в Андреевке, уже сошли на нет. Им на смену пришло если не спокойствие, то вынужденное смирение. Ситуация такова, какова она есть. Сколько ни злись, ни дергайся, что случилось, то случилось. А злиться было на что. Началось все с того, что Настены, примерной домохозяйки, не оказалось дома. Ни соседи, ни всезнающие кумушки, пристроившиеся возле соседского забора с полными карманами семечек, просветить оперов на этот счет не смогли. Битых полчаса Гуров и Крячко колесили по улочкам, успев за короткий промежуток времени задать злободневный вопрос о местонахождении гражданки Настены, жены Васьки-дальнобойщика, чуть ли не половине жителей деревни. Настена как сквозь землю провалилась.

Тогда Гуров погнал машину на промбазу и попытался выяснить там, по какому маршруту следует груз, перевозимый Васькой-дальнобойщиком. Там полковников ждал новый сюрприз. И тоже, как водится, неприятный. Оказалось, что в этот день на промбазе груз получили аж целых пять фур, водителями которых являлись счастливые обладатели имени Василий. На всякий случай вытребовав маршруты всех пяти Василиев, Гуров поехал к автобусной остановке в надежде на то, что торговки снабдят оперов фамилией пресловутого Васьки. Увы, и тут Гурова и Крячко ждал облом. Торговки испарились как по мановению волшебной палочки. Единственная оставшаяся представительница частного бизнеса в лице седенькой старушки с пирожками объяснила отсутствие остальных баб перерывом в «рабочем дне». Очередные рейсовые автобусы, на которые ориентировались торговки, пойдут только после семи вечера, сообщила она, вот к этому времени бабы и подтянутся. Сама же старушка фамилии Васьки-дальнобойщика не знала, так как проживала не в Андреевке, а в Непецине.

Негодуя на самого себя за чрезмерную торопливость и недальновидность, благодаря которой своевременно не поинтересовался фамилией Васьки, Гуров под непрерывное брюзжание Крячко вернулся в Андреевку и потребовал фамилию у соседей Настены. Он искренне надеялся, что мытарства на этом закончатся, но не тут-то было. Фамилию он узнал, а вот в списке тех, кто получил маршрутный лист в промбазе, найти ее не смог. Не загружался Васька-дальнобойщик со смешной фамилией Гыга на базе, и узнать, где же он получил груз, способов не осталось.

В конце концов, устав от бесплодных попыток, сыщики вернулись к Настениному дому и, устроившись на крыльце, приняли решение ждать хозяйку до победного конца. Ведь должна же она вернуться хотя бы для того, чтобы накормить свое многочисленное поголовье скота и птицы. Лишь к шести часам хозяйка наконец вплыла во двор. Довольная, как кошка, уворовавшая кило сметаны у зазевавшейся хозяйки, она продефилировала к крыльцу и, удивленно подняв брови, поинтересовалась, что «господам» нужно в ее дворе.

Если бы не врожденная вежливость, Гуров наверняка высказал бы в лицо самодовольной даме все, что о ней думает. А вот Крячко правилами этикета себя не обременял. Он выступил вперед и быстро «просветил» хозяйку, чего ради двое мужчин солидного возраста и положения околачиваются в ее дворе. От тирады Крячко Гуров покраснел как рак и принялся извиняться перед Настеной, но та на выпад Крячко и бровью не повела, объяснив мужчинам, куда они могут идти со своими претензиями и где могут оставаться неопределенное время.

Обменявшись «любезностями», стороны какое-то время изучали друг друга, после чего разговор пошел более продуктивно. Гуров в общих чертах объяснил, для чего они разыскивают мужа Настены, на что она заявила, что связаться с ним сможет лишь ближе к полуночи, а то и вовсе к утру. У супругов строгая договоренность: пока муж на трассе — никаких звонков. Устроившись на ночлег, Василий сам свяжется с супругой, и по-другому никак, мобильный Василия находится в отключенном состоянии.

Крячко было снова завелся, начав костерить супругов и их странные отношения, но на этот раз Настена выслушивать оскорбления была не настроена. Когда мужик большую часть времени проводит за баранкой, день и ночь рискует своей шкурой, так как количество психов на дорогах возросло раз в сто, она, его законная супруга, не собирается усугублять его и без того незавидное положение. Вписывать свое имя в длиннющий список вдов не желает и гробить собственными руками свое счастье в лице Васьки-дальнобойщика никому не позволит, будь они трижды полковники и с десяток раз сотрудники уголовного розыска.

С грехом пополам Гурову удалось-таки выудить у нее информацию о том, что дражайший супруг погнал фуру то ли в Кстово, то ли в Балахну, расположенные в пригороде Нижнего Новгорода, но на обратном пути непременно появится в самом городе, так как пустым домой не пойдет. Всучив Настене номер телефона и вытребовав ее номер, Гуров взял с нее обещание сообщить о местонахождении мужа сразу же, как только тот позвонит. Заодно крепко-накрепко наказал никакой информации о попутчике Ваське не сообщать.

Перепуганная страшными перспективами, Настена сначала категорически отказывалась слушать Гурова и заявляла, что, как только Васька выйдет на связь, она тут же велит ему бросать машину и бежать без оглядки от опасного человека. Переубедить Настену удалось только Крячко, и то с трудом. Давил Стас на то, что до той поры, пока не почувствует опасность, попутчик Васьки совершенно безобиден, но стоит ему заподозрить Ваську в дурных мыслях, и вдовье одеяние Настене обеспечено. Взвесив все «за» и «против», она вынуждена была с ним согласиться. Хоть и не по душе Гурову были явные преувеличения угрозы со стороны Яропольцева, другого выхода он не видел, поэтому предусмотрительно молчал.

Только после этого Гуров и Крячко смогли покинуть опостылевшую Андреевку. Посовещавшись, решили держать курс на Нижний Новгород. Тем более что первоначальный план, разработанный еще в столице, совпадал с последними данными. Перехватить Ваську по дороге они не надеялись. В последний момент Настена внезапно вспомнила, что до Нижнего Васька должен заехать во Владимир, успеть там разгрузиться и, получив новый груз, двигать либо к Балахне, либо к Кстово. От мешанины противоречивой информации, выдаваемой женщиной, у Гурова и Крячко у самих голова шла кругом.

Так и получилось, что по трассе М-7 Лев ехал в ожидании звонка от бестолковой Настены, хотя и на это он уже не особо надеялся. Зато в том, что Яропольцев будет следовать с Васькой до конечной остановки, он почти не сомневался и был практически уверен, что, как только Яропольцев окажется в Нижнем Новгороде, он сразу же отправится к армейскому приятелю Сергею Чекменеву. Даже если это и не входило в его планы ранее, такое удачное стечение обстоятельств Яропольцев упустить не мог. Адрес Чекменева Гурову был известен. Найти нужную улицу по карте не составляло труда. Завалиться ночью к Чекменеву было бы не самым разумным решением, следовало дождаться утра. Значит, торопиться было некуда.

Когда «Пежо» уже подъезжал к Нижнему Новгороду, проснулся Крячко. Сладко потянувшись, он пробасил:

— Это что за остановка, Бологое иль Поповка? — и сам рассмеялся своей шутке.

— Все хохмишь, — бросив взгляд в зеркало заднего вида, проговорил Гуров. — Да, спать ты, брат, горазд. Четыре часа кряду.

— Надо было разбудить, я бы тебя сменил, — беззаботно отозвался Стас.

— Сам справился, — отмахнулся Гуров. — К тому же у тебя еще будет возможность проявить себя. Как бы ни сложились дела в Нижнем, а домой возвращаться придется тем же курсом. Как твой нос?

— В норме, — потрогав переносицу, ответил Крячко. — Перелома нет, это главное. А ушиб? Так. Мелочи. От сумасбродной супруги Василия никаких вестей? — поинтересовался он.

— Молчит. Либо забыла о своем обещании, либо дражайший супруг на связь по-прежнему не выходил.

— Все-таки странная у них договоренность, ты не находишь? — в который уже раз задал один и тот же вопрос Крячко. — Это ж, что с ним случись, она и не узнает.

— Не вижу в этом ничего странного. Вполне логичное решение. Знаешь, сколько аварий на трассе происходит как раз из-за чрезмерного беспокойства домашних о своем кормильце? Затрезвонит телефон в самый неподходящий момент, вот тебе и авария. Причем зачастую такие аварии заканчиваются летальным исходом. Была б моя воля, я бы опыт супругов Гыга ввел в разряд дорожных правил для дальнобойщиков.

— Ну, это ты загнул. Посмотрел бы я на твою Марию, если б ей запретили звонить тебе когда вздумается. Какова бы была ее реакция, не подскажешь?

— К твоему сведению, Маша порядок знает, — улыбаясь одними глазами, ответил Гуров. — Отчего, думаешь, она до сих пор не звонит?

— А она не звонит? Вот это выдержка! Уважаю.

— Послушай, балабол, проложи-ка лучше маршрут до дома Сергея Чекменева. Обоснуемся где-нибудь неподалеку и будем ждать. Не может быть, чтобы Яропольцев не нанес визит старому другу, — прерывая пустой разговор, попросил Лев.

Крячко углубился в изучение карты автодорог, а он задумался. Как подступиться к Яропольцеву, чтобы не спугнуть? Понятное дело, в его положении довериться незнакомым столичным операм будет непросто. Но и бегать всю жизнь от курбановских головорезов тому вряд ли захочется. Каким образом в двух словах доказать, что он, Гуров, на стороне Яропольцева? Сразу выложить, что не считает его причастным к убийству Ольги? Не годится. Разбередив свежую рану, можно только навредить делу. Сообщить, что знает про Гробаря и Зачетчика? А что это даст? Эка невидаль, опер в курсе кличек шестерок известного авторитета. Попытаться надавить на чувство долга? И это после того, как наша доблестная армия вышвырнула Яропольцева на обочину, не удосужившись предоставить хоть какую-то возможность приносить Родине пользу? Нет, все не то. Нужен такой аргумент, услышав который Яропольцев сам захочет выложить все о челябинском конфликте. Знать бы наверняка, что за терки у него с Курбаном. Но этот вопрос до сих пор остается загадкой.

Пока Гуров размышлял, Крячко отыскал нужную улицу и принялся командовать, как заправский штурман. Попетляв по нижегородским улицам, они добрались до дома Чекменева. Въехав во двор, припарковали машину возле кустов, развернув ее так, чтобы не бросались в глаза иногородние номера. Крячко пробежался по окрестным дворам, заглянул в пару подъездов и быстро вернулся.

— Третий с краю, сразу после арки, подъезд Чекменева. Второй этаж. Окна выходят во двор. По крайней мере, два точно. Если считать от подъездного окна, то крайние два, — доложил он. — Двор сквозной. Выезд имеется на три улицы. В окнах света нет, но это ты и сам видишь. Что делать будем? К Чекменеву поднимемся или тут подождем?

— Будем ждать, — коротко ответил Гуров и, закрывая глаза, добавил: — Ты в карауле.

— Справедливо, — заметил Крячко, устраиваясь поудобнее. — Твоя очередь силы восстанавливать. Поспи, друг. Придет опасность, я тебя непременно разбужу.

— Заткнись, Стас, — грубовато пробурчал Гуров, проваливаясь в сон.

Крячко еще что-то бубнил, но Лев уже не слышал. Приятная дрема охватывала тело, мозг отключался от повседневных забот, заверяя полковника в том, что в ближайшее время опасности не предвидится.

Разбудил его телефонный звонок. Машинально взглянув на циферблат, Гуров присвистнул. Три часа ночи. Ничего себе поспал, в Нижний въехали, еще и полуночи не было. Приложив трубку к уху, он вполголоса произнес:

— Слушаю.

— Это вы, товарищ Гуров? — раздался долгожданный голос Настены. — А это я, Настена. Васька мой уже в Нижнем.

— Доброй ночи, Настена, — поздоровался Лев. — Василий позвонил? Во сколько? Попутчик еще с ним?

— Что вы, что вы! Ушел он. Куда — не сказал. Я, как Васькина мелодия заиграла, подобралась вся. Ну, думаю, как бы не проболтаться про беглеца вашего. Сперва, как водится, про дорогу спросила. Спокойно ли на трассе, не хулиганят ли и все такое. Потом про еду. Надо ж узнать, сыт твой мужик или голодует. Потом собралась про попутчика спросить. Невзначай так. Не подсаживал ли кого по дороге? А он сам возьми и скажи: дорога прошла шикарно. Попутчика подсадил, своего брата-дальнобойщика. Давно так славно по душам ни с кем не разговаривал. Только-только простились.

— Настена, — перебил Гуров словоохотливую женщину, — вы по делу говорите. Как давно Василий высадил попутчика? В каком именно месте? И не знает ли его дальнейших планов?

— Разузнала! Все разузнала. Я ж как подумала: раз беглеца вашего уже нет с Васькой, можно и повыспросить кое-что. Только к нему ведь подход требуется, чтобы он разговорился. А то буркнет «не твое дело», и все, больше слова не вытянешь. Ну, да я за столько лет супружества подходы-то к Ваське знаю, не сомневайтесь. Покружила вокруг да около, он сам все и выложил. Вышел попутчик, едва они пост ГАИ при въезде миновали. Попрощался, сказал, что дальше сам, и ушел. Пешком ушел. А может, другую попутку поймал. Было это минут за двадцать до трех. Васька к базе свернул, где ночует обычно, и меня набрал.

— Вы Василию сказали, что попутчика его полиция разыскивает? — спросил Лев.

— Куда там! Не успела я. Ваське разговор наскучил. Велел мне спать ложиться и отключил мобильник, — разочарованно призналась Настена. — Ничего, дождусь возвращения, тогда и расскажу.

— Послушайте, Настена, когда Василий снова будет звонить, не рассказывайте ему про нас. Ни про визит, ни про телефонный разговор, хорошо? — внезапно попросил Гуров.

— Да Васька теперь не станет звонить. Экономный он у меня. Напрасно деньги на звонки тратить не станет, — сообщила Настена. — Доложил, что живой, и хватит с меня.

На том и расстались. Убрав телефон, Гуров взглянул на Крячко:

— Слышал?

— Слышал. Думаешь, сюда подался?

— Наверняка. Посчитай-ка, какое расстояние от КП до этой улицы? — попросил Лев.

— А чего тут считать? Сколько мы сюда добирались? Минут двадцать? И это с учетом того, сколько петляли. А напрямую и того меньше. Километров семь от силы.

— Значит, Яропольцеву понадобится не меньше часа. Не думаю, что он станет машины тормозить. Только не ночью, — предположил Гуров.

— Ясное дело, пешком пойдет, — согласился Крячко.

— Вот и отлично. Дождемся, когда во дворе появится, пропустим в подъезд, тогда и будем действовать.

Потянулись томительные минуты ожидания. Чем ближе стрелка часов приближалась к четырем, тем сильнее обострялись чувства у оперов. В начале пятого Крячко не выдержал:

— Может, к подъезду прогуляться? Затаюсь на площадке и у двери возьму? — нетерпеливо предложил он.

— Не стоит. Спугнуть можем, тогда снова по городам и весям гоняйся, — возразил Гуров. — Потерпи, Стас, недолго уже осталось.

— А если он вообще не придет?

— Должен прийти, деваться ему больше некуда. Не забывай, что он ранен... — Гуров не успел договорить, как показалась фигура человека. Это, несомненно, был Яропольцев.

— Вот и дождались, — шепотом проговорил Станислав.

Человек дошел до подъезда, оглянулся по сторонам и быстро шмыгнул в дверь. Гуров и Крячко выждали с полминуты, тихонько вышли из машины и двинулись следом. Неожиданно подъездная дверь с грохотом распахнулась, и из нее выскочил Яропольцев. Не задерживаясь на крыльце, он бросился к кустам. За ним по пятам гнались двое бритоголовых. Крячко сориентировался первым. Он помчался наперерез бандитам, отсекая их от Яропольцева и крича на ходу зычным голосом:

— Стоять, полиция!

Бритоголовые остановились, точно на стену налетели. Мгновение они оценивали ситуацию, оглядывая двор и ожидая, что вот-вот сюда въедут машины с мигалками. Увидев, что Крячко один, они разделились. Тот, что был к нему ближе, развернулся и помчался прямо на Стаса, а второй продолжил преследование. Яропольцев поменял направление. Перескочив через низенькое ограждение, отделяющее детскую площадку от проезжей части, он круто забрал вправо и метнулся к арке. С двух сторон к нему бежали Гуров и второй бандит.

А Крячко уже схватился с бритоголовым. Обменявшись парой ударов, он произвел захват противника, после чего оба покатились по земле. Бритоголовый яростно молотил кулаками по рукам Крячко, пытаясь освободиться от захвата. На какую-то долю секунды ему это почти удалось, но Стас усилил натиск и вырвал преимущество. И тут один из ударов противника достиг цели. Кулак угодил в переносицу, травмированную ранее Яропольцевым. Крячко застонал, отпуская бритоголового. Тот вскочил, отбежал на несколько шагов и, торжествующе зарычав, снова ринулся в бой. Подлетев сбоку, попытался сделать подсечку, но Крячко был начеку и легко ушел от удара. Тогда бритоголовый изловчился и выбросил вперед руку, ребром ладони целясь Крячко в горло. Поднырнув под руку противника, Крячко серией молниеносных ударов послал его в нокаут. Тот упал навзничь, голова с глухим звуком ударилась об асфальт, а бритоголовый затих.

Весь бой занял не больше двух минут. Крячко оглянулся. Бандит опережал Гурова шагов на пять, еще немного, и Яропольцев окажется в его власти. Поняв это, Яропольцев снова поменял направление — теперь он бежал влево от арки, туда, где стояла машина Гурова.

— Сюда, скорее! — закричал Лев, увидев, как бандит вытаскивает из-за пазухи пистолет. — В машину, живо!

Крячко мгновенно все понял и бросился к «Пежо». Гуров завел двигатель, и машина рванула по направлению движения Яропольцева, и, когда приблизилась, тот на ходу запрыгнул в нее. В этот момент бандит начал стрелять. Пуля просвистела возле уха Крячко. Он смачно выругался, захлопывая дверцу. Пройдя сквозь салон, пуля впилась в боковое стекло водительской двери.

А Гуров уже гнал машину к арке. Вторая пуля отрикошетила от стены, не нанеся ущерба ни автомобилю, ни его пассажирам. Резкий разворот, и Лев выскочил на дорогу. Еще один поворот, и они на трассе. Сзади послышался визг буксующих шин. Бандит опомнился и теперь преследовал «Пежо» на припаркованном в том же дворе «Мерседесе». Пальба возобновилась. Каким-то непостижимым образом второй бандит успел вскочить в машину и, высунувшись до пояса из окна, стрелял по колесам «Пежо».

— Сворачивай во дворы, на трассе он нас точно зацепит! — выкрикнул Яропольцев, неотрывно следя за «Мерседесом».

— А во дворах не зацепит? — зло бросил Крячко.

— Сейчас дорога пойдет вверх, после этого будет короткий спуск, потом резкий поворот. За ним сразу влево, — властным тоном скомандовал Яропольцев.

Впоследствии Гуров даже себе не мог объяснить того факта, что безропотно выполнил требование Яропольцева. Как только начался спуск, он приготовился. Вот и поворот. Выкрутив до отказа руль, загнал «Пежо» в поворот, и «Мерседес» на полной скорости промчался мимо. Удивленное лицо бандита промелькнуло и исчезло. Водитель «Мерседеса» резко ударил по тормозам, машина завиляла и мгновение спустя врезалась в дорожное ограждение. Но Гуров этого уже не видел. Он следовал указаниям Яропольцева. Два поворота налево, один направо, квартал вперед, и они снова оказались на трассе. Только мчались теперь в противоположном от преследователей направлении. Какое-то время в салоне стояла напряженная тишина.

— Круто водишь, Шумахер. Это тебя в автошколе научили? — выдохнул Крячко.

— Я тихонечко, — невпопад ответил Гуров, и все трое громко рассмеялись.

Гуров смеялся беззвучно, только плечи тряслись. Крячко, напротив, громко, раскатисто. Складывался чуть ли не пополам от безудержного хохота. Слезы градом текли по его щекам. Он утирал их тыльной стороной ладони, время от времени пихая Ярополцева кулаком в бок. Максим награждал полковника ответными тычками, рассыпаясь дробным смехом. Прекратилось веселье так же внезапно, как началось. Переводя дыхание, Крячко гулко пробасил:

— Вот это поворотик! И откуда они только взялись? Я же осматривал подъезд, там точно было чисто.

— В квартире засели. Если б Серега знак не подал... — машинально ответил Ярополцев и тут же осекся.

До него дошло, что он понятия не имеет, кому обязан спасением, и не обернется ли оно худшими бедами. В тот момент, когда бандит вытащил пистолет, прыгнуть в машину, чтобы унести ноги от опасности, казалось единственно разумным выходом. Теперь же сомнения по поводу правильности выбранного решения расцвели пышным цветом. Он слегка отодвинулся от Крячко. От былой веселости не осталось и следа. Настороженно глядя на полковника, Максим наградил его угрюмым взглядом.

— Чего насупился, дружище? Жалеешь, что не остался в обществе головорезов? — усмехнулся Станислав.

Ярополцев промолчал. Гуров бросил взгляд в зеркало заднего вида. Дорога по-прежнему была пуста. Пара машин позади, одна впереди. «Мерседеса» видно не было.

— Похоже, оторвались, — спокойно произнес он. — Повезло.

— Что есть, то есть, — согласился Крячко. — Жаль, не удалось сцапать этих субчиков, ну, да не беда. В другой раз они так легко не отделаются, верно, Максим?

— Полагаю, в Серегином дворе вы оказались не случайно, — то ли вопросительно, то ли утвердительно проговорил Яропольцев, сохраняя настороженное выражение лица.

— Да уж не мимо проезжали, — подтвердил его догадку Крячко.

— Действительно, и возле дома Чекменева, и вообще в Нижнем мы с полковником Крячко появились не случайно, — официальным тоном начал Гуров. — Позвольте представиться. Полковник Гуров Лев Иванович. Старший оперуполномоченный Главного управления уголовного розыска города Москва.

— Ну, а меня можешь называть просто Стас, — подмигнул Крячко. — Станислав Крячко. Тоже полковник, и тоже из Главного управления. Кто ты, нам известно, можешь не представляться.

— Я арестован? — обращаясь к Гурову, спросил Яропольцев.

— Пока только задержаны. Дальнейшая ваша судьба будет зависеть от того, насколько честно вы ответите на наши вопросы. Но об этом позже. Для начала неплохо было бы найти тихое местечко, где можно передохнуть и побеседовать по душам, — ответил Гуров.

— Я не убивал свою жену, — после минутного молчания выдавил из себя Яропольцев. Было видно, что слова дались ему с трудом.

— Нам это известно, — мягко остановил его Лев и, обратившись к Крячко, попросил: — Стас, выбери ближайший населенный пункт, не особо крупный, но и не деревеньку. Такой, где можно было бы найти приличную гостиницу.

— Это мы запросто, — отозвался тот, серией легких нажатий вызывая на дисплей телефона карту местности. — Так. Что у нас тут имеется? Дзержинск мы проехали. Володарск, пожалуй, маловат будет. Гороховец чуть крупнее, но тоже не то. А вот Вязники сгодятся. Смотри, и гостиница подходящая, аж пятнадцать номеров. Наверняка постояльцы в очередь за неделю не пишутся. Далековато, правда, еще километров пятьдесят катить. Зато выспимся с комфортом. Как думаешь, Лева, податься в Вязники?

— В Вязники так в Вязники, — согласно кивнул Лев. — Не думаю, что Гробарь и Зачетчик будут нас преследовать. Это ведь были они, верно? — Он бросил короткий взгляд на Яропольцева, ожидая ответа, а когда тот молча кивнул, продолжил: — Даже если им удастся быстро найти другую машину, в этом направлении они нас искать не станут, думаю, отправятся прямиком к боссу. Но с трассы все же лучше уйти.

Дальше ехали в полной тишине. Каждый думал о своем. Крячко прикрыл глаза, делая вид, что дремлет. На самом деле он внимательно следил за каждым движением Яропольцева. Тот, казалось, выпал из реальности. Уперев локти в колени, он низко опустил голову. Его фигура раскачивалась в такт движения машины, отчего со стороны казалось, что он то ли молится, то ли медитирует. Гуров следил за дорогой. До Вязников шла прямая трасса. Первый поворот ожидался километров через тридцать.

Перед въездом в Вязники он остановился. Выбравшись наружу, осмотрел разбитое стекло, сокрушенно качая головой, выбил остатки на дорогу, после чего заглянул в салон и неожиданно предложил:

— Не хотите ноги размять?

Крячко открыл глаза и недоверчиво посмотрел на напарника. Взгляд его говорил: что еще удумал, полковник? Выпускать на свободу беглого преступника? А как деру даст? Гуров проигнорировал взгляд. Его внимание было приковано к лицу Яропольцева. Тот находился в не меньшем недоумении, чем Крячко.

— Выбирайтесь из салона, лентяи, — шутливо повторил Лев. — Небольшой променад перед сном еще никому не приносил вреда.

Яропольцев медленно вылез из машины, облокотился на багажник и вопросительно посмотрел на Гурова. Крячко поспешил сделать то же самое. Расположившись в двух шагах от Яропольцева, он недовольно проворчал:

— Только время зря теряем.

— Не гуди, Стас. Посмотри, погода какая прекрасная. — Лев мечтательно запрокинул голову, любуясь зарождающимся рассветом.

Яропольцев и Крячко, как по команде, подняли головы. Постояли, посмотрели, снова перевели взгляд на Гурова. Тот вздохнул и начал говорить:

— В гостинице придется регистрироваться. Мне бы не хотелось, чтобы во время регистрации возникло какое-то недоразумение, способное привлечь нежелательное внимание к нашим персонам. Поэтому лучше обо всем договориться на берегу. С нашей стороны, Максим, как вы понимаете, никаких эксцессов не предвидится. Могу я рассчитывать на то, что и с вашей стороны все пройдет гладко?

— Не понимаю, о чем вы? — буркнул Яропольцев.

— Думаю, вы прекрасно меня поняли, — вздохнул Лев. — Но так уж и быть, выскажусь конкретнее. Если вы, Максим, собираетесь сбежать, пока мы будем проходить регистрацию или в какой-то другой момент, делайте это сейчас. Мы со Стасом постараемся вас поймать. А когда поймаем, закуем в наручники и доставим в Вязники, но уже на правах узника. Выбор за вами.

Он замолчал и даже отодвинулся от Яропольцева на пару шагов, давая ему фору. Крячко напрягся, готовый в любой момент сорваться с места. Яропольцев не смотрел ни на Гурова, ни на Крячко, уставившись на свои ботинки и изучая их, будто видел впервые. Долгих пять минут длилось тягостное молчание. Наконец он поднял голову, в упор посмотрел на Гурова и тихо, но твердо проговорил:

— Бегать я больше не стану.

— Вот и хорошо, — кивнул Гуров. — Теперь, когда мы обо всем договорились, можем двигаться дальше.

Он первым сел в машину, не дожидаясь, когда это сделает Яропольцев. Тот усмехнулся и полез в открытую дверь. Крячко поспешил проделать то же самое. Двигатель заурчал. Машина тронулась. Некоторое время ехали молча. Первым нарушил тишину Яропольцев.

— Как вы собираетесь регистрировать меня? Вы же знаете, что у меня нет документов, — спросил он.

— Это не проблема. У нас имеется ваш поддельный паспорт, — невозмутимо ответил Лев.

— Что значит «поддельный»? В жизни не пользовался подделками, — удивился Яропольцев.

Удивление его было настолько искренним, что у Гурова тут же отпали сомнения в его правдивости. Тем не менее он продолжал как ни в чем не бывало:

— Тот, что мы нашли на съемной квартире. Ваш и вашей супруги.

— Что за чушь вы несете? — разозлился Максим. — Ни у меня, ни тем более у Ольги никогда не было поддельных паспортов.

Гуров вынул из нагрудного кармана паспорт и бросил его на колени Яропольцеву. Подхватив здоровой рукой документ, тот раскрыл его на первой странице и нахмурился:

— Фото мое. Странно. Этот документ я вижу впервые. Где вы его взяли?

— Я же сказал, в вашей съемной квартире. Он лежал в верхнем ящике комода, в прихожей, — пояснил Гуров. — Как думаете, когда он там появился?

— Понятия не имею, — выдал Яропольцев.

— Хорош басни заливать, — грубовато одернул его Крячко. — Скажи еще, не ты эти паспорта заказал. Слинять с женой хотел, вот и расстарался.

— Я не заказывал эти паспорта.

— Ага, и именно поэтому настоящие документы тщательно в стенку замуровал, — съехидничал Стас.

— Вы про это, — протянул Яропольцев и невольно улыбнулся. Слова Крячко навеяли ностальгические воспоминания. — Это жена придумала. Можете называть это пунктиком или паранойей, как вам больше нравится. Она была уверена, что рано или поздно квартирная хозяйка сунет нос куда не следует, наткнется на документы, а от этого добра не жди. Я не стал перечить. Хочет, чтобы документы хранились в тайнике, пусть будет так. Впрочем, возможно, ее паранойя оказалась не так далека от истины. Как-то же ублюдки вышли на нас. Но никаких поддельных паспортов я не покупал.

— Тогда кто? Откуда они взялись? Добрая фея принесла?

— Вы опера, вот и разбирайтесь, — огрызнулся Максим. — Не хватало еще за подделку документов срок схлопотать. Нет уж, увольте. Я этот паспорт вижу впервые.

— Не будем спорить, — миролюбиво заключил Гуров. — Мы опера, мы и будем разбираться. Сейчас гораздо важнее, чтобы вы вызубрили данные с этого документа. Возможно, какое-то время вам придется ими пользоваться.

Крячко недовольно пробурчал что-то себе под нос. Яропольцев уткнулся в документ, пытаясь запомнить данные. Гуров вырулил на улицу Железнодорожную и, сбавив скорость, начал искать дом под номером шесть. Согласно информации из Интернета, по этому адресу располагалась гостиница с противоречивым названием «Мини-отель «Мегасервис». Гостиница отыскалась на удивление легко. Довольно большое двухэтажное строение под зеленой металлочерепичной крышей. Высокий забор окаймлял просторную территорию. Площадка для парковки автомобилей по своим размерам могла конкурировать с автобазой, рассчитанной на двадцать рефрижераторов. Припарковавшись ближе к центральному входу, Лев вышел из машины. Пока выгружались остальные, он достал с задней панели автомобильную аптечку, сунул ее в пластиковый пакет и двинулся к крыльцу.

## Глава 9

С регистрацией проблем не возникло. Им достался просторный трехместный номер с видом на чудесную березовую рощицу. Пожалуй, это была единственная достопримечательность «Мегасервиса». Ни сам номер, ни обслуживание на слово «мега» не тянули. Сонный дядечка, вместо компьютерных баз данных заполнявший по старинке толстенный амбарный журнал, первым делом объявил, что «жратвой тут не обеспечивают и за курение в номере взимают штраф в размере суточной оплаты». Гуров заверил, что не станет нарушать правила, установленные в гостинице, и своим товарищам этого не позволит. Ему показалось, что дядечку это заявление разочаровало.

В номере была всего одна комната. Три кровати, три тумбочки, старенький телевизор, стол у окна и три табурета с мягкими сиденьями. У стены скромно притулился узкий шкаф-пенал. По всей видимости, на долгое проживание клиентов тут не рассчитывали, отсюда и минимализм в обстановке. Оказавшись внутри, Яропольцев сел на крайнюю кровать, спиной оперся о стену и затих. Крячко выбрал место возле окна. Он шумно раздвинул занавески и тут же принялся восхищаться открывшимся видом, хотя в сельской темноте, не обремененной уличным освещением, разглядеть что-либо вряд ли мог. Гуров прошел в ванную комнату освежить лицо. После первых восторгов Крячко, оседлав табурет, уселся напротив Яропольцева и коротко произнес:

— Пришло время откровений, приятель.

Тот не прореагировал. Тогда Станислав довольно грубо ткнул мыском ботинка его ногу и повторил:

— Эй, приятель, не советую отмалчиваться!

Реакция Яропольцева на слабый тычок Стаса оказалась весьма своеобразной. Тело его завалилось на бок, подминая под себя плоскую гостиничную подушку. Он пробурчал нечто невнятное, подтянул ноги к груди, устраивая их на постели, подоткнул ладони под щеку и сладко захрапел. Крячко присвистнул и невесело рассмеялся.

— В честь чего веселье? — спросил Гуров, выходя из ванной комнаты.

— А вот полюбуйся, — указал Стас на Яропольцева. — В нашем царстве появилась Спящая красавица.

— Уснул? — ничуть не удивился Лев.

134

— Дрыхнет, как пожарник на смене, — выдал Крячко. — И как, скажи на милость, мы будем его допрашивать? С помощью гипноза?

— Оставь его. Он трое суток не спал. Пожалей человека.

— Меня бы кто пожалел, — ворчливо ответил Крячко, но табурет отодвинул. — Хороши сыщики: главного свидетеля заполучили, а воспользоваться этим не можем. Мы же гуманисты.

Последнее слово он произнес намеренно утрированно. Гуров улыбнулся. Стас никогда не отличался терпением, не был исключением и этот случай. «Надо бы парня разбудить. Хотя бы для того, чтобы обработать рану, — оглядывая импровизированную повязку на плече Яропольцева, подумал он. — Но уж больно сладко спит. Ладно, рискнем отложить процедуру. Авось пара-тройка лишних часов особого урона не нанесут. Парень молодой, организм крепкий». Пристроив второй табурет у стола, Лев поманил Крячко, предлагая присоединиться к нему.

— Давай, Стас, выкладывай свои соображения. Пусть мы и не можем срочным порядком получить информацию от Яропольцева, но ведь ту, что накопилась за последние сутки, разложить по полочкам нам ничто не мешает, верно?

— Было бы что раскладывать, — ворчливо пробурчал Крячко. — Сутки скачем, как сайгаки, гоняемся за призраками, а в итоге что? Как ничего не знали, так и не знаем.

— Не согласен. Поразмышлять есть над чем, — возразил Гуров. — Знаешь, а я даже рад, что Яропольцев уснул. Хочется до его откровений понять некоторые аспекты дела.

— Например? — скептически поджал губы Станислав.

— Например, откуда и, главное, для чего в квартире Яропольцева появились поддельные паспорта?

— Приятель, да ты никак веришь в сказочку нашей Спящей красавицы о том, что он впервые видит фальшивую ксиву с собственной фоткой на титульной странице? — Крячко аж приподнялся с табуретки.

— Можешь назвать хоть одну причину, по которой Яропольцеву есть резон врать? Про документы, естественно, — пояснил Гуров.

— Да хоть тысячу, — горячился Крячко. — Одну, кстати, сам же он и озвучил. Лишняя статья в его положении не вдохновляет на откровенность.

— Пустое, — отмахнулся Лев. — Обвинение в приобретении поддельных документов его сейчас должно волновать меньше всего. И потом, ты разве сам не видишь нестыковки? Если Яропольцев подготовил поддельные документы, почему он не упаковал их в дорожную сумку, которую хранил в торговом центре? Это же логично. Своими документами он воспользоваться не может, а поддельные — вот они, под рукой. Будь у него эти корочки три дня назад, мы бы сейчас не сидели здесь. Спросишь почему? Я тебе отвечу: потому что с паспортом он мог вполне легально купить билет на самолет и сейчас был бы уже за тысячи километров от Москвы, а мы бы до сих пор гадали, где его искать. Даже настоящий паспорт нам бы не помог.

— Допустим, я с тобой согласился, — проговорил Крячко. — Тогда выскажи свою версию. Откуда в квартире эти паспорта? Не квартирная хозяйка же подбросила?

— Кстати, о квартирной хозяйке. Мы ведь можем узнать у нее, какие документы предъявлял Яропольцев, когда заселялся. Чует мое сердце, что эта шельма толком и фамилию не запомнила. Если он расплатился с ней авансом, она могла выдать ему ключи вообще без документов.

— Хочешь сказать, участковый не задал ей элементарного вопроса о данных паспортов ее квартирантов?

— Он-то, может, и задал, а вот сказала ли ему дражайшая Алевтина Евгеньевна правду, это вопрос вопросов.

— Ничего не понимаю, — нахмурился Крячко. — Ты же сам говорил, что квартирная хозяйка пришла к Яропольцевым за квартплатой. Куда же делся аванс?

— На этот счет меня еще вчера просветил наш участковый. Оказывается, у некоторых не особо законопослушных граждан, сдающих жилье, имеются свои хитрости. Они берут аванс, кто за шесть месяцев, кто за год, но засчитывать его начинают только по истечении этого срока. А до того вся сумма является своего рода страховкой от инфляции.

— Сложная какая-то бухгалтерия получается. Квартирантам-то это на кой ляд?

— Так если они без договора, без риелтора, которому, кстати, тоже энную сумму отстегивать приходится, в квартиру въезжают, то особо не повыступаешь. Какие условия хозяйка ставит, те и выполняют. Уверен, в нашем случае так и было.

— Все равно не понимаю. Если ксивы не Яропольцев заказал, тогда кто? — упрямо повторил Крячко.

— А вот это еще предстоит выяснить. Помнишь, я встречался с Ваганом? Так он однозначно заявил, что подобного уровня подделки продавать в Москве, как и в любом другом городе, простому обывателю не станут. Слишком дорого для покупателя и слишком хлопотно для продавца. Кроме того, чтобы приобрести подобную подделку, мало иметь большие деньги. Нужно еще иметь недюжинный авторитет в определенных кругах. Яропольцев такого авторитета явно не имеет. Однако кто-то раскошелился аж на два паспорта. При таком раскладе первое имя, которое приходит на ум, это Курбан. Вот у него и денег достаточно, и влияния хоть отбавляй.

— Ему-то это зачем?

— Хороший вопрос, — рассмеялся Гуров. — Думаю, знай я на него ответ, дело Яропольцева можно было бы считать раскрытым. Но подождем утра, возможно, Вагану удастся что-то выяснить.

— Да нет! Не может быть, чтобы Курбан так озаботился, — с сомнением в голосе протянул Крячко.

— Не скажи. Если он заставил своих людей гоняться за Яропольцевым по всей стране, да еще и местных бандюков подтянул к поискам, то вопрос поимки Максима для Курбана является вопросом чести либо вопросом больших финансовых потерь. Настолько больших, что с лихвой перекрывают и расходы на качественную подделку, и риск потери Гробаря и

Зачетчика, и необходимость выступать в качестве просителя перед криминальными авторитетами Москвы, Московской области и всех остальных, кого пришлось привлечь. А раз так, значит, у Курбана в Челябинске дела крутые. С широким размахом, я бы сказал. Настолько широким, что ни ты, Стас, ни я и вообразить себе не можем.

— Да уж он явно не яблоки из соседского двора тырит, — усмехнулся Станислав.

— Не могу понять, как Ярополцева угораздило вляпаться в самую гущу курбановских махинаций? Это просто выводит меня из себя. Что могло заставить серьезного человека, бывшего спецназовца, ни разу в жизни не нарушавшего закон, лезть в криминальные структуры? Для этого должна быть серьезная причина. Как думаешь, Стас?

— Кто их разберет? Может, умом повредился в горячих точках. Может, зло накопил против системы. А может, тупо денег захотел. Красивая жизнь, шальные бабки, кабаки, крутые тачки, доступные цыпочки.

— Ярополцев женат, если ты забыл, — мимоходом заметил Гуров и тут же вскинулся: — Погоди-ка! Вспомни, что дед Андрей лопотал, когда сонный бред Ярополцева пересказывал.

— Разное болтал, — напрягая память, произнес Крячко. — Про месть, про то, что раскошелится конторе какой-то придется. Потом еще пальцы обещал переломать. И про имеющуюся информацию...

— Все не то. Периодически он женщину вспоминал. И просил ее потерпеть. Спрашивал, больно ли ей. И «милой» называл. Наверняка жена. Только вот мертвой он ее видеть никак не мог, понимаешь? Думаю, он до квартиры вообще не дошел.

— Откуда такая уверенность?

— Сунься он туда ночью, уйти от Гробаря и Зачетчика наверняка не смог бы. Значит, убитой жену он не видел. К тому же сам вопрос это подтверждает. Про боль и терпение можно говорить только живому человеку. Раненому, но живому.

А по словам экспертов, Ольга умерла от удара в сердце. И был он далеко не первый, как ты когда-то предположил. Думаешь, Яропольцев позволил бы сотворить с ней такое, будь он дома?

Крячко молчал под натиском аргументов приятеля. А Гуров и не думал останавливаться:

— И еще одно обстоятельство. Смерть Ольги, по оценкам экспертов, наступила не раньше двух часов ночи. Наш же беглец в это время находился на смене, за многие километры от дома. Тому есть свидетели. Надеюсь, ты об этом не забыл.

— Возможно, он вспоминал какой-то другой эпизод из их жизни. Когда его жена болела и он просил ее потерпеть, обещая, что скоро все изменится. В том состоянии, в котором он находился, сознание вполне могло перемешать воспоминания, — выдвинул новое предположение Крячко.

— Вот это уже ближе к истине. И это дает нам повод предположить, что Ольга была больна. Серьезно больна. Быть может, в этом и кроется секрет решения Яропольцева сунуться к курбановским головорезам.

— А вскрытие? Было в отчете что-то про хронические заболевания убитой?

— Нет. По крайней мере, в той части, что выслал местный отдел. Просмотреть этот факт я не мог. Честно говоря, не думаю, что патологоанатомы в этом случае слишком усердствовали. Причина смерти была очевидна, так зачем усложнять себе работу, копаясь дальше? — Гуров вздохнул. — К сожалению, и в наших структурах не все гладко. Вот ведь и я не настоял на более тщательном осмотре.

— Брось, что бы это изменило? — начал Крячко и осекся, услышав тяжелый стон, донесшийся с постели, на которой спал Яропольцев. — Похоже, нашему приятелю совсем худо.

Он подошел к постели, склонившись над Яропольцевым, дотронулся до лба и моментально отдернул руку, настолько горячим он был.

— Да парень весь горит! Лева, надо что-то делать. Еще коньки отбросит, тогда о разговоре по душам речи не будет.

— Не нужно изображать из себя бессердечного мента, для которого человеческая жизнь гроша ломаного не стоит, — поморщился Гуров, присоединяясь к Крячко. — А парень действительно плох. Жар от раны, это несомненно. Давай-ка посмотрим, что у нас имеется в наличии из медикаментов.

Он разложил на столе аптечку, прихваченную из машины. Наблюдая за манипуляциями друга, Крячко скептически покачал головой:

— Бинты и жгут тут вряд ли помогут. Лева, брось самодеятельность. Врача вызывать нужно, скопытится наш свидетель.

— Это у тебя, Стас, кроме бинтов и лейкопластыря, в аптечке ничего полезного, а я мужик запасливый, — улыбнулся Лев, извлекая на свет ампулу с каким-то лекарством и одноразовый шприц.

— Ты не перестаешь меня удивлять, — шутливо протянул Крячко. — Доктор Айболит в действии. Лекарства на все случаи жизни?

— Всего лишь жаропонижающее, — отмахнулся Гуров, ловко наполняя шприц. — Буди пациента, Стас.

— Может, так вколем? Похоже, он бредить начинает, — отозвался Крячко.

Яропольцев действительно начал бредить. Бессвязные слова перемежались со все усиливающимися стонами.

Крячко решился и уверенным движением подтолкнул Яропольцева к стене, пытаясь перевернуть. И едва успел отскочить, уворачиваясь от удара. Яропольцев вскочил как ошпаренный. Прижавшись спиной к стене, он непонимающим взглядом окинул комнату, все еще находясь во власти сна, но уже готовый сражаться за свою жизнь. Инстинкт самосохранения сработал как часы.

— Стоп, приятель! Охолони! — прорычал Станислав. — Ишь кувалдами своими размахался. Минуту назад умирал, а теперь вон что вытворяет.

— Оставь его, Стас, — попросил Гуров и обратился к Яропольцеву: — Максим, у вас жар. Вероятно, рана воспалилась.

Нужно срочно обработать рану и сделать укол жаропонижающего. Есть кое-что и для утоления боли. Вы меня понимаете?

Взгляд Яропольцева стал более осмысленным. Похоже, он вспомнил, где находится и с кем.

— Сам, — коротко бросил он и протянул здоровую руку, требуя отдать ему шприц.

Гуров вложил в нее шприц и спиртовую салфетку. Пока Яропольцев освобождался от одежды, никто не проронил ни звука. Резко вонзив иголку в бедро, Максим нажал на поршень. Бесцветная жидкость медленно исчезла из корпуса.

— А теперь, — заговорил Стас, — ложись обратно. И дай обработать рану, иначе инфекция тебя точно доконает.

— Я сам могу, — настаивал Яропольцев.

— Знаем, знаем. Ты парень самостоятельный, но доказывать нам это не нужно. Вот жар спадет, и будешь все делать сам. А сейчас не спорь со старшими по званию. Скидывай одежку, подставляй плечо и не выделывайся.

Как ни странно, грубоватая речь Крячко подействовала на Яропольцева благотворно. Больше он не сопротивлялся. Безропотно выполняя все, что приказывал Стас, он молча ждал, когда закончится процедура. Перевязка отняла у него последние силы, к тому же начало действовать лекарство. Жар постепенно уходил, освобождая место сонливости. Какое-то время Максим пытался бороться с подбирающимся сном, но в итоге победа осталась за Морфеем.

— Еще часок подремлю, и я в норме, — в полудреме прошептал Яропольцев и отключился.

Проспал Максим намного дольше обещанного. За это время оба полковника попеременно вздремнули по паре часов. К обеду Крячко выбрался в поселок, отыскал забегаловку поприличнее и запасся провизией на всю компанию. Гуров успел связаться кое с кем из отдела и отдать несколько распоряжений. В итоге он выяснил, что у жены Яропольцева действительно было серьезное заболевание. Опухоль мозга, но еще операбельная. Это многое объясняло. Дополнительная беседа с квартирной хозяйкой, проведенная все тем же участковым, подтвердила предположение Гурова, что документов у квартирантов та не спрашивала, так как платили они щедро и согласились на все ее условия без пререканий и споров.

Потом был короткий доклад генералу. Здесь Гуров обошелся без витиеватых объяснений. Сухо и коротко доложил обстановку, выложил план дальнейших действий и, получив добро, откланялся.

Ближе к вечеру он получил весточку от Вагана. Какими связями пришлось тому воспользоваться, чтобы добыть информацию, Лев даже представлять не стал. Тот факт, что Ваган, выкладывая новости, в первую очередь предупредил, чтобы Гуров и думать не думал использовать эти сведения в суде, говорил сам за себя. И еще по голосу Вагана он понял, что тот боится. Не просто опасается недовольства корешей или беспокоится, как бы не подмокла его репутация. Нет. Он реально боится быть перемолотым в жестокой мясорубке высокого криминального авторитета. По достоинству оценив решимость Вагана сдержать слово, данное Гурову после освобождения племянника, полковник на прощание заявил, что с этого момента освобождает того от данного обещания. «На этом мы квиты, Ваган», — заявил он. «Согласен. Учитывая деликатность ситуации, свой долг чести я оплатил с лихвой», — ответил Ваган. И эти слова еще больше укрепили Гурова во мнении, что они с Крячко вляпались во что-то очень серьезное. Настолько серьезное, что с этого момента их жизни не застрахует даже самый жадный страховой агент.

Во время разговора с Ваганом Крячко отсутствовал. Он совершал очередную вылазку в свет. На этот раз его целью была аптека. Как ни запаслив Гуров, а лекарства прикупить пришлось. Сыщики не знали, сколько еще времени Яропольцев не сможет обратиться к настоящему врачу, поэтому решили подстраховаться.

Ожидая возвращения друга, Гуров сидел возле окна, размышляя над услышанным. Яропольцев тихо стонал во сне.

Жар снова давал о себе знать. «Скоро придется снова будить его, — рассеянно думал Лев. — И надо уже выдвигаться. Сколько времени прошло после стычки с бандитами? Часов шестнадцать? Наверняка они уже не только до места добрались, но и контрмеры принять успели. Помедлим еще немного, и все наши усилия окажутся напрасными. Курбан не какой-нибудь карманник, голова у него варит так, что и генерал позавидует. Наверняка он сообразил, что к чему. Раз до Яропольцева полиция добралась, значит, и до него доберутся. Или хотя бы попытаются. А это означает, что лавочку нужно сворачивать, и как можно быстрее. А вот это уже хреново. Нам еще и в общих чертах неизвестно, чем промышляет Курбан, а он уже стремена подтягивает. Нет, нужно приводить Яропольцева в чувство, и как можно скорее».

Словно в ответ на его мысли в дверь ввалился Крячко. Шумно отдуваясь, будто пришлось бежать стометровку на время, он бухнул пакет на стол и заявил:

— Все, Лева, ты как хочешь, а я из этой дыры убираюсь. И жалеть твоего подопечного больше не стану. Если придется, на руках в машину отнесу, но в этом захолустье не останусь. И не проси!

— Ты что разбушевался? С аптекаршей поцапался? — хмыкнул Гуров. — Наверняка со своими шуточками приставать начал и от ворот поворот получил?

— Если бы, Лева, если бы, — покачал головой Стас. — Знаешь, сколько в этой деревеньке аптек? Двадцать девять, Лева! А знаешь, сколько из них работают в вечернее время? Угадай, Лева! Ни за что не угадаешь! Три, Лева, всего лишь три! И все они находятся у черта на куличиках. А я, Лева, как последний болван пошел пешком! Пешком, Лева! Пять километров отпахал. Вот ты скажи, Лева, на черта им столько аптек, если все они закрываются в шесть вечера? Или после шести в Вязниках болеть не принято?

— Не повезло, — пожал плечами Гуров.

— Не повезло? И это все, что ты можешь сказать? — притворно возмутился Крячко. — Вот спасибо, друг. Умеешь ты поддержать товарища в трудную минуту. Прямо как в кабинете у психотерапевта побывал. Сразу от сердца отлегло.

— Ваган звонил, — спокойно проговорил Лев.

Крячко тут же отбросил шутливый тон и, усевшись напротив, спросил:

— Плохие новости?

— Пока трудно сказать.

— Ваган нашел автора подделок?

— Не нашел. Но кое-какую информацию все же раздобыл.

— Выкладывай! — потребовал Крячко.

— Я говорил, что упомянул в разговоре с Ваганом о заинтересованности Курбана судьбой Яропольцева? Так вот. Не найдя никаких сведений о том, кто справил фальшивые ксивы, Ваган решил навести справки о Курбане и его методах работы и выяснил одну очень интересную деталь. Оказывается, у Курбана имеется свой личный человечек, который специализируется на такого рода подделках. А знаешь, для чего ему это? Когда Курбану нужно, чтобы кто-то перестал ему надоедать, он дает указания своему человечку. Тот готовит документ с фотографией жертвы. Курбан посылает своих людей. А уже они устраивают так, чтобы жертва исчезла раз и навсегда.

— Не понимаю, для чего такие сложности? — сдвинул брови Крячко. — Ладно еще несчастный случай подстроить, это логично. А ксивы-то на кой ляд?

— В этом вся суть, — задумчиво проговорил Гуров. — Курбану нужно, чтобы имя жертвы вообще не всплывало. Никак. Ни в связи с несчастным случаем, ни в связи с естественной кончиной. Этот человек как бы вовсе исчезает с горизонта. Вместо него хоронят безликих Ивановых, Петровых и Сидоровых, понимаешь?

— Прости, друг, не понимаю, — развел руками Станислав.

— Согласен, комбинация сложная, но если поразмышлять, то становится все понятно. Давай прокрутим ситуацию с Яропольцевым. Если бы в моем доме была убита не безликая Петрова, на чье имя сделан паспорт, а гражданка Яропольцева, супруга бывшего армейца, примерного семьянина, каковы бы были действия полиции?

— Стандартные процедуры. Идентификация трупа, сбор информации по Яропольцеву. Характеристики там всякие и прочая лабуда.

— Вот-вот. Далее стали бы поднимать все прошлые связи Яропольцева. Выяснять место последней работы, причины, заставившие его перебраться из Челябинска в Москву. Чуешь, куда завернули? Челябинск всплыл бы уже на самой первой стадии расследования. А там и до Курбана недалеко. Ему же лишний интерес правоохранительных органов ни к чему.

— Послушай, но ведь убит не сам Яропольцев, а его жена. Как мог Курбан быть уверен в том, что он не пойдет и не сдастся полиции? — задал Крячко резонный вопрос.

— Да потому, что он не должен был остаться в живых, — уверенно произнес Гуров. — Он должен был лежать в той же квартире, с теми же самыми ножевыми ранами. Все должно было выглядеть, как семейная ссора, зашедшая слишком далеко. Курбан уже несколько раз проворачивал подобные фокусы. А теперь смотри, что было бы в случае так называемых Петровых. Пришла квартирная хозяйка и обнаружила два окровавленных трупа. Вызвала полицию. Те приехали, констатировали двойное убийство на бытовой почве. Полистали паспорта, убедились бы, что ребята «чистые». Неизвестный Петров и неизвестная Петрова. И все. Дело закрыто и сдано в архив. А что же Яропольцевы? Да ничего. Канули в Лету. Вот такая история, Стас.

— Ну, дела... Чем же таким серьезным угрожал Курбану Яропольцев, что он решил даже имя его стереть с лица земли? — озадаченно протянул Крячко.

— Поймал его на толстый крючок, — неожиданно раздался голос Яропольцева.

Гуров и Крячко как по команде оглянулись. Максим лежал с закрытыми глазами. Лицо его было спокойно. В какой-то момент Гуров усомнился, действительно ли слышал его голос, но тут Яропольцев открыл глаза, приподнялся на локтях и медленно произнес:

— Правда, я тогда не знал, чью воду замутил. Думал уладить кое-какие проблемы, только и всего.

— Так ты не спишь? — возмутился Крячко. — Давно подслушиваешь?

— Не хотели бы, чтоб слышал, говорили бы тише, — спокойно отреагировал на выпад Максим.

— Все равно надо было дать знать, что очнулся, — заметил Крячко, но уже более мирным тоном.

— Интересно было послушать ваши рассуждения. — На лице Яропольцева появилось некое подобие улыбки. — Всегда мечтал посмотреть на оперов за работой.

— Посмотрел? А теперь выкладывай, за-ради чего курбановские головорезы открыли на тебя охоту, — приказал Крячко. — Давай, Яропольцев, все как на духу. Мы и так много времени потеряли.

— Есть хотите? — вмешался Гуров. — Стас нас на неделю провизией обеспечил.

— Успеется, — отказался Максим. — Сначала исповедь, верно, полковник? — И он с иронией посмотрел на Крячко. Тот недовольно фыркнул, но промолчал.

— Что ж, не буду скрывать, что этот вариант предпочтительнее, — заметил Гуров. — Времени действительно потеряно немало. Не думаю, что ошибусь, если скажу, что ваши преследователи уже доложили о вмешательстве полиции кому следует. В этой ситуации любое промедление на руку преступникам.

— Понимаю, — кивнул Яропольцев. — Но сначала я все же попытаюсь объяснить, почему я поступил так, как поступил. Не то чтобы в сложившихся обстоятельствах это для меня важно, просто так будет проще. Мы с Олей поженились, когда нам было по восемнадцать. Школьная любовь. С первого класса. Не могли дождаться, пока разрешат официально зарегистрироваться. Вы знаете, что она старше меня на шесть месяцев? Думаю, не обратили внимания. Так вот, этот факт помог нам успеть зарегистрироваться до того, как меня призвали в армию. Она ждала меня. Крепко ждала. А я взял и подписал контракт на дополнительный срок. Льстило мне, что оценили высоко. И ответственный я, и дисциплинированный, и рука у меня крепкая, и глаз зоркий, и реакция отменная. Короче, вписался в особые войска. А там пошло-поехало. Дослужился до секретного подразделения. Настолько секретного, что и жене в постели не шепнешь. Она до конца думала, что я штаны в каком-то штабе просиживаю. Переживала, мол, редко видимся. Но зарплата достойная, а деньги нам были нужны, вот и смирилась. А потом это ранение, и все полетело кувырком. Из армии меня тут же поперли. Им, видите ли, инвалиды не нужны. Да ладно, это в прошлом. Какое-то время перебивались случайными заработками, а потом вдруг объявился мой давний приятель. Нет, не приятель, одноклассник. Встретились в пивнушке. Я тогда сильно закладывать стал. Выпили, разговорились. Он так сладко расписывал свою житуху в славном городе Челябинске, что я загорелся и упросил замолвить за меня словечко, чтобы в его контору взяли. Он сказал, что к нему никак, а вот водителем-дальнобойщиком пристроить, пожалуй, сумеет. Я ухватился за эту идею. Олю уговорил. Продали квартиру, переехали в Челябинск. Поначалу все было неплохо. Платили прилично, жилье достойное. Оля на работу вышла. Казалось, жизнь налаживается. И тут как гром среди ясного неба. Настолько внезапно, что до сих пор как вспомню, так в глазах темнеет. Моя жена, моя Олюшка, она...

Дальше говорить Яропольцев не мог. Внезапный спазм сдавил горло, лицо сморщилось и как-то враз постарело. Гуров понял, что тот сейчас расплачется, и опустил глаза. Смотреть на этого сильного мужчину в минуту его слабости было невыносимо. Крячко кашлянул, подошел к столу и загремел стаканами. Но Яропольцев не заплакал. Усилием воли подавил рвущиеся из груди рыдания, сглотнул ком, застрявший в горле, и хрипло произнес:

— Я бы тоже от стаканчика воды не отказался, — хрипло произнес он.

Крячко молча протянул стакан. Максим двумя глотками осушил его и спросил:

— Покрепче ничего не найдется?

— Увы, не озаботился, — покачал головой Станислав. — Разве что у Левы в аптечке спирт найдется. — Он повернулся к Гурову, и тот потянулся к аптечке.

— А, ладно, обойдусь, — остановил его Яропольцев и продолжил повествование: — Конечно, внезапным это известие было только для меня. Оля давно подозревала, что с ней что-то не так. Волновать меня не хотела, дуреха. Голова болит, так это со всеми бывает. Выпьет таблетку и терпит. О реальном положении дел я узнал только тогда, когда она в обмороки падать стала. Один раз, второй... На третий я не выдержал, потребовал пройти обследование. Тут она и объявила, что давно уже все обследования пройдены и диагноз поставлен. Врач ей все в подробностях изложил, паскуда. Хотя, может, зря я на него так. В общем, такое дело...

— Мы уже знаем про опухоль, — поняв, что это слово Яропольцеву трудно не выговорить, помог Гуров. — И врач правильно сделал, что сказал Ольге правду. Ей еще можно было помочь. Сделать операцию.

— Знаю, — зло оборвал его Максим. — Это-то и заставило ее молчать! Не то что она больна, а то, что ее еще можно спасти. Понимаете? Это ее убило!

Крячко снова налил воды и насильно втиснул стакан в руку Яропольцева. Тот в бешенстве швырнул стакан о стену. Стекло разлетелось на мелкие осколки, вода тонкими ручейками стекала по дешевым гостиничным обоям. Крячко начал собирать осколки.

— Оставьте, я сам. В няньки ко мне записались? — скрывая за грубостью смущение, выкрикнул Яропольцев.

— Сиди! — строго приказал Гуров и добавил, обращаясь к Крячко: — Стас, оставь это. Потом.

Крячко подчинился. Прислонившись к стене, он наблюдал за Ярпольцевым. Тот смотрел на Крячко с вызовом, ожидая очередной подначки. Не дождавшись, отвел глаза и проговорил, ни к кому конкретно не обращаясь:

— Похоже, я должен извиниться.

— Забудь, — коротко бросил Крячко.

— Нервы, — одновременно с Крячко произнес Гуров.

— Может, все-таки спиртику? — примиряющим тоном предложил Стас.

— Обойдусь, — в очередной раз отказался Ярпольцев. — Быстрее покончить со всем этим, вот чего мне больше всего хочется.

— Операция стоила настолько дорого, что ваша жена не решилась рассказать вам? — снова подсказал Гуров.

— В самую точку. Заботливый доктор просветил Олю, что такие операции делают только в столице. Цена зависит от сложности. Олин случай не из легких. Доктор и по ценам сориентировал. Готовьте, говорит, пару-тройку миллионов. И это только на первое время, причем если у нас, в России, делать. Про заграницу и думать было нечего. С моей зарплатой на такое удовольствие лет пять копить, да при этом ни жрать, ни пить. Можно было, конечно, квартиру продать, только Оля наотрез отказалась. Не согласна, говорит, последние дни своей жизни по чужим углам скитаться. И зачем только я ее послушал! Это все гордость моя помешала. Проклятая, тупая мужская гордость! Я ведь мог поднять свои армейские связи. Уверен, мне бы не отказали, не звери же, в самом деле. И в госпиталь пристроили бы, и анализы, какие нужно, взяли, и после операции курс реабилитации обеспечили бы. Да только не мог я к ним обратиться, понимаете? После того, как они со мной обошлись, не мог, и все тут.

— И тогда вы решили действовать иначе, — негромко произнес Гуров, — потребовать деньги у Курбана. Вы решили продать ему какую-то информацию? Как вы на него вышли?

— Да нет же, нет, — яростно замотал головой Яропольцев. — Про Курбана я вообще не знал! Если бы я мог тогда
связно мыслить, ни за что не вляпался бы в такую передрягу.
И Олю не втянул бы! Я хотел заставить Рокота раскошелиться
за молчание. Или в долю меня взять. Это как повезет. Я тогда
как в бреду был. Одна мысль голову сверлила: где взять денег,
где взять денег, где взять денег...

— Кто такой Рокот? — перебил его Гуров.

— Да приятель наш школьный, Санька Рокотов. Я вам
про него уже говорил. Он там, на фармацевтическом заводе какой-то коммерческий отдел возглавляет. Большой шишкой себя считает. Ну, и я так считал до поры до
времени. О том, что он махинации с препаратами проводит,
я с самого начала догадываться стал. Больно уж не по сред-
ствам шиковал. Кое-что он в пьяных разговорах сболтнул,
кое до чего я сам дотумкал. Только все оказалось намного
серьезнее. Мне бы отступить, а я напролом попер. Даже обрадовался, что так удачно бывшего однокашника прихва-
тил. Идиот!

И тут Ярополцев замолчал. Гуров понял, что он испугался собственных откровений. До него наконец дошло, что
откровенничает он не с собутыльниками в пивнушке и не с
коллегами-дальнобойщиками, а со следователем угрозыска
по особо важным делам. Понял, что каждое его слово — очередной гвоздь в крышку собственного гроба.

— Послушайте, Максим, — мягко начал Гуров. — Вы уже
достаточно тут сказали, чтобы перестать беспокоиться о таких пустяках, как «не пойманный — не вор». Все, что нам
было нужно, мы уже знаем. Выяснить, чем промышляет ваш
приятель Рокот, будет не сложнее, чем отобрать конфетку у
ребенка. Вы это понимаете? Поздно идти в отказ. Не усугу-
бляйте своего положения.

Ярополцев судорожно сжал и разжал кулаки, потом вцепился в колени так, что побелели костяшки пальцев, и глухо
проговорил:

— Мне нужно выпить. Не мензурку. Хотя бы стакан.

Крячко оторвался от стены и выскользнул в коридор. Лев не шелохнулся. Он понимал, что время уходит, но также понимал, что душевные силы человека, сидящего напротив, на исходе. Еще чуть-чуть, и он сорвется. «Надеюсь, что Стасу удастся добыть бутылку в этот час, и сделать это достаточно быстро, — пронеслось в голове. — И надеюсь, это поможет окончательно развязать язык свидетелю». Его слова о том, как просто будет получить нужные сведения от Рокотова, были, мягко говоря, преувеличением. На самом деле он так не думал. На самом деле он был уверен, что без помощи Яропольцева им никогда не узнать, чем тот зацепил Курбана, и не помешать преступнику продолжать свое грязное дело.

## Глава 10

Крячко не подвел. Не прошло и десяти минут, как он вернулся. Карманы оттягивали бутылки, сверкавшие серебристыми крышками. Он молчаливо выгрузил их на стол, откупорил бутылку, наполнил стакан до краев и протянул Яропольцеву. Тот нервно сжал его в ладони, шумно выдохнул и опрокинул в рот. Крячко живенько сменил стакан на кусок батона с аккуратным ломтиком колбасы. Яропольцев отрицательно покачал головой, отказываясь от закуски.

— Жуй, кому говорят, — проворчал Стас, насильно запихивая бутерброд в руку Яропольцева. — Вмиг охмелеешь. Сколько суток не жрамши.

Яропольцев заработал челюстями. Кожа на лице порозовела, из глаз постепенно уходили страх и настороженность.

— Повторить? — спросил Крячко, обращаясь не к Яропольцеву, а к Гурову.

Тот кивнул, и Станислав снова наполнил стакан. На этот раз Яропольцев пил медленно, точно смакуя. Выпил половину, отставил руку и заговорил:

— Что такое «крокодил», вам объяснять не надо? Я не о животном, вы правильно поняли.

— Сильнодействующий наркотик дезоморфин. Действие как от героина, только в пятнадцать раз сильнее. Главное преимущество — дешевизна. «Наркотик бедных», так его еще называют. Места инъекций покрываются эрозией и гнойными корочками, схожими по виду с кожей крокодила. Отсюда и название, — выдал Гуров.

— А теперь представьте себе все вышесказанное, но возведенное в пятую степень и не имеющее неприятного побочного эффекта в виде язв и гнойников. Такой вид наркотика синтезировали в подпольной лаборатории при Челябинском фармзаводе и распространяют по всей России. Лично я знаю порядка десяти городов, куда регулярно поставляется данный товар под видом безобидной воды для инъекций, — сообщил Яропольцев.

— Так. До сути добрались. Теперь в подробностях, — потребовал Гуров. — Кто? Когда? Как? Все подробности, Максим. Все до единой!

Яропольцев допил водку, пристроил стакан на полу возле ног и начал рассказывать. Догадаться, что Рокот живет не на зарплату, было несложно, уж больно легко деньгами сорил. В том, что он небогат друзьями, Максим тоже понял сразу. И неудивительно. Выдержать пьяное бахвальство Рокота мог далеко не каждый. Пожалуй, только он Рокота и терпел, полагая, что обязан ему за трудоустройство. Видимо, поэтому Рокот и прилепился к Яропольцеву как банный лист. Захочешь — не оторвешь. Но Максима темные делишки Рокота не интересовали. Воспитывать и совестить он его не собирался.

Однажды, на очередной попойке, у Рокота дома речь зашла о деньгах. Они сидели в шикарной гостиной, попивали дорогой коньяк, наслаждаясь его вкусом. И тут Рокота понесло. Битый час он расписывал Яропольцеву, как может измениться его жизнь, отбрось он архаичные представления о долге, чести и совести. Непрозрачно намекнул, что имеет побочный бизнес, дающий ему доход, которому может позавидовать и принц Монако. Яропольцев поддакивал захмелевшему Рокоту, но не особо верил его бахвальству. Почувствовав недоверие приятеля, Рокот вскочил с дивана и помчался через всю гостиную к барной стойке. Яропольцев подумал, что он решил пополнить запасы спиртного, но вместо этого Рокот нажал какую-то кнопочку, и боковая панель отодвинулась. За ней красовался внушительных размеров сейф. Рокот открыл его и поманил Максима. Тот нехотя подошел. При виде содержимого сейфа с него слетел весь хмель. Ровные стопки американских долларов, перетянутых бумажными лентами кустарного производства, заполняли практически все пространство сейфа. Увидев округлившиеся глаза приятеля, Рокот истерически захохотал. Вынув верхнюю пачку, перебросил ее Яропольцеву, требуя убедиться, что это не фальшивка. Максим убедился.

Веселье Рокота закончилось так же внезапно, как началось. Он засуетился, отобрал деньги и поспешно захлопнул дверцу сейфа. Недостаточно поспешно, чтобы Яропольцев не успел рассмотреть кое-что еще. С левого края от денежного штабеля притулилась скромная картонная коробочка. Он достаточно долго проработал на развозе медикаментов, так что сразу узнал ее. Это была вода для инъекций, в большом количестве поставляемая фармзаводом в аптечную сеть нескольких десятков городов. В этот раз Рокот поспешил свернуть попойку и выпроводил приятеля, сославшись на плохое самочувствие. Яропольцев не возражал. Выносить общество Рокота с каждым разом становилось все труднее. Так бы Максим и забыл о странном поведении Рокота, если бы не известие о болезни Ольги.

Вот тогда он вспомнил все, и жгучая зависть обожгла все нутро. Она буквально выворачивала его наизнанку. Постепенно зависть сменилась надеждой. Решено: он пойдет к Рокоту и будет умолять его дать денег на операцию. В крайнем случае, согласится на давнее предложение. Будет работать на Рокота, чем бы тот ни промышлял. Подгадав удобный момент, Яропольцев напросился к Рокоту в гости и за рюмкой коньяка поведал ему о своей беде. Тот сочувственно покивал и перевел разговор на нейтральную тему, тем самым давая понять, что его чужие проблемы не касаются. Яропольцев мгновенно разозлился, но старался держать себя в руках. Когда первая бутылка заблестела пустым боком, он высказал свою просьбу Рокоту.

Максим ожидал какой угодно реакции, но только не того, что произошло. Рокот некоторое время таращился на него как на полоумного, а потом расхохотался идиотским дробным смехом. Смех длился долго, чересчур долго, чтобы быть натуральным. Рокот хлопал себя по ляжкам, откидывал голову назад, размазывал несуществующие слезы по лицу и непрерывно повторял: «Отдать мои миллионы! Вот насмешил! Отдать мои миллионы!» Это взбесило Яропольцева больше всего. Нервы были на пределе. Ему казалось, что, если смех не прекратится в ближайшее время, он не выдержит и врежет Рокоту прямо по его довольной физиономии.

Этого не произошло. Рокот успокоился до того, как Яропольцев совершил непоправимое, и, отсмеявшись, заявил, что сложенные в сейфе деньги — всего лишь дешевый розыгрыш. Так, мол, он развлекается, шокируя гостей содержимым сейфа. На самом деле пачка долларов имеется в единственном экземпляре. Яропольцев не поверил ни одному его слову. Служба в спецподразделении научила его безошибочно угадывать, когда человек врет. В тот первый раз Рокот не врал. Это сейчас он вешал ему лапшу на уши. Также безошибочно Яропольцев понял, что про устройство на денежное место тоже можно забыть. Рокот от всего откажется. Тем не менее он использовал и этот шанс. Предположения оправдались. Рокот и слушать не хотел о своем теневом бизнесе, заявив, что это точно такая же утка, как и штабеля долларов. «Откуда, друг? Я простой коммерческий директор. Маленький винтик в огромном агрегате, которым даже не я управляю», — невинно пожимая плечами, заверил он.

Вернувшись домой, Максим три часа кряду просидел в темноте кухни, анализируя сложившуюся ситуацию. Жена

Ольга тихо стонала в соседней комнате. Приступ мигрени заявил о себе с новой силой, а обычные обезболивающие уже не спасали, лишь ненадолго уменьшая боль. «Итак, что же мы имеем? — думал он. — Ольге нужна срочная дорогостоящая операция. Продавать квартиру она наотрез отказывается. Накопить нужную сумму с моей скромной зарплаты за короткий срок нереально. Взять кредит? Узнавал. Всю сумму мне не выдадут, а малый кусок проблемы не решит, только процентами задушит. «Лучший друг» Рокот в помощи отказал. Больше занять не у кого. Что же остается в сухом остатке? А остается одно — взять деньги силой. Бабки у Рокота есть, это точно. Добровольно делиться награбленным он не станет. Отсюда вывод: нужно взять их самому. Только банальный грабеж тут не пойдет. Сидеть в тюрьме, пока жена умирает от невыносимой боли, я не собираюсь. Придется применить былые навыки. Вынюхивать, собирать информацию, делать выводы... Не этому ли тебя учили в элитном подразделении «Коршун»?»

Очередной стон отвлек Яропольцева от мыслей, и он поспешил к жене. Ольга лежала на диване, с головой укутавшись в мягкий плед, и тихо стонала. Максим наклонился к ней, поправил подушку. «Ничего, милая, потерпи немного. Скоро все изменится. Обещаю», — прошептал он и вышел из комнаты.

Дальше действовал как по-заученному. Собирал информацию по крупицам. Тут словечко, там слушок, здесь подглядел, в другом месте подслушал. И постоянно отмечал в специально заведенном блокнотике аптечные точки, куда поставлялся товар. О товаре он тоже много чего узнал. Это оказалось проще всего. Купил в аптеке аналогичную упаковку, заменил одну ампулу, а украденную отдал армейскому другу, побывав в его родном городе с рабочим визитом. Зять его подвизался в каком-то исследовательском институте и мог спокойно провести анализ содержимого украденной ампулы. Чтобы рассеять возможные подозрения, пришлось сочинить короткую историю, густо замешанную на правде и лжи. Он рассказал про болезнь Ольги и о том, что препараты, которые выписывают доктора, помогают слабо. Дальше пошла ложь. Один знакомый якобы порекомендовал попробовать нелегальный препарат, но Максим опасается, как бы Ольге от него не стало хуже. Вот и решил провести независимую экспертизу, прежде чем применять неизвестно что.

Ответ от армейского друга пришел через сутки. То, что он сообщил, не стало для Яропольцева откровением. Он уже и сам подозревал, что Рокот влез в наркобизнес. Армейский друг предостерег его от опрометчивого поступка, запретив даже думать о том, чтобы испытывать препарат на жене. Заверив товарища в том, что не станет этого делать, Яропольцев начал готовиться к завершающей стадии операции. Он собрал все имеющиеся сведения в пластиковую папку и стал ждать подходящего момента. На случай, если все пойдет не так, как он рассчитывал, подготовился к бегству. Только Ольгу беспокоить раньше времени не стал. Сумка с предметами первой необходимости лежала в кладовке. Вся наличка собрана в потайном кармашке. Документы тоже перекочевали туда.

И вот день икс настал. Вернее, не день, а ночь. Вернувшись из командировки, Яропольцев с удовлетворением узнал, что Рокот ударился в очередной загул. Это значило, что к полуночи он будет в таком состоянии, когда мозг работает максимум процентов на тридцать. До десяти часов вечера Максим просидел возле Ольги. Боль отступила, и жена искренне наслаждалась редкими минутами совместного отдыха. Смотрели юмористическую передачу по «ящику», уплетали вишневый пирог, запивая горячим крепким чаем. Ровно в десять Яропольцев сообщил жене, что ему нужно отлучиться по важному делу. Та забеспокоилась. Только что вернулся, какие могут быть дела в законный выходной? Он, как мог, успокоил ее. Сказал, что обещали похлопотать насчет перевода на высокооплачиваемую работу. Нужно идти. Ольга нехотя отпустила. У порога он остановился и осторожно предупредил: может случиться так, что выезжать на новое место работы придется немедленно, мол, будь готова. Ольга недоверчиво взглянула на мужа, но вопросов задавать не стала. Яропольцеву показалось, что она что-то подозревает. «И пусть. Обратной дороги нет», — отмахнулся он от навязчивой мысли и вышел в ночную тьму.

Рокот вернулся к часу, что называется, на рогах. Вывалившись из такси, на подгибающихся ногах добрался до калитки. Ключ никак не хотел входить в замочную скважину.

— Помочь, приятель? — тихо спросил Яропольцев, неслышно выходя из кустов.

Рокот оглянулся, пьяно рассмеялся.

— А, это ты, друг? Вовремя. — Язык его заметно заплетался. — Заходи, гульнем!

Максим забрал ключи из рук Рокота, отомкнул калитку. Подхватив приятеля под локоть, довел до крыльца. Дверь открылась с первого поворота. Он втащил пьяного Рокота в гостиную, включил свет. «Надо как-то протрезвить его. В таком состоянии от него толку мало». Вспомнив старинный дедовский метод, Максим сжал уши Рокота ладонями и с силой потер их. Тот вскрикнул от боли и, вырвавшись из рук приятеля, зло выкрикнул:

— С ума сошел, придурок? Жить надоело?!

Но Яропольцев и глазом не моргнул, отметив про себя, что голос Рокота стал значительно тверже. Не обращая внимания на возмущение, он коленом прижал его к спинке дивана и продолжил растирать ему уши. Рокот дергался под его весом, как воробей, попавший на оголенный провод. Молотил руками по спине, пытался оторвать ладони Яропольцева от головы, а тот продолжал свое дело. Минут через пять он отступил на два шага назад, а Рокот, вскочив с дивана, двинулся на обидчика, сжимая кулаки.

— Ах ты, ублюдок! — смачно выругался он. — Да я тебя по стенке размажу! В порошок сотру!

— Отлично! Способность ходить и разговаривать к тебе уже вернулась, — невозмутимо выдал Яропольцев. — Поговорим?

— Что тебе нужно? — осторожно спросил Рокот, с подозрением глядя на него.

— Сам знаешь, — спокойно ответил Яропольцев.

— Пошел ты! — Рокот снова выругался. — От меня ты ничего не получишь, слышишь, урод?

— Получу, — все тем же спокойным голосом проговорил Максим. — И получу немедленно.

С этими словами он бросил пластиковую папку к ногам Рокота. Тот отскочил на добрых два метра. Лицо свела маска ужаса.

— Что, испугался? — несмотря на напряженность ситуации, Яропольцев рассмеялся, уж больно комично выглядел Рокот. — Не дрейфь, это не граната. Всего лишь папка. Обычная офисная папка, какими пользуются делопроизводители. Хотя для тебя она, пожалуй, помощнее «С-4» будет.

Рокот с нескрываемым ужасом смотрел на Яропольцева, догадываясь, что найдет в папке. Затем раскрыл ее и уставился на первый лист. На нем был напечатан приблизительный состав препарата, записанный Яропольцевым со слов армейского друга. Все достоинства и недостатки препарата были прописаны ниже.

— Полистай папку, приятель, — предложил Максим. — Уверен, ты найдешь ее содержимое весьма занимательным чтивом. Рекомендую для ознакомления при излишней сонливости. Дрему как рукой снимает. Особенно с таких, как ты, приятель. — В последнее слово он постарался вложить все презрение, накопившееся за последние недели.

Рокот пролистал. Списки сотрудников, выходивших в «особые» смены. Столбцы с названием городов и точек сбыта в них. И многое другое. Захлопнув папку, он отшвырнул ее подальше от себя и резко бросил:

— Ты ничего не докажешь!

— А мне и не придется, — усмехнулся Яропольцев. — Доказывать будешь ты, когда тебя прищучат федералы. А может, станешь соловьем заливаться, сдавая всех своих подельников. Ведь не один ты все это организовал, верно? На такой широкий размах у тебя кишка тонка. Хиловат для серьезного бизнеса.

— Убирайся прочь! — взвизгнул Рокот. — Ты понятия не имеешь, на кого пасть разеваешь, сявка. Один звонок, и тебя, вместе с твоей слабоумной женушкой, сожрут с потрохами, и волосинки не останется.

Про жену он упомянул напрасно. Понял это, как только слово слетело с языка, но поздно — Ярополь цев был от него на расстоянии вытянутой руки. Мощный кулак врезался в зубы, вбивая угрозу обратно в глотку. Голова Рокота откинулась назад, он вдохнул воздух. Вместе с ним в горло вкатились выбитые зубы.

— Черт, черт, ты мне зубы выбил, — пытаясь выплюнуть их назад, заверещал он.

Кровь вперемешку со слюной радужным фонтанчиком полетела в разные стороны, забрызгав рубашку Ярополь цева.

— Фу, как некрасиво, господин Рокотов, — брезгливо поморщился Ярополь цев. — Смотри, что натворил. Испортил такую красивую вещь. Пожалуй, придется включить ее в общий счет.

— Какой счет? Что ты мелешь? — шамкал беззубым ртом Рокот, но от оскорблений воздержался.

— Да вот, накопилось тут немного. Перечислять весь список не стану, чтобы не утомлять тебя перед сном, лучше сразу назову сумму. — В голосе Ярополь цева сквозил сарказм. — Ты, ДРУГ, задолжал мне, ни много ни мало, пять «лямов». В рублях или по курсу, выбирай сам.

— Ты сдурел, осел?! Откуда у меня такие бабки? — не сдержался Рокот, за что тут же получил новый удар. На этот раз по почкам. Сложившись пополам, он застонал.

— Кому сейчас легко, ДРУГ? — продолжал издеваться Ярополь цев. — Разве что принцу Монако? Но ведь он далеко, а я рядом, так что решай, с кем ты: со мной или против меня?

— Послушай, у меня нет таких денег, правда, — сдаваясь, зачастил Рокот. — Но я смогу набрать. Не сегодня. Возможно, в течение недели или даже быстрее. Все, о чем я прошу, это время.

— А вот его-то я тебе предоставить и не могу, — спокойно ответил Максим. — Так что опустошай копилочку, и разойдемся полюбовно.

— Ты слушаешь меня или нет? Говорю же, нет у меня столько! — взревел Рокот, поняв, что немедленно убивать его никто не собирается. — Неделя — и деньги твои. По рукам?

— По рукам так по рукам, — легко согласился Ярпольцев и обрушил на бицепсы приятеля целую серию отработанных ударов.

В одно мгновение обе руки Рокота повисли, точно плети. Истерический вопль вырвался из груди, но тут же потонул в жестком ударе, припечатавшем половину лица.

— Еще раз заорешь и отправишься на тот свет. Ты мне веришь? — вкрадчиво проговорил Максим. — Кивни, если понял.

Рокот осторожно кивнул.

— Позволь, я все же объясню, по какой такой причине ты умудрился накопить долг, — удовлетворенно хмыкнув, начал Ярпольцев. — Сколько ты продал ампул, дружок? Тысячу? Две? Миллион? Миллиард? А теперь посчитай, скольких невинных людей ты отправил на тот свет. Ладно, не утруждайся. Вижу, арифметические подсчеты сегодня даются тебе с трудом. Давай обозначим эту цифру простым детским словом: до фига. И это по самым скромным подсчетам. Разве я возмущался, узнав правду? Разве совестил тебя или настучал куда следует? Нет. Я поступил с тобой честно. Позволил самому разгребать свое дерьмо. И чем же отплатил мне ты? Молчишь? Правильно делаешь, потому что не придумали еще слово, способное охарактеризовать твой поступок. Вот скажи мне, ДРУГ, не проще ли было дать мне эти сраные пять миллионов? Пусть под процент, пусть в пожизненную кабалу, но ведь мог, если бы захотел. Мог, но не дал. Почему? И снова отвечу за тебя: от жадности. А еще потому, что своей меркой людей меряешь. Не поверил ты, что я готов работать на тебя до кровавых мозолей. И в то, что больше не побеспокою, тоже не поверил. Решил, что, дав один раз, станешь навеки моей дойной коровой. Тут ты просчитался, Рокот. Пожалуй, это был твой самый серьезный просчет за всю твою поганую жизнь.

Яропольцев остановился, поняв, что снова заводится. Нет, так не пойдет. Нужно заканчивать со всем этим дерьмом и выбираться из дома Рокота, да и из города тоже. Он дважды глубоко вдохнул и выдохнул, пытаясь успокоиться. Рокот наблюдал за ним из-под опущенных ресниц. Один глаз у него заплыл полностью, оставив микроскопическую щелку, второй налился краснотой. Челюсть висела, обнажая разреженный ряд зубов. Руки болтались, как два каната в кабинете физкультуры. «Жалкое зрелище, — отстраненно подумал Максим. Сожаления он не испытывал. Только неимоверную усталость. — Что ж, каждый сам выбирает свой путь».

— Ладно, Рокот, кто старое помянет, тому глаз вон, верно? — вслух произнес он. — Давай заканчивать эту бодягу. Открывай сейф.

— Там нет таких денег, — прошамкал Рокот.

Оттого, что потерял добрую половину зубов, или оттого, что губы распухли до размера гигантского чебурека, слова выходили невнятно. Получилось что-то вроде «ам ет аки ене», но Яропольцев понял его.

— Неважно, отдашь, сколько есть. Не тяни резину, Рокот, ты и так уже выглядишь не лучше актеров массовки из фильма «Ходячие мертвецы». Хочешь уподобиться им полностью?

Этого Рокот не хотел. Превозмогая боль, он добрел до барной стойки и остановился, беспомощно глядя на стену.

— Что такое? — удивился Яропольцев и тут же догадался: — Не можешь поднять руку? Не беда. Я тебе помогу. Мы же друзья.

Он саркастически рассмеялся и, следуя указаниям Рокота, отыскал потайную кнопку. Как и в прошлый раз, панель отошла в сторону, обнажив вмонтированный в стену сейф. Рокот, с трудом складывая губы нужным образом, продиктовал код. Дверь сейфа распахнулась, открыв разочарованному взгляду Ярпольцева почти пустое чрево. По сравнению с прошлым разом здесь сейчас лежала сущая мелочь. Он грубо выругался. А Рокот засмеялся противным бабьим смехом и ехидно прошамкал:

— Разочарован, дружок? А ведь я тебя предупреждал.

— Заткнись, скотина! — оборвал его Ярпольцев и начал быстро выгребать купюры в заранее приготовленный пакет.

Покончив с этим, захлопнул сейф и молча направился к выходу. На Рокота он даже не взглянул. Тот, победно улыбаясь, провожал его взглядом. Когда ладонь Ярпольцева легла на ручку двери, Рокот тихо произнес:

— Знаешь ли ты, что уже покойник, Ярило?

Вышло у него нескладно, выбитые зубы не позволяли говорить четко, но Ярпольцев и на этот раз понял. Развернувшись, он насмешливо поднял брови и спросил:

— И что же ты со мной сделаешь, Рокот? Снова забрызжешь кровавой слюной?

— Не я, — делая над собой усилие, чтобы говорить как можно внятнее, ответил Рокот. — Курбан. Ты ведь на его бизнес лапу наложил. Что, неприятная неожиданность, а, Ярило?

Ярпольцев внимания не обратил, что он второй раз обратился к нему, назвав старой школьной кличкой. Затылок обдало холодом. Курбан! Неужели? Максим прожил в Челябинске достаточно долго, чтобы знать, кто такой Курбан. Худшего варианта он и представить не мог. С этой минуты и его, и Ольгу можно было смело записывать в покойники. Безнаказанным его посягательство Курбан не оставит. «Может, блефует?» — мелькнуло в голове, но он тут же откинул шальную мысль. Достаточно было одного взгляда на победоносный вид Рокота, чтобы понять, что тот говорит чистую правду.

А Рокот между тем продолжал с тем же ехидством:

— Тебе конец, сявка! Тебе и твоей суке-жене! — И он захохотал во весь голос.

162

Яропольцев стоял у двери и слушал безумный смех бывшего одноклассника. Наконец он не выдержал, в три прыжка добрался до Рокота и одним точным ударом в висок послал его в нокаут. Рокот захлебнулся собственным смехом, хрюкнул и ничком повалился на пол.

— Вот так-то лучше, — удовлетворенно кивнул Максим. — Гораздо лучше, приятель. Не нужно было тебе называть мою жену сукой. Не нужно.

Он развернулся на сто восемьдесят градусов и вышел из дома, не удосужившись проверить, дышит ли Рокот.

Машина стояла у обочины. Он уселся на водительское сиденье, вставил ключ в замок зажигания. Случайно взгляд зацепил собственное отражение в зеркале заднего вида. «Ну и рожа! Кто увидит — испугается». Видок у него был еще тот. Впрочем, к чему беспокоиться на этот счет сейчас, когда вся жизнь летит под откос? «Да пошло оно все!» — мысленно выругался Максим, завел машину и, вырулив на середину дороги, прибавил газ.

По дороге он немного успокоился, начал соображать, как выпутаться из скверной истории. «Про операцию Ольге можно забыть — с деньгами ты, друг, облажался, это факт. Хотя не это сейчас твоя главная проблема. Курбан — вот твоя проблема. Курбан и его банда. Сколько времени у тебя в запасе? Час, максимум два. Потом Рокот очухается и позвонит Курбану. Имеет ли он с ним прямую связь? Навряд ли. Скорее всего, между ними имеется посредник. Будем исходить из этого. Пока посредник доложит самому Курбану, пока тот отдаст распоряжения, пройдет еще минут пятнадцать-двадцать. Если гнать на максимальной скорости, за два с половиной часа можно покрыть приличное расстояние. Вопрос в том, куда держать путь. Где ты, дружок, сможешь чувствовать себя в безопасности хотя бы какое-то время и кто станет брать на себя риск прикрыть тебя?»

К тому моменту как машина подъехала к подъезду, решение было принято. Правильным оно было или нет, Максим не знал. Но вот в том, что оно единственно возможное, не сомневался. Войдя в квартиру, он позвал жену. Та была в спальне, но почему-то не спала и была полностью одета. Хоть Максима и удивил этот факт, на расспросы времени не было. Разговор получился короткий.

— Собирайся, Олюшка, мы уезжаем, — стараясь сохранять спокойствие, сказал он.

— Рубашку смени, — бесстрастно глядя на кровавые капли, растекшиеся по светлому фону, произнесла Ольга.

Максим опустил глаза вниз. Черт, вся грудь измазана! А он-то, болван, чуть не забыл об этом. Попросив жену найти что-то подходящее, Максим прошел в ванную комнату, скинул запачканную рубаху. Смочив полотенце водой, тщательно вытер грудь, мылом стер следы с ладоней. Вошла Ольга, протянула свежее белье. Максим благодарно улыбнулся. Натянул тенниску, пригладил волосы. Теперь в зеркале отражался вполне респектабельный молодой человек. Выражение лица, правда, слегка растерянное, но в целом портрет положительный.

— Куда мы едем? — спросила Ольга.

— В Екатеринбург. Я говорил тебе, что кое-кто обещал похлопотать о более выгодной работенке...

Ольга вдруг схватила окровавленную рубашку, потрясла ею перед носом Максима и выкрикнула:

— Прекрати врать! Вот это, по-твоему, после делового разговора могло появиться? Или тебе пришлось выбивать разрешение сменить сферу деятельности, используя кулаки? Во что ты влез, Максим? Говори! Только прошу, никакого вранья. Я вынесу все что угодно, только не твою ложь.

Максим с тоской взглянул на жену, в лице которой смешалось столько эмоций: обида, страх, решимость, даже злость. Но весь этот калейдоскоп чувств покрывало единственное, что сейчас было важно для Максима, — беззаветная, всепоглощающая любовь. «Господи! Что я наделал! Как мог сотворить с тобой такое?»

Ольга прильнула к нему, нежно поцеловала в губы и, заглядывая в глаза, уточнила:

— Времени на сборы нет?

— Верно, времени совсем нет, но в кладовке кое-что припасено. Сумка. Там некоторые вещи, деньги и документы, — отрываясь от жены, сообщил Максим.

— Ты знал, да? Знал, что придется бежать? Поэтому заранее подготовился?

Максим вынул сумку из кладовки, перекинул через плечо и взял ее за руку:

— Я все объясню по дороге. Обещаю. А сейчас нам пора. До Екатеринбурга почти двести пятьдесят верст. Нужно успеть преодолеть их по темноте. Это очень важно, понимаешь?

— Кто там, в Екатеринбурге? — задала последний вопрос Ольга.

— Человек, который нам точно поможет, — уверенно ответил Максим и вышел из квартиры, увлекая за собой жену.


## Глава 11

И снова «Пежо» полковника Гурова плутал по проселочным дорогам. Три пассажира тряслись на ухабах, стоически вынося тяготы дороги. На этот раз их целью был Челябинск. Правда, подъехать к городу по центральным трассам они не могли по вполне определенным причинам: все трое были уверены в том, что в городе их уже поджидают. К тому времени Гробарь и Зачетчик, даже по самым оптимистичным подсчетам Гурова, опережали их минимум на сутки, а это для такого человека, как Курбан, невероятно огромная фора.

Увы, сорваться с места раньше и попытаться сократить временное преимущество Гуров не мог. Он и так сделал все возможное, чтобы предварительная подготовка прошла в ускоренном темпе. Самое сложное было уговорить генерала пойти с докладом к вышестоящему начальству, не имея на руках ничего более существенного, чем россказни Яропольцева, подкрепленные железной уверенностью Гурова, что на этот раз Курбан влип основательно. В конце концов, ему это удалось.

Выслушав рассказ Яропольцева до конца, Лев еще около часа задавал ему вопросы, сначала пытаясь поймать на лжи, а потом просто для того, чтобы как можно четче прояснить ситуацию. С помощью наводящих вопросов Яропольцев сумел вспомнить еще одну подробность той первой беседы с Рокотом. Стараясь произвести на приятеля большее впечатление, Рокот объявил, что очень скоро его бизнес перейдет в разряд международных. Те, кто заинтересован в его товаре, уже ведут переговоры с очень серьезными людьми за границей. Так он сказал, но тогда Яропольцев не придал этому значения, уж слишком фантастически это звучало. Никому не известный Рокот вдруг выходит на мировую арену? Смех да и только.

А вот Гурову подобное заявление не показалось преувеличением, особенно в общей связке с именем Курбана. Международный наркотрафик как раз в его духе. Довольствоваться местной сетью с такими козырями на руках для Курбана было слишком мелко. Если сравнивать доход от местной торговли высококачественным товаром с торговлей в мировом масштабе, то деньги, что имел Курбан сейчас, были сущей мелочью по сравнению с тем, что он мог иметь. А предложить крутым заграничным парням Курбану было что. Если верить словам Яропольцева, товара такого качества в наркобизнесе еще не было. Так почему бы не рискнуть? Гуров склонялся к тому, что Курбан рискнул. Именно поэтому ему было так важно как можно быстрее избавиться от Яропольцева. И не просто избавиться. Ему нужно было, чтобы его имя не всплыло нигде и ни при каких обстоятельствах. Стоит проколоться, и на карьере наркобарона с мировым именем можно ставить крест. Да что там карьера! В случае неудачи самому Курбану придет конец. Таких промахов в той среде, куда он нацелился, не прощают.

Осознание того, насколько близок Курбан к осуществлению своих планов, заставляло Гурова торопиться. Пока не поздно, нужно остановить действие смертоносной машины. А улики и факты? Плевать! Об этом можно будет подумать позже, когда колесики системы закрутятся в нужном направлении. Парадокс заключался в том, что, для того чтобы колесики закрутились, нужны были факты. Убойные факты, а их-то как раз и не было. Готовя пути к отступлению, Ярапольцев не позаботился о главном — он не оставил запасного экземпляра компрометирующих материалов. Невероятно, но факт. Сам Максим объяснял это тем состоянием, в котором находился с того момента, как узнал о болезни жены. Умение просчитывать партию на десять ходов вперед испарилось вместе с надеждой на спокойную, счастливую жизнь. Кроме канцелярского блокнотика, в котором он отмечал точки сбыта криминального товара, у него при себе ничего не было.

Тем не менее Гуров не терял надежды. Он потратил больше часа на то, чтобы систематизировать эти материалы и переправить генералу Орлову вместе с разработанным планом действий. А план был таков: он, вместе с Крячко и Ярапольцевым, добирается до Челябинска. Там устанавливает контакт с единственным возможным свидетелем, Рокотом. Получает от него информацию о системе поставок и подтверждение причастности Курбана к торговле наркотиками. А дальше в дело вступают официальные структуры. Есть, конечно, вероятность, что Курбан уже «позаботился» о Рокоте, но этого изменить Гуров никак не мог. Думать о том, что они будут делать, если узнают, что Рокот отошел в мир иной, ему не хотелось.

Выслушав план напарника, Крячко отнесся к нему скептически.

— Ничего не выйдет, Лева, — заявил он, как только тот закончил говорить. — Слишком уж хлипкие у нас позиции. Твой план похож на сценарий индийского фильма. Пойдем туда, не знаю куда, и возьмем то, не знаю что. С чего ты взял, что Рокот, будь он жив, станет с нами сотрудничать? И откуда у него может быть информация, подтверждающая курбановскую причастность ко всей этой байде?

— Подтверждение должно быть, Стас. Рокот ведь должен был обезопасить себя. Хотя бы отчасти. Каким образом он может это сделать? Только владея неопровержимыми доказательствами того, что его бизнес стоит под Курбаном. В противном случае он бы давно кормил рыбу в водах Шершневского водохранилища, а не сорил деньгами, заработанными на наркотиках.

— Думаешь, Курбана это остановило бы? — улыбнулся Крячко, но улыбка вышла невеселой. — Шантажировать Курбана — все равно что кормить крокодила с рук.

— Да пойми ты, Стас, Рокот сейчас нужен Курбану. Ставки в игре слишком высоки, чтобы он решился свернуть деятельность на фармзаводе и начать все с нуля на новом месте. Ему позарез нужны большие поставки, если он хочет перейти в высшую лигу. А он хочет, я нутром чувствую, — убеждал друга Лев. — Иначе вся эта возня с паспортами и погонями за Яр-польцевым теряет всякий смысл.

— Хорошо, оставим это. Как ты собираешься заставить Рокота отдать свою страховку?

— Об этом можете не беспокоиться, — вступил в разговор Яропольцев. — Рокот не захочет тянуть лямку за всю компанию. Для него тюремные законы не существуют. Воровская честь и все такое — это не про Рокота. Как только почувствует, что запахло жареным, он сдаст всех.

— Я думаю точно так же, — согласился Гуров. — Если у тебя, Стас, есть другой план, я с радостью его выслушаю.

Крячко поморщился и раздраженно бросил:

— Ты прекрасно знаешь, что никакого плана у меня нет.

— Тогда придется действовать по моему плану, — спокойно проговорил Лев. — Мы выезжаем в Челябинск. На сборы десять минут. Детали обговорим по дороге.

Они находились в пути уже больше пятнадцати часов. В Челябинск будут въезжать под утро, как и планировал Гуров. Предутренние часы — самое благодатное время, чтобы проскочить курбановские посты, если таковые имеются. В это время реакция у человека, даже самого тренированного, становятся заторможенными. На это Лев и рассчитывал. Зная все въезды и выезды из города, Ярополцев подсказал, в каком месте лучше всего пересечь городскую границу. Ни тебе постов ДПС, ни любопытствующих горожан. С этим проблем быть не должно.

Главные проблемы начнутся в самом городе. Как выцепить Рокота так, чтобы не попасть прямиком в лапы курбановских головорезов? В этом вопросе Гуров делал ставку исключительно на везение. Ну, и на знание привычек Рокота со стороны Ярополцева. За время долгого путешествия он успел собрать достаточно информации по этому вопросу. Снова и снова он задавал Максиму вопросы, касающиеся привычек бывшего приятеля, и теперь имел достаточно четкое представление, где любит бывать Рокот.

Гуров понимал, что машину нужно сменить, авто с московскими номерами сразу привлечет к себе внимание. Об этом позаботился генерал Орлов. Он выслал координаты человека, выделенного в их распоряжение. Тот должен был позаботиться и о жилье, и о машине.

Как только на горизонте показались первые городские застройки, Гуров приказал Крячко смотреть в оба и при малейшем подозрении на засаду бить во все колокола. Предостережение оказалось напрасным. До нужной улицы добрались без приключений. Лев посчитал это хорошим знаком. Свернув в тихий дворик, он заглушил мотор и набрал номер челябинского связного. Тот появился во дворе через минуту за рулем «Нивы» не первой свежести и, выйдя из машины, подошел к «Пежо». Гуров опустил стекло.

— Здравия желаю, товарищ полковник! Капитан Саушкин, к вашим услугам, — вполголоса поздоровался капитан. — Вот ключи от дома. Ваш тот, что справа, под номером шесть. Близлежащие дома пустуют, так что с соседями проблем не будет. Машинами обменяемся здесь?

— Что-то твоя колымага слишком уж неказиста, — выползая из «Пежо», проворчал Крячко, осматривая автомобиль капитана. — Помощнее ничего не нашлось? Есть вероятность, что нам придется удирать на этой развалюхе.

— На этот счет можете не беспокоиться, — широко улыбнулся Саушкин. — В этой развалюхе, как вы ее назвали, лошадей побольше, чем в вашем «Пежо».

— Так уж и больше? — усомнился Крячко.

— Не сомневайтесь. Мощность движка почти как у спорткара. А что вид непрезентабельный, так это для маскировки. В глаза не бросается.

— Что удалось узнать по поводу Александра Рокотова? — спросил Гуров, выходя из машины.

— Александр Рокотов живет и здравствует, — отрапортовал капитан. — Продолжает заниматься коммерческой деятельностью при фармацевтическом заводе.

— Отличная новость, приятель! — искренне обрадовался Крячко.

— В данный момент отсыпается в своем доме после бурной ночной попойки, — продолжил капитан, проигнорировав реплику Крячко. — Со вчерашнего вечера за ним установлено круглосуточное наблюдение.

— А вот от этого придется отказаться, — с сожалением проговорил Гуров. — Сам он, может, и не заметит слежки, но его друзья могут вычислить «наружку», и тогда за наше предприятие я не дам и ломаного гроша.

— Они аккуратно, — заявил Саушкин. — Установлено, что Рокотова неотлучно сопровождают двое из группировки Курбана.

— Кто именно? — насторожился Лев. — Если это Гробарь и Зачетчик, то наша миссия усложняется.

— Нет, не они. Те, что ходят за Рокотовым, шестерки попроще.

— Уверен?

— Так точно.

— Нашу машину нужно спрятать как можно быстрее, — проговорил Гуров, решив, что узнал все, что нужно. — По поводу наблюдения подождем. Пусть приглядывают. К вечеру мне нужна информация о местонахождении Рокотова. Как только он уедет с работы, сразу докладывайте. Задача ясна?

Капитан коротко кивнул. Обменявшись ключами, он поинтересовался, нужна ли его помощь. Гуров отказался, и Саушкин уехал. Все прошли в дом, а Лев, загнав машину во двор, вскоре присоединился к остальным.

— Первый этап прошел гладко, — удовлетворенно заключил он. — Теперь все зависит от того, как быстро удастся выловить Рокота.

— Ты уже придумал, как мы это сделаем? — без особой надежды спросил Крячко.

— Да, друг мой, уже придумал, — несмотря на усталость и сложность положения, весело рассмеялся Лев. — Поделиться мыслями?

— Валяй! — усаживаясь в кресло, разрешил Крячко.

— Ты пойдешь на фармзавод. На разведку.

— Чего? — вскинулся Крячко. — На фармзавод? Ты в своем уме? Может, сразу в дом Рокота? Облегчать задачу киллера, так уж по полной!

— Не кипятись, Стас, — урезонил друга Гуров. — Тебе всего лишь нужно попытаться попасться Рокоту на глаза. Уверен, ты справишься с задачей.

— И под каким предлогом я туда явлюсь? Воды для инъекций закупить?

— Пойдешь устраиваться на работу. Ты у нас парень компанейский, быстро найдешь общий язык с сотрудниками завода.

— А как я им свои документы предъявлю? Что по поводу московской прописки говорить буду? — сыпал вопросами Крячко.

— Не переживай. До этого дело не дойдет.

— С чего ты так в этом уверен?

— Староват ты для них, Стас, только и всего. Тебя на первом же этапе завернут, но основание находиться на территории завода ты получишь. Отдел кадров коммерческого отдела расположен вне пределов пропускной системы, правильно? — обратился к Ярпольцеву Гуров.

— Да. Со стороны северных ворот есть отдельное помещение. Оно находится в том же здании, что и кабинет Рокота. Практически дверь в дверь, — подтвердил Максим.

— Помню, — кивнул Лев, получивший эту информацию во время расспросов Ярпольцева. — Поэтому и предлагаю такой план. Ты, Стас, придешь в отдел кадров, начнешь клянчить хоть какое-то место в их отделе. Тебе откажут. Ты будешь настаивать, шумно настаивать. Если повезет, Рокот вмешается. Если нет, придется пробиваться в его кабинет силой. Главное, чтобы он тебя запомнил.

— И что дальше? — еще не понимая, к чему клонит Гуров, спросил Крячко.

— А дальше ты уйдешь. С неохотой и с обещанием вернуться. До вечера твоя миссия будет окончена. Следующий этап плана будет зависеть от того, куда после работы направится Рокот. Я почти уверен, что в очередную забегаловку. Там ты к нему присоединишься.

— Час от часу не легче, — вздохнул Станислав. — Предлагаешь мне так нарисоваться перед бандюками Курбана, чтобы не отмыть.

— Пусть курбановские тебя не беспокоят. Сыграешь натурально, и Рокот вцепится в тебя, как пиявка в гладкую кожу. После того как он лишился единственного собутыльника в лице Ярпольцева, он ухватится за любого, кто согласится его слушать и поддакивать. А ты согласишься.

— Допустим, это сработает. Что нам это даст?

— Преимущество, Стас, преимущество, — довольно проговорил Гуров и изложил последний этап инсценировки.

Ярпольцев, сидевший в отдалении, слушал внимательно все, что излагал полковник. Только после того, как тот закончил, он заговорил, решив внести свою лепту в составление плана:

— Подгадать визит нужно так, чтобы к часу дня вас выперли из кабинета отдела кадров. В это время Рокот выйдет из своего, и вероятность столкнуться с ним якобы спонтанно возрастет. Я много раз слышал, как он хвастался тем, что, каким бы загруженным ни был рабочий день, ровно в час он отправляется в любимый ресторан. Война войной, а обед по расписанию. Это его излюбленное изречение. В ресторане к нему подкатывать смысла нет. В рабочее время он никогда не пьет. По крайней мере, раньше было так. Но вам ведь не это нужно, верно?

Гуров одобрительно кивнул, соглашаясь с доводами Яропольцева. Крячко взглянул на часы:

— До часу дня еще уйма времени. Придавлю-ка я на массу, если вы не против. В конце концов, на мне лежит ответственность за самую хрупкую часть плана.

Гуров не возражал. Крячко перебрался в соседнюю комнату, где стояла широкая, вполне современная кровать. Подоткнув тощую подушку под голову, он тут же захрапел. Яропольцев последовал его примеру. Гуров остался у стола, пытаясь просчитать запасные варианты, если у Крячко не выгорит набиться в друзья к Рокоту.


— Ну, ребятушки, доложу я вам, спектакль вышел отменный, — вваливаясь в дверь, выпалил Крячко. Два часа назад он отправился на задание и только что вернулся, сияя улыбкой. Довольство так и перло из него. — Без ложной скромности могу утверждать, что игра полковника Крячко тянет не меньше, чем на «Оскар». Не меньше!

— Заходи, бахвал, — невольно заулыбался в ответ Гуров. — Докладывай, как прошла операция.

— Как по маслу, Лева. Тебе в подробностях или только результат? — плюхаясь в кресло, спросил Крячко.

Гуров не стал отвечать. За годы совместной службы он достаточно хорошо изучил Станислава, чтобы понимать: каким бы ни был ответ, Крячко все равно выложит все подробности. А тот и не ждал ответа. Потянувшись к бутылке с водой, отхлебнул добрый глоток прямо из горлышка и начал рассказывать.

— Приехал я, значит, к фармзаводу. Отыскал северный вход. С этим проблем не возникло, как ты, Лева, и предполагал. Никакой охраны при входе там нет, заходи кто хочешь. Я и вошел. И прямиком в дверь с табличкой «Отдел кадров». Время было без семи минут час. У кадровиков обеденный перерыв начинается через семь минут. В кабинете две сопливые пигалицы. Я им: «Здрасте, люди добрые! Хочу к вам на работу поднаняться». А они: «Приходите после обеда!» Я: «Какой там после обеда! Мне работа позарез нужна. С прошлой работы три месяца назад сократили, жена пилит, житья не дает. Короче, нанимайте меня немедленно, и точка». Одна из кадровичек, та, что потверже, давай на меня наседать: «Освободите кабинет, мужчина, у нас обед». А я ей в ответ: «У меня законных семь минут в запасе. Не имеете права не принять». — «Не выйдете, вызову охрану», — разозлилась она. А я отвечаю: «Только посмейте, таких собак на вас натравлю, небесам тошно станет! И в прокуратуру напишу, и в общество охраны труда, и в местную газету. Ославлю вас, милочка, на всю страну». Вторая, видно, испугалась угроз и стала вежливо спрашивать, какая, мол, у вас специальность? «Я — специалист широкого профиля. Все умею, деточка, не сомневайся». «А по образованию вы кто? Определенная профессия у вас имеется?» Та, что охрану грозилась вызвать, на вторую недовольно зыркает, но молчит. А я соловьем заливаюсь. Я, говорю, и швец, и жнец, и на дуде игрец. Принимайте меня на работу, только оклад покруче выбирайте. Я за гроши батрачить не намерен. Тут первой надоело мою лабуду слушать, она на кнопочку нажала. Я как вскинусь: «Ах ты, кукла безголовая, произвол творишь?» Вторая пуще испугалась, к первой обращается: «Зачем кнопку нажала, неприятностей хочешь? У Александра Дмитриевича и так настроение день ото дня все хуже, так ты еще и усугубляешь». А та отвечает: «Ты что, не видишь, у мужика не все дома, пусть с ним Ян разбирается». Ян, о котором она упоминала, явился без трех час. Я хоть и был в запале, за временем следить не забывал. Ну, думаю, пару минут продержаться, и все в ажуре. Тут мне тоже повезло. Янчик этот хиляком оказался. Правда, при дубинке и электрошокере. Мужчина, говорит, убирайтесь вон, не то хуже будет. Я вроде как струхнул, к стенке прижался и давай орать: «Не подходи, урод, я ничего плохого не делал! Мне работа нужна». Он дубинкой помахивает, а в дело ее пускать не спешит. Сам, говорит, уйдешь или по почкам пройтись? Сам, говорю, сам. На часах без одной минуты час. Я в коридор бочком выполз. Гляжу, а из соседней двери мужик выходит. Я к нему: защитите, говорю, господин, от произвола. Он нахмурился и строго так спрашивает у подоспевшего охранника, в чем дело. Охранник ответил ему: «Александр Дмитриевич, псих объявился, девчатам из отдела кадров надоедает». Я понял, что передо мной Рокот, и, не будь дураком, выдал спокойным таким, трезвым тоном: «Врешь, бестолочь деревянная, я на работу устраиваться пришел». Охранник оскорбления не выдержал, замахнулся дубинкой, а я шасть за Рокота. Удар, что мне предназначался, аккурат по маковке начальнику пришелся. Что тут началось! Рокот орет, охранник в извинениях рассыпается, девчонки из отдела кадров кудахчут. Все, думаю, сворачивай цирк, Крячко, твоя работа завершена. Тихонечко к двери продвинулся и выскользнул наружу. — Крячко перевел дыхание и победоносно заключил: — Теперь Рокот меня надолго запомнит, не то что до вечера.

— По-моему, вы переборщили, полковник, — осуждающе покачал головой Яропольцев. — После такого оскорбления Рокот вас в приятели точно не возьмет.

— А вот тут ты не угадал, — возразил Гуров. — Лично мне кажется, Стас все верно рассчитал. Во-первых, у него теперь есть веские основания подкатить к нему в питейном заведении. Мол, извиниться хочу, неувязочка вышла с ударчиком. Во-вторых, есть повод предложить выпить мировую. Правильно рассчитав количество выпитого Рокотом, можно считать, что дело в шляпе. Обсудить мерзкий поступок охранника кроме как с очевидцем он по гордости ни с кем не решится, а высказаться наверняка захочется. При грамотном подходе наверняка клюнет. А дальше костери бестолковых сотрудников, позволивших себе распускать руки, когда начальство рядом. И клиент твой с потрохами.

— А я про что? — обрадовался поддержке Крячко. — Наш Рокот, голову на отсечение даю, наш.

— Вам виднее, — пожал плечами Максим и ретировался в дальний угол комнаты.

До семи вечера Гуров и Крячко бездельничали. Смотрели телевизор, читали газеты, оставленные на подоконнике предусмотрительным капитаном Саушкиным. Один раз позвонил генерал справиться о состоянии дел. Разговаривал с ним Гуров. Он заверил генерала, что все под контролем, и спросил, как продвигаются дела у федералов, готовящих операцию в тех городах, что обозначил Яропольцев. Орлов овтетил, что вышестоящие чины крепко ухватились за возможность прищучить Курбана и на все действия генерала дали однозначное добро. Подготовка шла полным ходом, и это не могло не порадовать Гурова.

К семи часам пришло сообщение от капитана Саушкина. Рокот пустился в путешествие по питейным заведениям Челябинска. Один.

— Отправляемся, парни, — сказал Лев. — Время пришло.

Все трое уселись в «Ниву» и отправились к ресторану «Золотое руно», где в данный момент доходил до кондиции Рокот. Не успели они доехать туда, как пришло новое сообщение. Оставив машину у ресторана, Рокот вызвал такси и теперь мчался в другое заведение, отстоящее от города в некотором отдалении. По словам Саушкина, это уже был не просто ресторан, а некое подобие борделя. Здесь клиенту могли предоставить не только выпивку и закуску, но и плотские утехи, было бы желание. Гуров подозревал, что подобное желание у Рокота было. Им следовало поспешить. Вмешивать в свою операцию девиц легкого поведения полковник не планировал.

До заведения под названием «Дом отдыха «Отрада» они добрались только к девяти. Парни Саушкина сообщили, что клиент уже там и авто с курбановскими соглядатаями припарковано там же на стоянке. К самому «дому отдыха» Гуров подъезжать не стал. Припарковав машину метрах в пятидесяти, он объявил о начале операции.

— Стас, ты идешь внутрь и обрабатываешь Рокота, а мы с Максимом позаботимся о курбановских. Постарайся уложиться хотя бы в час, — напутствовал он Крячко.

— Засекай время, Лева. Через сорок минут мы выйдем. К этому времени такси должно быть у крыльца, — ничуть не бахвалясь, заверил Крячко и покинул машину.

К крыльцу заведения он приковылял «пьяной» походкой. Громко обратившись к охраннику при входе, поинтересовался, работают ли девочки. Тот бесстрастно взглянул на пьяного Крячко и молча открыл дверь. Попав внутрь, Стас осмотрелся. Обычный зал с обычными столиками вокруг танцевальной площадки. Слева — барная стойка для одиноких путников, справа — лестница, ведущая к номерам. Крячко повезло, Рокота он засек сразу. Тот сидел за столиком и в полном одиночестве поглощал содержимое бутылки. Тарелка с едой оставалась нетронутой. Компанию он еще не заказывал. Крячко приступил к своей роли. На нетвердых ногах он прошел к барной стойке и громким голосом потребовал водки. Бармен молниеносно выполнил заказ. Бросив на стойку деньги, Стас отхлебнул из стакана, обвел заведение взглядом и «внезапно» увидел Рокота.

— Кого я вижу? Вот так встреча! — взревел он и двинулся к его столику. При этом умудрился дважды споткнуться и пролить половину содержимого стакана, прежде чем достиг цели. Пьяно шатаясь из стороны в сторону, Крячко остановился напротив Рокота и громко повторил: — Вот так встреча! Как голова, дружище? Уже не болит? Круто он тебя припечатал. Позволишь присоединиться?

Рокот опасливо покосился по сторонам и понял, что на них начинают обращать внимание. Такого рода внимание было ему не по вкусу, поэтому пришлось ответить положительно.

— Садись, чего уж, — буркнул он.

— Вот спасибо, так спасибо, — продолжал шуметь Крячко. — Ты, значит, не из обидчивых? Правда, парень, неловко с этим охранником вышло.

— Ерунда! Все уже прошло, — вполголоса ответил Рокот, надеясь, что это заставит мужчину снизить тон.

Тот принял правила игры. Плюхнувшись на свободное место и приблизившись вплотную к Рокоту, Стас тихо, почти шепотом, произнес:

— Поверь, парень, мне правда жаль, что так вышло. Вроде бы и не мой косяк, а какую-то долю вины я все-таки испытываю.

— Ерунда! — повторил Рокот. — Забудь!

— Нет, приятель, позволь с тобой не согласиться. Эти негодные охранники совсем от рук отбились. Надо бы сообщить об этом их начальнику. Уж он всыплет им по первое число, — настаивал Крячко. — Если бы я тогда не спешил, то непременно нашел начальника этого тупоголового охранника и доложил о его самоуправстве.

— Его начальник — я, — спокойно ответил Рокот, проникаясь симпатией к этому непосредственному человеку, и вдруг пошутил: — Так что можешь начинать докладывать.

— Это что же, он своего босса по башке огрел? — Крячко театрально выпучил глаза и, получив подтверждение от Рокота, крякнул: — Ну, дела! Слушай, парень, тогда двойное сорри! Уж этого я точно не хотел. После такого я просто обязан загладить свою вину единственным возможным способом. — Он поднял вверх руку, подзывая официанта. Тот подскочил к столику. — Бутылку коньяка. Самого дорогого, — вальяжно разваливаясь в кресле, потребовал Стас.

Официант с сомнением оглядел его костюм и вежливо поинтересовался:

— Кто будет расплачиваться?

— Черт, я сейчас на мели, — выдал Крячко и невозмутимо посмотрел на Рокота: — Не откажешь в субсидии, приятель?

178

Рокот на мгновение обалдел от такой наглости, потом, не выдержав, рассмеялся и, обратившись к официанту, подтвердил заказ:

— Валяй, тащи лучший коньяк.

— Вот спасибо, друг, — ничуть не смутившись, поблагодарил Крячко. — Я, видишь ли, некоторое время нахожусь в стадии поиска работы. Но это временно. Как только устроюсь, тут же отдам. Честно.

— Ладно, проехали, — отмахнулся Рокот. — И у меня в жизни бывали пустые дни.

— Вот-вот. С кем такого не бывает? Я ведь чего в той конторе делал? Работу искал. Я парень надежный, никаких проблем. А они заладили: приходи после обеда. Сразу видно, без понятия девки. Вот у меня девки так девки, с полуслова понимают, что тебе нужно.

Вернулся официант, выставил на стол бутылку коньяка и дополнительный стакан. Не дожидаясь команды, Крячко свернул крышку, наполнил стаканы до краев и провозгласил тост:

— За приятное знакомство до дна.

Рокот одобрительно кивнул и опустошил стакан. Дальше дело пошло совсем легко. На старые дрожжи стакан качественного коньяка в один момент довел Рокота до нужной кондиции. Крячко прижался к уху новообретенного приятеля и доверительно сообщил:

— А знаешь ли ты, чем я промышлял раньше? Не знаешь? Так я тебе скажу. Под моим началом работали такие цыпочки, пальчики оближешь.

— Врешь, — глупо захихикал Рокот. — Откуда у такого старого прощелыги возьмутся цыпочки? Разве только во сне.

— А вот и нет! — будто бы сердясь, возразил Крячко. — Послушай, давай начистоту: ты ведь сюда не за выпивкой явился, верно? Компанию хотел получить? А что, если я предложу тебе такую компанию? Две красотки. Черненькая и беленькая. Выбор за тобой. Поверь, они обе профессионалки.

— Брешешь ты все! — веселился Рокот. — Нет у тебя никаких красоток. Цену себе набиваешь.

— А ты проверь, — подначивал Станислав. — Старый не старый, а «аппарат» еще действует. И цыпочки эти тебе ничего стоить не будут. Считай это моим подарком. Компенсация за выпивку и охранника.

— И где же обитают твои красотки? — спросил Рокот.

— Да прямо на дом приедут, — заявил Крячко. — Поехали ко мне. По дороге вызвоним цыпочек. Пока будем добираться, они уже готовенькие ждать нас будут. Прямо из парной.

— Ты банщик, что ли? — Язык Рокота начал заплетаться.

— В каком-то роде, — ухмыльнулся Крячко, понимая, что дело сделано и Рокот вот-вот согласится. — В особой баньке работал. За пьянку выгнали, твари. Сами будто не пьют.

Упоминание об алкогольной зависимости решило дело. Рокот, чьи проблемы зачастую сводились к чрезмерному употреблению алкоголя, с пьяной признательностью посмотрел на собеседника:

— Что, сильно достали? Вот и меня достали. Попридержи коней, Рокот, завязывай, дружище. Твой косяк через пьянку. Тьфу на них, верно? Будто я один пью. Или на их деньги. Черта с два! Я сам свои бабки зарабатываю. А на что их трачу — не ваша забота. Верно, приятель?

— Верно, верно, — поддакивал Крячко, украдкой поглядывая на часы. До назначенного времени оставались считаные минуты. — Так что, поедем к цыпочкам? Соглашайся, друг, не пожалеешь.

— А поехали, — решился Рокот. — Что здешние лярвы, что твои, какая разница?

— Разница огромная. Сам увидишь, — заверил Крячко, подзывая официанта.

Рокот выгреб из кармана скомканные купюры, бросил на поднос и пьяно захихикал:

— Сдачи не надо. Я еду к незабываемым цыпочкам, быдло. Повеселись на досуге на мои чаевые. Сними себе лучшую из ваших девочек.

Лицо официанта осталось бесстрастным, но трезвый взгляд Крячко уловил на нем скрытый отблеск ненависти. «Не хочешь, чтобы тебя унижали, тщательнее выбирай работу, мальчик», — бесстрастно подумал он, поднимаясь и выходя из заведения вслед за Рокотом. На крыльце они остановились. Рокот выудил из кармана телефон и пытался набрать нужную комбинацию, чтобы вызвать такси. Крячко отобрал у него трубку, заявив, что обо всем позаботится сам. И действительно, стоило ему сделать звонок, как к крыльцу подъехало такси. Загрузив Рокота на заднее сиденье, Крячко устроился рядом и назвал адрес. Машина рванула с места. Вслед за ней из тени кустов двинулась старенькая «Нива». На заднем сиденье «Нивы» лежали двое парней Курбана. Связанные по рукам и ногам. Рты обоих были намертво заклеены скотчем.

— Уложился в обещанные сорок минут, — прокомментировал Гуров, сидящий за рулем «Нивы».

Яропольцев, устроившись на пассажирском сиденье, не сводил глаз с дороги. «Скоро все закончится, — твердил он про себя. — Только не для тебя, дружок. Не для тебя».

## Глава 12

Первым ощущением, которое испытал Рокот, приходя в сознание, психологи назвали бы как синдром «дежавю». «Со мной уже происходило подобное, — пытаясь вырваться из цепких рук, мочаливших его ушные раковины, пронеслось у него в голове. — Я уже испытывал нечто подобное». Он не хотел открывать глаза, потому что наверняка знал, чье лицо увидит перед собой. Но открыть все-таки глаза пришлось, так как до сознания донесся чей-то голос, предлагающий применить к пленнику более кардинальные меры. «Пленник — это я, — бесстрастно подумал Рокот. — Все логично. До меня добрались. Мне конец».

Он приоткрыл один глаз, потом второй. То, что увидел перед собой Рокот, повергло его в шок. Ненавистное лицо бывшего одноклассника. «Так я и знал. Не нужно было сдавать его Курбану, ох не нужно. Знал же, что это плохо кончится. Только откуда ему здесь взяться? Он же в столице, Курбан сам говорил. Он убеждал, что Ярило теперь не моя проблема, что дни его сочтены, а все, что нужно делать мне, это не совершать новых ошибок. Где я сделал просчет? В чем провинился, что мой иммунитет дал течь?»

В голове Рокота начали всплывать отдельные моменты прошедшего вечера. Вот он в ресторане «Золотое руно». Скучно, тоскливо и не с кем разделить свои страхи. Нужна живая душа рядом. Кто сможет выслушать его, не задавая лишних вопросов? Естественно, девочки по вызову. И он поехал в «Отраду». Это он помнит. Потом в памяти всплыл полоумный мужик из офиса. Что он предлагал? Ага, вспомнил. Крутых цыпочек. Рокот согласился. Значит, сейчас он должен находиться в обществе беленькой и черненькой, как и обещал мужик. Только вот ни беленькой, ни черненькой в этой захудалой дыре и в помине нет. А есть злейший враг Ярило, чья жена с легкой подачи Рокота отправилась на тот свет. Как он попал в его лапы? Помнится, он вырубился в такси. Дальше — пустота. Значит, Ярило каким-то образом перехватил его на промежутке беспамятства. Интересно, что он сделал с тем мужиком? А впрочем, какая разница, когда твоя задница горит?

— Очухался, — без тени эмоций в голосе сообщил кому-то Ярило. — Забирайте, теперь он ваш.

— Что? — начал Рокот, но тут же осекся, упершись взглядом в того самого мужика, что обещал ему незабываемые ощущения в объятиях высококлассных шлюх. — Ты?!

— Привет, дружище! — весело проговорил тот, устраиваясь верхом на табурете напротив Рокота. — Как голова? Не болит?

— Что происходит? — выдавил из себя Рокот.

— Небольшие изменения в планах. Надеюсь, ты не станешь возражать против небольшой прелюдии перед незабываемым сексом?

— Какого черта! — попытался возмутиться Рокот, но слова ему не дали.

В дело вступил новый герой. Пожилой джентльмен, до этого момента отстраненно наблюдающий за происходящим, подобрался ближе к Рокоту и заговорил. Голос его звучал ровно, даже дружелюбно, но на Рокота он произвел обратное впечатление. Как только он заговорил, Рокот мысленно похоронил себя. «Кранты тебе, парень. Теперь либо сливай всех, либо прощайся с жизнью. Третьего не дано». Почему именно этот голос произвел на него такое впечатление, он не мог объяснить, но против ощущений не попрешь. Рокот тут же решил выложить все, что интересует данного джентльмена. Жертвовать своей шкурой он не собирается. Это уж точно.

— Доброй ночи, гражданин Рокотов, — поздоровался джентльмен. — Рад, что вы пришли в сознание достаточно быстро. Благодарить за это можете вашего друга, Максима Яропольцева. Меня зовут Гуров Лев Иванович. Я из Главного управления уголовного розыска. — Он помолчал, ожидая реакции Рокота. Ее не последовало. Тогда Лев продолжил: — Скорее всего, вы уже догадались, по какому вопросу мы все здесь собрались, поэтому не стану тянуть время. Оно и так не на вашей стороне. Намеренно подвергать вашу жизнь смертельной опасности не в моих интересах, поверьте. Жаль, что не все зависит от моего желания.

Он снова замолчал. На этот раз надолго. Не выдержав, Рокот спросил:

— Что вам от меня нужно?

— Не так уж много, если учесть, сколько вы задолжали обществу.

— Я никому ничего не должен. Я — законопослушный гражданин. Не верьте тому, что наговорил этот злобный завистник Ярило. Я ни в чем не виноват.

— Знаете, я сегодня добрый, — задумчиво произнес Гуров. — На удивление добрый. Только поэтому я сделаю вид, что не слышал ваших слов. Боюсь, про Максима я такого сказать не могу. Думаю, он слышал все. И уверен, что услышанное ему не понравилось. Ситуация такова, что мое начальство, а у меня имеется начальство, не одобрило бы крайних мер, применяемых к несговорчивым свидетелям. К счастью для меня и к великому огорчению для вас, у Максима такового сдерживающего фактора нет, следовательно, он совершенно спокойно может применить в отношении к вам любые меры воздействия, лишь бы добиться нужного результата. Стану ли я тормозить его естественные порывы? Боюсь, что нет. Может, после того как я выложил все карты, вы предпочтете побеседовать с ним, а не со мной?

— Нет!!! Я буду говорить! — вскричал Рокот, увидев, что Ярополцев сдвинулся с места. — Не подпускайте его ко мне. В прошлый раз он чуть не изувечил меня.

— Ты сам напросился, скотина! — зарычал Ярополцев, едва сдерживаясь.

— Видите, видите? Он снова мне угрожает, — визжал Рокот. — Уведите меня отсюда, я требую адвоката!

Того, что произошло в следующий момент, не ожидал никто, и в первую очередь сам Рокот. Гуров навис над ним, схватил его за грудки и резко тряхнул, одновременно с этим отвесив две звонкие пощечины. Рокот заткнулся, точно подавился собственным криком.

— Так-то лучше, — бросая его обратно на сиденье, процедил Лев. — Вижу, вы не поняли сути проблемы. А суть заключается в том, что у нас катастрофически мало времени. Говорю это исключительно для понимания ситуации. Ваша жизнь, гражданин Рокотов, висит на волоске. Еще никогда она не была так близка к завершению, поверьте мне. И только от скорости ваших реакций зависит, как долго она там будет находиться. Вы меня понимаете?

Рокот вгляделся в лицо Гурова и прочел на нем свой приговор. Это отрезвило его больше, чем массаж ушей.

— Я понял, — как-то враз скиснув, проговорил он. — Спрашивайте. Я все скажу.

— Мне нужен список всех точек, куда вы поставляете наркотики, — начал Гуров.

— В моем доме на чердаке есть тайник. Там все списки. Кроме того, я могу перечислить их по памяти, — поспешно заявил Рокот и не к месту добавил: — У меня феноменальная память на цифры и даты.

— Поздравляю, — съязвил Крячко. — Ты еще и феномен.

— Отлично! — игнорируя выпад Крячко, произнес Гуров. — Когда планируется очередная поставка товара и куда?

— Через сутки. Товар уже подготовлен. Почти в полном объеме. Осталось провести последнюю смену, и товара хватит на все точки, — выдал Рокот.

— Как происходит отправка?

— Все предельно просто. От Курбана приходит заказ. Мы выполняем к определенному сроку. За этим слежу я. Потом в день отправки Курбан присылает двоих. Обычно это Гробарь и Зачетчик. Кто будет в этот раз, не знаю. Парни в немилости после прокола с Ярополцевым. Накладные и сопроводительные документы оформляю лично я. Кладовщик свой человек, поэтому помалкивает.

— Куда пойдет товар?

— В десять точек. — Рокот поспешно перечислил города. — Сейчас поставки несколько сократились.

Гуров сурово взглянул на Рокота, поняв, что тот что-то недоговаривает. Этого взгляда оказалось достаточно, чтобы тот запел с удвоенным усердием:

— Основная партия из Челябинска не уйдет. Курбан готовит крупную партию для отправки более высоким клиентам. За кордон.

— Значит, договоренность уже достигнута?

— Достигнута. Пробная партия ушла как раз перед тем, как Ярило взбесился. Отступать Курбану было некуда. Думаю, только по этой причине я все еще жив.

— Верно мыслишь, — снова вклинился Крячко.

Ярополцев стоял у окна, не принимая участия в разговоре. Казалось, мысленно он находится за многие километры отсюда. Крячко скосил глаза в его сторону и незаметно придвинулся ближе. Кто знает, что взбредет тому в голову. Но

Максим не обратил на него внимания, продолжая смотреть в окно.

— В этот раз он тоже забирает часть товара себе? — продолжил допрос Гуров.

— Ясное дело. Семьдесят процентов наработанного, — ответил Рокот. — А денежки, между прочим, за этот товар не обломятся. Катастрофические убытки.

— Это почему? — удивился Крячко.

— А все благодаря ему, — ткнул пальцем в сторону Яропольцева Рокот. — В счет долга за просчет. Он облажался, а разгребаю я.

Яропольцев отреагировал мгновенно. Ни Крячко, ни Гуров, ни сам Рокот не успели вдохнуть, а он уже стоял возле Рокота. Его пальцы железными тисками сжимали горло бывшего приятеля.

— Ты еще смеешь упрекать меня в чем-то, гад ползучий? — рычал Максим, нависая над ослабевшим телом Рокота. — Придушу, тварь! Знаешь ли ты, что чувствовала моя жена, когда твои дружки резали ее тело на армейские ремни? Знаешь ли ты, что почувствовал я, когда узнал об этом? Ты понятия не имеешь, как сильно я тебя ненавижу. С каким удовольствием сверну твою тщедушную шейку! С каким наслаждением стану слушать, как хрустят ломающиеся позвонки под моими руками!

Ступор, напавший на Гурова и Крячко, длился не более тридцати секунд. После этого они одновременно бросились на Максима. Гуров резко ударил по его рукам, метя в болевые точки, Крячко сработал профессионально. Как только хватка Яропольцева ослабла под ударом Гурова, он сбил его с ног и поволок обратно к окну.

— Пусти, сволочь! — орал тот, в бессильной ярости молотя кулаками по телу Крячко. — Пусть он ответит за смерть моей жены! Пусти меня! Предатель! Иуда!

— Тихо, тихо, успокойся, — уговаривал Крячко, обхватив корпус Яропольцева двумя руками и продолжая двигать его к окну. — Он ответит, обещаю. Только не сейчас. Еще не время.

Максим еще какое-то время продолжал сопротивляться, потом затих. Крячко оставил его лежать на полу. Сам встал и, злобно глядя на Рокота, проговорил:

— Еще одно слово против моего друга, и тебе конец, паршивец. И Гуров тебе не поможет. Усек?

Рокот с неподдельным ужасом взирал на происходящее. Запугивать его не было смысла, он и так был на грани умопомешательства. Поманив Крячко, Гуров одними губами произнес:

— Уведи отсюда Максима. Уведи немедленно, иначе мы потеряем единственного свидетеля.

Второй раз Гурову повторять не пришлось. Нагнувшись над распростертым на полу телом Яропольцева, Стас пошептал что-то ему на ухо, и тот послушно последовал за ним в другую комнату. На короткое время в комнате воцарилась зловещая тишина. Единственным звуком, нарушающим ее, было мерное тиканье механических настенных часов. Секунды складывались в минуты, успокаивая нервы Рокота, давая передышку Гурову. Когда пауза, по мнению Гурова, достигла критической отметки, он снова обратился к Рокоту:

— Продолжим, гражданин Рокотов. В данный момент мы вплотную подобрались к главному вопросу. Я бы сказал, к важнейшему вопросу в вашей жизни. От того, сумеете ли вы на него ответить, зависит ваша дальнейшая судьба. И это не просто слова, поверьте мне.

Рокот весь подобрался. Гуров вдохнул в легкие побольше воздуха и произнес:

— Мне нужен весь компромат, который вы имеете на Курбана.

Рокот сначала непонимающе смотрел на него. Долго, слишком долго, по мнению Гурова, сжигаемого изнутри нетерпением. Потом в глазах появилось сначала понимание, а потом несказанное облегчение. «Видимо, так выглядит лицо студента, чудом избежавшего позорного провала на экзамене», — пронеслось в голове Гурова, прежде чем Рокот начал говорить. Слова вылетали без задержки. Лихорадочно, точно многозарядный фейерверк сработал.

— Я все отдам. Этого добра у меня навалом. И письменные подтверждения, и аудиозаписи, и даже видео. Я основательно подготовился. Не собираюсь задешево продавать свою жизнь. С Курбаном нужно быть начеку. Подготовленным. А я подготовился, не сомневайтесь. Я отдам. Все отдам. У меня есть тайное местечко. Курбан о нем не знает. И его уроды не знают. Иначе мне бы давно конец. А вам я скажу. Только не убивайте. Вы ведь добрый, верно? Вы не станете меня убивать? Полицейские так не поступают.

— Заткнись! — рыкнул Лев.

Отвращение к сидящему напротив человеку захлестнуло его с головой. Сколько же низости может уместиться в нем? До чего может довести безудержная алчность? «Стоп, Лева! Задний ход! — приказал он себе. — Ты не имеешь права сейчас думать об этом. В первую очередь — дело, эмоции потом». Короткая отповедь помогла. Он поднял глаза на замершего Рокота и заговорил спокойно, сосредоточенно:

— Слушай внимательно, парень. Дважды повторять не буду. Сейчас мы вернем тебя домой. Ты отдашь нам все материалы, и по Курбану, и по его точкам. Далее будешь действовать так, будто ничего не произошло. От того, как ты справишься, зависит твоя жизнь. Не забывай об этом ни на секунду. Ты дождешься дня отправки товара и проведешь ее безупречно. Потом ты должен сидеть дома и ждать, пока за тобой придут. Тихо и без фокусов. За это я обещаю тебе защиту от гнева Курбана и его головорезов. Не свободу, парень, на это не надейся. Но обещаю, что прослежу, чтобы тебя определили в такое место, где курбановские приятели до тебя не доберутся. Это твой единственный шанс. Ты это понимаешь?

Рокот кивнул. По щеке поползла одинокая слеза. Он оплакивал свое несостоявшееся величие.

— Теперь относительно сегодняшнего вечера. Ты знаешь, что за тобой приглядывали ребята Курбана? — спросил Гуров.

Рокот снова утвердительно кивнул.

— Завтра в газетах появится объявление о дорожно-транспортном происшествии, в котором погибли двое неизвестных. Это сообщение будет о них. Ты должен сыграть убедительно. Если Курбан будет интересоваться тем, как закончился твой вечер, ты честно признаешься, что вырубился в такси, а очнулся только под утро. Дома. Понял? О том, что произошло с его парнями, ты не знаешь. Ничего не видел, ничего не помнишь. Ясно?

— Они мне не поверят, — выдохнул Рокот.

— Знаю, но придется пойти на риск. Курбан сейчас не может позволить себе избавиться от тебя. До послезавтра, по крайней мере. Мы этим воспользуемся.

Инструктаж продлился еще с час, после чего Гуров собрал всю команду, и они выехали на двух машинах — присланному к «Отраде» такси, за рулем которого сидел капитан Саушкин, и полученной ранее «Ниве», каждый по своим делам. Крячко сопровождал шестерок Курбана в отдел к капитану Саушкину, который должен был спрятать их в СИЗО до поры до времени и обеспечить газетную утку об их смерти. А Гуров и Яропольцев отправились к Рокоту, получать обещанный компромат.

Двое суток Гуров и Крячко просидели взаперти в доме, предоставленном сотрудниками Челябинского управления внутренних дел. Единственным видом связи с внешним миром оставался телефон, да и тот не баловал полковников избытком новостей. Полученные от Рокота сведения Гуров переправил генералу Орлову сразу же, как только получил. Теперь оставалось только ждать.

Оперативники Челябинска продолжали присматривать за передвижениями Рокота. Именно они сообщили Гурову, что их подопечного пасут Гробарь и Зачетчик. Неотрывно. Они буквально приклеились к Рокоту, даже ночевали в его доме, чтобы не упустить ни одного из его контактов. Гуров подозревал, что словам Рокота о той роковой ночи, когда шестерки якобы разбились насмерть на пустынном шоссе, Курбан не поверил. Да и кто бы на его месте поверил? Тем не менее Рокот был все еще жив и относительно свободен.

В назначенный день целая бригада наблюдала за отгрузкой товара. Десять машин отправились в десять городов России. Там благодаря стараниям генерала Орлова их уже встречали подготовленные люди. Но главное действие должно было произойти здесь, в Челябинске. Шесть машин ушли в неизвестном направлении. За ними было установлено наблюдение, но до какого бы то ни было конкретного места они пока не добрались. Капитан Саушкин только успевал передавать Гурову о смене маршрута означенных фур. Координаты, передаваемые капитаном, показывали, что машины попросту кружат по городу. К концу второго часа Лев был уже на пределе, когда Саушкин радостно объявил о том, что фуры выехали из города.

— Хорошо. Не трогайте их, — приказал он.

— Но ведь уйдут, товарищ полковник, — взволнованно проговорил капитан. — Дальше у нас постов нет. Только те, что предусмотрены для проверки при въезде и выезде из города.

— Вот и отлично. Да не переживайте вы так, — успокоил Лев капитана. — Бьюсь об заклад, что не позднее чем через пять часов они вернутся. Какой ближайший крупный город в том направлении, куда они ушли?

— Они идут по трассе М-5. Прямо на Екатеринбург, — доложил Саушкин.

— Свяжитесь с Екатеринбургом. Пусть ожидают грузовики. Если через четыре часа те не появятся, немедленно доложить. И ваши ребята на въезде пусть бдительности не теряют. Думаю, они снова увидят грузовики раньше, чем отзвонятся екатеринбуржцы.

Саушкин, приняв приказ, отключился. А для Гурова и Крячко снова потянулись томительные минуты ожидания, складывающиеся в часы. Время от времени Лев связывался с Саушкиным для прояснения ситуации. Пока все оставалось без изменений. Машины в город не возвращались. Рокот сидел в своем доме, запершись на все замки, и глушил горькую. Его караулили две группы. Гробарь и Зачетчик внутри и оперативники из Челябинского УВД снаружи. О второй группе охранения ни Гробарь с Зачетчиком, ни сам Рокот не знали.

Телефон молчал уже целый час, когда Ярополцев, находившийся в добровольном заточении с Гуровым и Крячко, не выдержал напряжения и начал нервно ходить по комнате, громко ругаясь:

— Болван! Остолоп! Зачем только я вам поверил? — восклицал он, стреляя горящим ненавистью взглядом то на Гурова, то на Крячко. — Ни за что вам до Курбана не добраться. Обхитрил он вас. Увел товар из-под носа и сам наверняка из города слинял. А вы сидите тут, как паиньки, и ждете милостей от природы, авось выгорит. Да ни черта у вас не выгорит! И Рокота отпустили. Где он теперь, я вас спрашиваю? Ведь в руках уже был. Так нет! Мы же благородные, мы преступников судом судить хотим. Мокрое дело — это не про нас. А он смеется сейчас над вами. И наверняка давным-давно выложил весь ваш план Курбану. Даже если вы прихватите те фуры, что в другие города ушли, там окажется обычная вода для инъекций. И никаких наркотиков! А я-то каков кретин! Поддался на ваши увещевания. Надо было дергать от вас еще там, в Вязниках. А лучше вовсе никогда не садиться в вашу гребаную машину!

Крячко слушал-слушал словесный поток, изрыгаемый Ярополцевым, а потом вдруг расхохотался. Да так заразительно, что Гуров не удержался и рассмеялся следом. Максим прервал бешеное хождение из угла в угол и, уставившись на смеющихся полковников, гневно воскликнул:

— Весело, да? Над чем смеемся, могу я узнать?

— Да над тобой, болван, остолоп и кретин! — Крячко намеренно перечислил все эпитеты, которые использовал сам Ярополцев.

— И что же во мне такого смешного?

191

— Знаешь английскую пословицу: когда лошадь украдена, поздно запирать двери конюшни? — все еще смеясь, проговорил Крячко. — Так вот ты сейчас именно это делаешь.

— Очень смешно, — проворчал Яропольцев и, не удержавшись, фыркнул.

Это развеселило Крячко еще больше. Он залился в новом приступе смеха. Теперь уже ему вторил Максим. Как и в тот раз, когда они чудом избежали расправы Гробаря и Зачетчика, их обуяло безудержное веселье.

— Реакция на стресс, — прокомментировал Гуров, справившись со смехом. — Ладно, посмеялись, и хватит.

— Что будет со мной? — Яропольцев настолько резко сменил тему, что Гуров даже растерялся. — Я имею в виду, когда все закончится.

— Не знаю, — честно признался Лев. — По большому счету вы, Максим, сильно проштрафились. И даже не тем, что пытались шантажировать Рокота, а тем, что скрыли от властей то, что творилось у вас под носом. Конечно, существуют смягчающие обстоятельства, но сокрытие подобного рода преступления — это серьезный просчет.

— Законодательно несообщение о совершаемом преступлении не является нарушением закона, — как бы ненароком вставил Крячко.

— Верно, — тут же отозвался Гуров. — Но как же закон совести? Сколько жизней загубил Рокот своим зельем? Что же ты замолчал, Стас? Или подсчитываешь?

— Брось, Лева! Не думаю, что Максим нуждается в дополнительных сеансах психотерапии. Не забывай, что он уже поплатился за свое молчание. Жестоко поплатился. И потом, помощь следствию. Ее ты не учитываешь? Если бы не он, мы бы сейчас здесь не сидели.

— Это уж точно, — невесело пошутил Яропольцев. — Если бы не я...

Договорить он не успел. Ожил телефон Гурова. Возбужденный голос Саушкина был слышен всем, несмотря на то что громкую связь Лев не включал.

192

— Товарищ полковник, они возвращаются! — возбужденно кричал Саушкин. — Все шесть машин. Только что прошли мимо пропускного пункта. Следуют к ангарам на южной окраине Челябинска. Ждем дальнейших указаний.

— Хорошо, капитан. Действуйте по заранее оговоренному плану. Даем машинам разгрузиться, выжидаем десять минут и пускаем ОМОН, — четко проговорил Гуров. — Особое внимание обратить на тех, кто встречает груз. Все, капитан, до встречи.

Нажав кнопку отмены вызова, Лев взглянул на Крячко:

— Началось, Стас. Последний этап.

— Значит, по коням? — выдохнул тот.

— По коням, — кивнул Гуров.

Они с Крячко выскочили из дома и помчались к машине. Яропольцев следовал за ними.

— Вам придется остаться, — остановил его Лев.

— Почему? Я могу помочь, — горячился Яропольцев.

— Исключено. Туда, куда поедем мы, вам никак нельзя.

— Вы за ними? — Внезапная догадка осенила Яропольцева, и он сразу как-то сник. — За убийцами моей жены?

— Останьтесь в доме, Максим, — в третий раз произнес Лев.

Яропольцев перевел молящий взгляд на Крячко, надеясь найти в его лице поддержку, но тот намеренно смотрел себе под ноги.

— Только не упустите их, — прошептал он и понуро побрел обратно.

К дому Рокотова «Нива» подкатила одновременно с нарядом ОМОНа, вызванного дежурившими там операми. Бесшумно окружили дом. Гуров, стоя на крыльце, дал отмашку. На счет «три» стекла в окнах первого этажа с треском полетели в стороны, дверь слетела с петель, в гостиную ворвались бойцы ОМОНа, держа автоматы на изготовку. Трое мужчин, находившихся внутри, даже с мест встать не успели. Их повалили на пол, заломили руки и защелкнули наручники.

— Геннадий Гробаренко, Захар Строев, вы арестованы по обвинению в убийстве гражданки Яропольцевой Ольги Николаевны, — ровным голосом произнес Гуров, когда к нему подвели головорезов Курбана. — Вы имеете право хранить молчание...

— Кончай гнилой базар, мусор! — оборвал его Гробарь. — Ты не с бычьем в стойле базар имеешь. За что торчим — ответим, а свое фуфло малолеткам загоняй!

— Будем считать, что права вам зачитали, — спокойно отреагировал Гуров. — Уводите их, ребята!

Бойцы ОМОНа скрутили арестованных и поволокли к выходу.

— Мы с тобой еще встретимся, мент, — бросил через плечо Гробарь.

— Это вряд ли, — усмехнулся Лев. — За делишки вашего босса Курбана вам такой срок светит, что на волю вы сумеете выйти только к старости.

Следом за Гробарем и Зачетчиком следовал Рокотов. Гуров остановил сопровождающих его бойцов и приказал:

— Этого везти отдельно. Найдется местечко?

— Так точно, — ответил омоновец. — Только к чему такие предосторожности?

— Я обещал позаботиться о нем. А свои обещания я всегда держу.

Дом опустел. С подъездной аллеи ушла последняя машина. Во дворе остались только Гуров и Крячко.

— Как-то там у ангаров прошло? — задумчиво проговорил Станислав.

— Думаю, все гладко. В противном случае капитан Саушкин уже оборвал бы аппарат, требуя дополнительных указаний, — улыбнулся Лев, и, как ответ на его замечание, запел телефон.

Не глядя на номер, он нажал кнопку и коротко бросил:

— Слушаю, капитан.

— Товарищ полковник! Все прошло на ура. Курбана взяли, товар взяли. С ним еще человек двадцать. Считай, всю группу разом накрыли, — радостно доложил Саушкин. — Принять фуры с товаром в других городах — дело времени. Но это уже не наша забота, верно? Думаю, так или иначе через сутки все закончится.

— Молодцы, ребята, чистая работа, — похвалил Гуров.

— Вашими стараниями, товарищ полковник, — не остался в долгу капитан.

— Нам бы теперь машинами обратно обменяться, и домой, — напомнил Лев. — Где вы «Пежо» спрятали?

Саушкин назвал адрес, объяснил, как проехать. На обмен машинами много времени не ушло. Заняв водительское место в родном «Пежо», Гуров задорно ударил по клаксону и возвестил:

— Пора домой, бродяга! Что, брат Крячко, готов к возвращению на малую родину?

— Всегда готов, — отозвался Стас. — Сейчас Яропольцева заберем и покатим.

— Домой, брат Крячко, домой, — неопределенно проговорил Лев.

— А Яропольцев как же? — не понял Крячко.

— Думаю, в доме мы его уже не застанем.

— Убег? — ахнул Крячко.

— Избавил нас от решения сложного этического вопроса, — поправил Гуров.

— Ну и ладно. Пусть так. Побегает, помается, может, и вернется.

— Навряд ли, — отозвался Гуров. — Человека по фамилии Яропольцев больше не существует. И возврата к прошлому не будет. Кто знает, может быть, ему и удастся начать все с чистого листа.

— А вдруг ты ошибаешься? Нехорошо получится. Взяли и бросили, — засомневался вдруг Крячко. — Проверить бы надо.

Но в тихом дворике Яропольцева не было. Только одинокий лист, сложенный вчетверо и подсунутый под дверь. Гуров развернул листок и показал Крячко. В центре листа чернела одна-единственная фраза: «Спасибо за все». И ни подписи, ни даты. Как и предполагал Гуров, Яропольцев ушел в неизвестном направлении. Больше в чужом городе полковников ничего не держало. Гуров завел мотор и с наслаждением повторил:

— Пора домой, бродяга!

Машина плавно тронулась с места, а через некоторое время уже неслась на полной скорости по магистрали М-5. Назад в столицу.

# Мститель с того света

ПОВЕСТЬ

## Глава 1

Мужчина постоял в темноте, прислушиваясь к звукам маленького двора. Старенький двухэтажный дом на окраине Москвы. Люди, которые в нем жили, знали друг друга десятилетиями, потому что у живущих здесь нет и никогда не было шансов переехать в престижный район, в элитное жилье. У них есть шанс покинуть этот дом, который еще лет двадцать назад признали аварийным жильем, но переедут они все равно в убогое серое жилище, все так же далекое от благ цивилизации, от красивой столицы, какой ее привыкли видеть по Первому каналу Центрального телевидения миллионы людей.

Человек, стоявший сейчас за разросшимся кустом сирени, знал хорошо этот запах. Запах неустроенности, запах безнадежности, безысходности. Когда люди мирятся с привычным течением жизни, который их не устраивает, всегда приходит этот запах нищеты, запустения, грязной одежды, несвежего белья потных тел...

В доме где-то играла музыка, бившая по мозгам высокими частотами, орали друг на друга хриплый мужской и визгливый женский голоса. Мужчина еще раз осмотрелся и двинулся к входной двери крайнего левого подъезда. Скрипучие деревянные ступени, расшатанные, захватанные до черноты деревянные перила. На втором этаже он решительно повернул направо. Вот и дверь под номером 12. Закрыта не плотно.

Геннадий Фролов опрокинул в рот остатки водки, сунул следом несвежий помидор и шумно выдохнул, продолжая жевать. По жилам потекло тепло и успокоение. Начавшаяся опять дрожь постепенно улеглась, сосуды расширились, и мир снова стал приходить в норму, со своими звуками и красками. Даже боли в области живота поутихли. Фролов лег на кровать, закрыл глаза и блаженно приготовился опуститься в сон. Но вдруг входная дверь его комнаты распахнулась. Кого черт принес! Васька, сволочь!.. Опять в долг пришел просить налить ему «стакашек».

Фролов приподнял голову, повел мутными глазами, и дрема мгновенно улетучилась. В комнате стоял незнакомый мужчина, старательно закрывавший за собой входную дверь. Невысокий, худой, с костистым носом и неопрятной щетиной на лице. Что-то в его облике мерещилось знакомое. Или просто в незнакомце Фролов безошибочно узнал своего брата-«сидельца».

— Тебе че? — вяло спросил он.

— Фрол, не узнаешь, что ли? — оскалился незнакомец длинными неровными зубами. — Во как! Откинулся и сразу забывать начал тех, с кем на соседней шконке спал.

— Ты... этот? — наморщил лоб Фролов, судорожно пытаясь вспомнить этого человека. Вроде и правда сидели вместе... где-то.

У него за спиной были две судимости, а значит, две колонии. Первая «ходка» «на пятерик», а второй раз на семь лет. Сколько прошло лиц в его отряде. А когда все стрижены на один манер, да в одинаковых черных спецухах, тогда кажется, что все зэки на одно лицо.

— Костыль я, — улыбнулся гость. — Забыл, наверное, меня. Да и как не забыть, когда столько лет прошло. Не пригласишь старого кореша к столу?

Фролов наморщил лоб и тут же осознал наконец, что все еще полулежит на кровати, а его гость стоит посреди комнаты и озирается с усмешкой. Ишь, с неудовольствием подумал он, приперся, к столу его сажай. Тут, может, помереть хочется поскорее, а не с ним из пустого в порожнее перегонять. Однако сознание ворчало, а тело стало подниматься с кровати. Тело помнило, что если ты сидел с человеком, то он тебе ближе любого родственника.

— Проходи, Костыль, — кивнул Фролов, подходя с кряхтеньем к столу и смахивая рукавом рубашки крошки прямо на пол. — Ты, это, извини, только у меня тут очень с этим...

— Да вижу, Фрол, чего ты тусуешься, — засмеялся гость и поставил на стол сумку, до этого оттягивающую ему плечо. — Я не с пустыми руками. Найдется чем вспрыснуть встречу и чем закусить. Старым корешам есть о чем побазарить.

И когда на столе появились три бутылки водки, когда легли на него пакетики с ветчиной, полукопченой колбасой, помидорами, то слова «старые кореша» сразу перестали вызывать у Фролова раздражение. А Костыль, или как там его, начал умело накрывать на стол, доставая без спроса из шкафа тарелки, вилки, стаканы. Через несколько минут в стаканы полилась водка, и завязался душевный разговор о тех годах, когда они вместе «топтали зону», о темных ночах и колючей проволоке, отделявшей их от свободы. Костыль все подливал и подливал хозяину. Не помногу, а так, чтобы на дне стакана что-то бултыхалось.

— Слушай, Фрол, дело к тебе есть одно, — вдруг стал он серьезным.

Фролов разлепил начавшие слипаться веки и внимательно посмотрел на Костыля. Или постарался посмотреть внимательно. Обычное дело. Так разговоры и начинаются, когда к тебе заявляются вдруг старые кореша, с кем в одной зоне «чалился». Предложения всякие делают, с просьбами обращаются. Это уж как водится. Или отсидеться просит человек, или пристроить безделушки какие-нибудь.

— О чем базар, — дернул он щекой. — Хата на несколько дней нужна? Валяй. Скажу, если что, не знаю, мол, и не помню такого. Пришел, попросил комнату сдать, и всякий участковый поверит. Я же нищий, Костыль, голодранец. Ты думаешь, чего я тут гнию? А я гнию. Мне, может, жить осталось всего ничего. Рак у меня, понимаешь... хотя откуда тебе понять?

Лицо гостя дернулось в какой-то недоброй усмешке. Он откинулся на спинку расшатанного стула и сунул в рот спичку.

— Нет, Фрол, жить я у тебя не буду. Дело в другом. Мне нужно спрятать кое-что у тебя. До поры до времени.

— Рыжья[1] небось наковыряли, — понимающе кивнул Фролов. — Нет, с этим даже не подходи. Мне с «уголовкой» дел иметь ни к чему. Мне помереть спокойно хочется. Дома... в постели... а не на вонючей шконке в лагерном лазарете.

— Дурак, — многозначительно зашипел его гость. — А я тебе что предлагаю? Я тебе предлагаю остаток жизни прожить как белому человеку. Хочешь, так в клинике, а не хочешь, так в своем доме на берегу озера. Как душа твоя пожелает...

Костыль говорил странные слова. Они смущали Фролова, его опьяневшее сознание, но и благодаря алкоголю проникали глубоко, в самую душу.

— У тебя ведь дочь есть. Я помню, ты в зоне как-то рассказывал.

— Я?

— Ты, ты, — небрежно отмахнулся гость. — Катюхой ее зовут. Она ведь взрослая у тебя, ей жить да жить. А без денег много она наживет?

— Она знаться со мной не хочет, — пригорюнился Фролов. — Я для нее не отец...

— Два раза дурак, — убежденно проговорил Костыль. — Как увидит столько денег, она же все простит, когда и на квартиру с молодым мужем хватит, и на дорогую иномарку. Эх, какая жизнь у них начнется! Не то что у нас с тобой. А хочешь, так можно и анонимно им деньги передать. Мол, наследство, а от кого и неважно. А когда они увидят, сколько там бабла...

— Ты про какие деньги мне все талдычишь, а, Костыль? — Фролов с тоской посмотрел в глаза гостю.

---

[1] Рыжье (*жарг.*) — золото, золотые украшения. Изделия из золота.

— Так это же плата за услугу, понимаешь ты, дурья башка! — засмеялся Костыль. — Ты сумочку одну в тайном месте спрячь, а тебе с этой услуги десятую часть. Мне не жалко для старого кореша. Я бы и больше дал, но не все там мое, пойми. А десятая часть — это пять «лямов». Ты только спрячь, ведь никто и не узнает. Никто не видел, как я к тебе пришел, никто не увидит, как я тихонько уйду. Верняк ведь, Фрол!

— Пя-ять? — удивленно прошептал Фролов.

— Пять, пять, — похлопал его по руке Костыль. — Возьмешь, и тут же я тебе отсчитаю пачечками. Десять пачечек по сто купюр. И купюрки все красные, пятитысячные. Они много места не займут. Но сколько ты дочке сможешь на них сделать, а? Ты только придумай, где сумочку мою ценную спрятать. Может, гараж у тебя есть или сарай? А может, дача за городом?

— Погреб, — загорелся идеей внезапного обогащения Фролов. — У меня в сарае погреб. Там под ящиками, под стеллажами можно спрятать. А нет... лучше в пакет и в песок. У меня там песок в углу, я на нем, бывало, морковку и свеколку на зиму складывал. Заготовки делал.

— Молоток, Фрол! — восхитился гость. — А я думал, все, пропил мозги, а ты вон как соображаешь. Не голова, а Дом советов!

— Так, может, прямо сейчас? — с видом заговорщика спросил Фролов.

— Давай, — охотно согласился Костыль. — Только сделаем так. Чтобы нас с тобой никто не видел, ты один пойдешь в свой сарай. Я тебе вот пакет дам. — И вытащил из своей наплечной сумки пакет, весь опутанный скотчем.

Он был увесистый, что заставило Фролова с уважением взять его в руки и осторожно положить перед собой на стол. Видать, ребята ювелирный взяли. Это правильно, теперь рыжье отлежаться должно, потому как его искать будут по всем скупкам, на всех выездах из города.

— А вот это твой гонорар. — Костыль вытащил из сумки еще один пакет и стал вынимать из него пачки денег, обернутые банковской лентой. — Десять пачек по пятьсот тысяч. Ты их тоже спрячь где-нибудь в погребе до поры до времени. Нечего им дома валяться. Утрясется все маленько, потом хлоп, и подарок дочке на стол! Солидно, а?

Фролов толком не слушал гостя. Он уже и не думал о том, что не помнил этого человека, этой клички. Мысль перед смертью помириться с дочерью полностью овладела им. И не просто помириться, но еще и обеспечить ей начало семейной жизни. У Фролова аж дух захватило от свалившегося на него счастья. Теперь и умирать не так страшно. А Костыль уже стоял на ногах и подталкивал хозяина дома под локоть, торопя его сходить в погреб и спрятать богатство.

В ночном коридоре никого не было. Даже ругань улеглась у пьяниц-соседей. То ли уснули, то ли перепились, то ли ушли еще искать. Фролов, вдруг протрезвев и начав мыслить четко и правильно, как ему казалось, торопливо прошел к общей лестнице и задержался возле нее. Внизу голосов не слыхать. Надо спуститься и, не выходя на улицу, снова послушать. Может, на лавке кто сидит.

Со всеми мыслимыми и немыслимыми предосторожностями он наконец добрался до своего сарая, ютившегося в общей массе покосившихся и обветшавших деревянных и кирпичных строений чуть в сторонке от дома под старыми тополями. Тут было темно, и Фролова это устраивало. Зажимая ногами пакет, поставленный на землю, он на ощупь пытался открыть ржавый навесной замок. Сколько он его не открывал, год, два? А вот и пригодился.

Дверь пришлось не просто открывать, а приподнимать и относить в сторону, поворачивая ее на одной верхней петле. Темно, но Фролов знал каждый метр своего сарая, каждую кучу хлама в нем. И все же он пожалел, что не догадался фонарь взять, спички или свечу. Как же в погребе без огня?

Вдруг луч света небольшого фонаря лизнул стену возле открытого люка погреба, и Фролов, вздрогнув, ухватился за стену. К нему медленно подходил улыбающийся Костыль.

И дверь сарая он не забыл закрыть. Хорошая дверь, фанерой изнутри обита, жалко только, что гвозди на нижней петле повыскакивали...

— Помочь тебе решил, Фрол, — заговорил Костыль, подходя к Фролову и присаживаясь рядом с погребом на корточки. — Ты же без огня пошел. Я и думаю, как он там в темноте, дай схожу, фонарь ему принесу, не упал бы.

Сомнения зашевелились в голове Фролова. Вся его жизнь была чередой лжи, хитрости, афер, краж и снова лжи. Не верил он людям, в крови у него уже недоверие к доброте. Но Костыль как будто понял его и тихо засмеялся:

— Я с тобой не полезу, а то подумаешь еще, что я хочу подглядеть, куда ты деньги спрячешь. Просто беспокоюсь, чтобы ты не покалечился. А то кто же сохранит мой клад? Ты спускайся, а я наверху покараулю.

Фролов успокоился. Это нормально, что Костыль ему не верил, что беспокоился в первую очередь за свои драгоценности. Это нормально в уголовной среде. Он взял фонарь и стал спускаться по старой проржавевшей лестнице, сваренной еще лет сорок назад прежним хозяином погреба и этого сарая. С двумя пакетами и фонариком в руках спускаться было неудобно, и в какой-то момент Фролов остановился на ступеньках, придерживаясь за лестницу лишь локтем и пытаясь перехватить руки.

И тут рядом почему-то оказалась нога в ботинке. Толчок в плечо, и Фролов, мгновенно потеряв равновесие, полетел спиной вниз. Его больное тело и мозг, пропитанный алкоголем, утратили способность группироваться, и он упал на спину, сильно ударившись головой о кирпичи, которыми была отгорожена куча песка с высохшими свекольными хвостиками.

Со стоном шевелясь и пытаясь освободить руку, чтобы схватиться за разбитую голову, Фролов увидел, что Костыль ловко спустился в погреб и присел рядом с ним. Жесткие руки уголовника схватили его за больную несчастную голову и, приподняв, с силой ударили ею о кирпичи. Дикая боль расколола череп, но второй удар затылком о кирпич опрокинул мир в черноту.

Костыль поднялся и отряхнул руки. Фролов лежал на спине в том же положении, в котором и упал с лестницы. Вот только один из пакетов порвался, и на пол высыпались пачки денег. На одной даже порвалась банковская лента, и под ногами Костыля валялись две купюры по 5 тысяч и стопка бумаги, выкрашенная в цвет 5-тысячных купюр. Сунув развалившуюся «куклу» в пакет, Костыль осмотрелся, чтобы убедиться, что не оставил следов на полу, потом подхватил пакет с «драгоценностями», фонарик и полез наверх.

В сарае он подошел к двери, выключил фонарь и долго стоял, прислушиваясь. Потом неслышно стал отодвигать дверь. Двор был пуст и безмолвен. Только листья тополей слегка шевелились в ночи. Костыль вышел из сарая и плотно прикрыл дверь. Через минуту, двигаясь темными переулками по заранее продуманному маршруту, он вышел к пустырю...

В любой организации проводимая утром в пятницу планерка отличается от аналогичной, проводимой в понедельник утром. Даже если эта планерка в Главном управлении уголовного розыска МВД страны. Гуров шел в кабинет генерала Орлова рядом со своим старым другом и напарником полковником Крячко и раскланивался с коллегами. Большинство офицеров выглядели более оживленными, чем вчера. Кто-то уже готовился к поездке за город, кто-то вообще с понедельника уходил в отпуск. В любом случае напряженная неделя позади, и каждый час рабочего времени пятницы приближал к заслуженному отдыху. Крячко был мрачен и неразговорчив. После суток дежурства, во время которого ему не удалось сомкнуть глаз, он чувствовал себя разбитым и раздраженным. Стареет старый друг, с улыбкой подумал Гуров, глядя на него. Раньше и усталость ему была нипочем, и бессонные ночи.

Не очень веселы были и те, кого ждало дежурство в эти выходные. Гуров сочувственно кивал, пожимал руки, и наконец собравшийся поток старших офицеров главка уперся в дверь кабинета Орлова. Пока все рассаживались, Лев наклонился к другу:

— Станислав, у тебя какие планы на воскресенье, кроме как отоспаться?

— Еще раз отоспаться, — меланхолично ответил Крячко и прикрыл рот, который раздирала зевота, рукой.

— Товарищи офицеры! — прозвучало в кабинете, и все шумно, но быстро поднялись со своих мест.

— Прошу садиться, — кивком разрешил Орлов, занимая место во главе длинного стола для совещаний.

И началось знакомое и привычное за долгие годы службы. Когда Гуров работал в МУРе, вопросы ежедневной планерки касались только Москвы и только тяжких преступлений, которыми занималось ГУВД Москвы. Теперь же вопросы ставились шире, и информации проходило на порядок больше. Особо тяжкие по стране, оперативная обстановка по областным и краевым центрам за сутки, дела на контроле главка, отчеты о проделанной работе. Потом следовали новые дела, поручения, план командировок, методические вопросы, вскрытые недостатки в работе подразделений уголовного розыска, пути и методы решения.

Гуров привычно впитывал информацию, поглядывая в окно кабинета. Лето, солнце уже высоко, вовсю жарит крыши многоэтажек. Маша на гастроли едет только в августе. А в воскресенье артистическая пирушка на природе, и надо как-то уговорить ребят. Тяжелы стали на подъем старые друзья, хотя чуть ли не раз в неделю то один, то другой заводят разговор, что стали редко видеться вне службы и нет возможности посидеть просто за пивком или водочкой вечерком на природе. А как бывало раньше. И Петр, и Станислав с удовольствием приходили на открытие сезона, на премьеры в театр. И на даче у Петра часто сиживали, вдыхая умопомрачительные ароматы со стороны мангала. И разговоры, воспоминания...

— Все, — подвел итог Орлов, собирая со стола стопку бумаги. — Планерка окончена, прошу всех приступить к работе.

Гуров дернул за рукав пытавшегося подняться Крячко и откинулся на спинку кресла, ожидая, когда офицеры управления покинут кабинет. Орлов заметил это и тоже остался сидеть.

— Что, Лев? — спросил он после того, как все вышли и они остались втроем.

— Да вот... хотел... — Гуров покрутил неопределенно в воздухе пятерней.

Орлов посмотрел на него, потом на сонного Крячко и улыбнулся. Редкое зрелище увидеть знаменитого сыщика полковника Гурова смущенным, а старого друга, матерого полковника Крячко усталым и хмурым. Да, многим в диковинку. Но Петр Николаевич Орлов, познакомившийся и с Гуровым, и с Крячко еще во время работы в МУРе, частенько видел сыщиков и другими. Многое их связывало, очень многое.

— А можно без театральных жестов? — с улыбкой поинтересовался он. — Я понимаю, что семейная жизнь наложила неизгладимые отпечатки, и все такое...

— Можно, — с готовностью кивнул Гуров. — Но я же должен вас как-то морально подготовить.

— Морально-то я готов, — изрек Крячко, — а вот физически... Сейчас я с большим удовольствием очутился бы в объятиях не вакханки, а Морфея.

— Я не про сейчас. Я про воскресенье.

— А что намечается? — спросил Орлов и задумчиво подпер кулаком подбородок.

— Мария с близкими подругами и кое с кем из руководства театра собираются отметить победу на Фестивале современного театрального искусства.

— Ты же говорил, что они заняли третье место? — оживился Крячко.

— Ну, так третье же все равно призовое.

— Везет вам, — вздохнул Орлов. — А мне в субботу вечером в Питер улетать с руководством.

— Ты генерал, такая твоя планида, — устало улыбнулся Крячко. — Придется мне одному поддержать старого друга в тяжелую минуту.

— Да, — снова вздохнул Орлов. — Давненько мы не собирались. Чтобы вот так, по-простому.

— Ну, там по-простому не будет, — пожал плечами Лев. — Хотя вы со Станиславом практически всех знаете.

— И Красовская будет? — блеснул глазами Крячко.

— Ага, с мужем.

— Ну, это нам фиолетово, — смутился Станислав. — Главное, что мы услышим ее волшебный голос.

— Ты вот что, Лева. — Орлов стал серьезным, посмотрел с неудовольствием на часы и тяжело поднялся из-за стола. — Давай-ка я Маше сам позвоню сегодня вечерком. Извинюсь, покаюсь, пообещаю! Я же понимаю, что она тебя пилить начнет, что от друзей отходишь, сам никуда идти не хочешь.

— Она пилить не умеет, — улыбнулся Гуров.

— А еще Льву Ивановичу самому неудобно, — заявил Крячко. — Ведь он там один-одинешенек будет из настоящих полковников. Остальные, которые мужского пола, все больше люди артистические, гламурные, с эдаким мечтательным налетом в повседневном образе и взором устремленным... э-э... вдаль. Ему же там не то что поговорить, за руку поздороваться не с кем.

— Ну, это ты зря, — покачал головой Лев. — Ты же знаешь, что и среди актеров есть настоящие мужики. Ну, так на кого мне рассчитывать?

— На него, — ткнул карандашом в сторону Крячко Орлов. — А я осуществляю моральную поддержку по телефону.

Турбаза «Лагуна» в Пелееве оказалась местом удивительно тихим и уютным. Беседки вместимостью на 10—12 человек были разбросаны по берегу между раскидистыми ивами. От каждой к песчаному пляжу и наверх, к домикам и административному зданию вели аккуратные деревянные дорожки с перилами. Каждая беседка имела свой собственный стационарный мангал, дополнительные столики для приготовления пищи, а рядом даже кабинки для переодевания.

Компания на турбазе собралась к 11 утра с сумками и повалила к берегу веселой гурьбой. Гуров знал почти всех в лицо, за исключением кого-то из администрации театра и двух мужчин из управления культуры. Чувствовалось, что сегодня коллектив не очень теплый, что много здесь людей, без которых было бы спокойнее и приятнее за столом. Мария как будто поняла настроение мужа и шепнула ему на ухо, когда они ставили сумки с едой и напитками на стол возле мангала:

— Понимаешь, сегодня что-то вроде обязательной программы. Многие считают, что победа в конкурсе — это их заслуга, а переубеждать их не совсем дипломатично. И небезопасно.

— И здесь политика, — вздохнул Лев и посмотрел в сторону домиков. Крячко что-то задерживался.

Неудивительно, что и за столом сразу наметилось какое-то расслоение. Один из молодых режиссеров, несколько актрис, с которыми Гуров не был лично знаком, и чиновники из управления культуры оказались в одной его части, и разговоры у них пошли на свои темы. Старая же компания, которую Лев хорошо знал и в которой чувствовал себя своим, сплотилась вокруг Марии и ее подруги Анны Красовской. Красовская сегодня пришла с мужем — архитектором. Высокий, немного сутулый, в очках с тонкой оправой и светлыми непослушными волосами, Иван Красовский напоминал аиста. Особенно когда вставал и тянулся через стол за бутылкой или к тарелке с закусками.

Крячко появился весьма эффектно и в самый подходящий момент — когда компания чиновников и близких к ним актрис отправилась кататься на лодках. В яркой летней рубашке навыпуск, в дорогих светлых ботинках, он спустился к беседке с таким темпераментом, что на него невольно

210

засмотрелись все дамы. Станислав нес в одной руке букет алых роз, в другой корзинку, очень трогательно накрытую женской косынкой с кистями.

— Друзья, прошу прощения за опоздание, — громогласно возвестил он, картинно разводя руки с цветами и корзинкой. — Но я готов искупить свою вину.

Женщины переглянулись с многозначительной улыбкой, потому что никто не сомневался, кому предназначены цветы. В театре давно уже перестали шутить на тему о том, что настоящие мужчины и настоящие полковники перевелись в целом, но остались в окружении Марии Строевой, чьим мужем имел счастье быть полковник Гуров.

Крячко деликатно припал к ручке Марии, был удостоен благосклонной улыбки и легкого касания пальцами головы. Пожав руку Гурову, он весьма эффектно смахнул с корзинки платок, и все увидели шесть горлышек настоящего «шардоне». Гуров улыбнулся. Крячко сейчас был близок в своем образе к тому, чтобы извлечь саблю и клинком сбить пробку с бутылки. Хотя пробки гусары сбивали не у вина, а у шампанского, а потом, окатывая стол и дам пеной, поспешно разливали его по бокалам.

Но сабли не было. И «шардоне» — это белое вино. Мужчины быстро справились с остальными бутылками, разлили вино по бокалам, и Крячко начал говорить свой тост. Делал он это красиво и умно. Очень искренне и тепло говорил и о театре, и об актерах, и о вечных ценностях. В общем получилось неплохо, и все с удовольствием выпили. Потом появилась гитара, и мужчины с шумом стали просить Красовскую спеть какой-нибудь романс из своего репертуара. Актриса заулыбалась, потом хитро посмотрела на обоих полковников и произнесла:

— Хорошо, я спою, но при одном условии — если господа полковники не откажут даме в одной безобидной просьбе.

— Мадам! — Крячко мгновенно поднялся и, не выходя из образа, с готовностью щелкнул несуществующими каблуками со шпорами и боднул головой воздух. — Всегда к вашим услугам! Если только вы не заставите нас изменить своему долгу офицера, присяге Родине и если от этого не пострадает честь дамы.

Орел, подумал Гуров с усмешкой. Под такие условия можно подтянуть все что угодно. Анна Красовская запела один из самых красивых и романтичных романсов своего репертуара «Кавалергард, мой милый». Потом «Возьми в ладонь мою печаль», а в завершение они с Марией дуэтом исполнили романс «Шепчутся свечи на полке каминной». Коллеги зааплодировали и предложили снова поднять бокалы.

— Так вот, о моей просьбе, — подсела к Марии и Гурову Красовская.

Лев подозрительно посмотрел на свою жену, которая как-то странно прыснула. Крячко тоже покосился на нее, но с мужественным видом подошел к дамам.

— Видите ли, ребята, — сразу стала серьезной Красовская. — Я хотела вас попросить вот о чем. Вам будет не трудно, ведь вы сыщики, люди искушенные в такого рода головоломках. Да и развлечение какое-никакое. Отдохнете от службы.

— Так о чем вы просите? — решил поторопить актрису Гуров, снова подозрительно покосившись на улыбающуюся жену.

— Иван, — Красовская посмотрела в сторону своего подвыпившего мужа, который что-то объяснял актрисам, активно жестикулируя руками и помогая себе мимикой, — Иван выиграл сертификат на прохождение квеста. Но вы сами понимаете, что он человек специфических знаний, привычек и образа жизни. Да и профессия у него, так сказать, далека от темы квеста.

— Аня, прости, — перебил ее Гуров, — я не понял. Сертификат на что? Квест?

— Я объясню, — вздохнул Крячко, поняв, куда клонит подруга Марии. — Видишь ли, Лева, уже довольно давно существует такой способ развлечения, который пришел к нам с Запада, оттуда, где людям в повседневной жизни не хватает адреналина. Называется он квест. Это игра, но очень реалистичная. В зависимости от темы игры, а она всегда имеет за собой реальную историю, имевшую место когда-то и где-то, участники должны пройти сложным маршрутом в сложных условиях, как правило, в помещении. Или, проще говоря, выбраться откуда-то с помощью найденных подсказок и решения определенных головоломок.

— Но... это же игра для подростков, — удивленно протянул Гуров.

— Отнюдь, — развел руками Станислав. — Взрослые дяди и тети с большим удовольствием лезут в эти «страшилки». Тут ведь находчивость нужна, умение мыслить неординарно. Да и адреналин, опять же. Тем более что... хм, бывают квесты, куда детям просто нельзя ходить. Психическая нагрузка великовата для них. Я знаю, что многие подсаживаются на них, как на наркотик, и выискивают новые квесты с новыми темами. А есть люди, которые квесты сочиняют и неплохо на этом зарабатывают. Так-то вот.

— Ну, ладно, это я понял, — кивнул Гуров и снова посмотрел на Красовскую.

— Лев Иванович! — взмолилась актриса. — Я прошу вас сходить на этот квест с Иваном. Вы со Станиславом Васильевичем люди опытные, вы запросто все разгадаете. И он на вашем фоне будет выглядеть более выигрышно. Пожалуйста!

— Ему-то это зачем? — пробормотал Лев. — Тоже адреналина не хватает?

— Ну, мужик мужиком хочет самому себе казаться, — тихо и с сочувствием ответила Красовская. — Он архитектор, востребованный архитектор, у него среда общения, с одной стороны, строители, а с другой-то ведь заказчики. А там зачастую люди своеобразные. И ему общаться с ними приходится, на тусовки подобные ходить. Это часть его работы, часть жизни любого творческого человека. А там квестами хвастают, там по пустыням на квадроциклах ездят, на воздушных шарах летают. Так уж лучше пусть квест, чем кобры в палатках и падающие воздушные шары. Ребята, я прошу вас!

— Правда, Лев, Стас! — включилась Мария. — Это всего лишь на один вечер. Хоть посмотрите, чем нынче продвинутая столица живет. Там полно взрослых людей проходят квесты, так что вы своим видом никого шокировать не будете. У нас вон из труппы почти все мужики уже ходили. Модное развлечение. Ну, я вас тоже прошу!

Гуров вздохнул и посмотрел на Крячко. Станислав с улыбкой только развел руками.

— Что хоть за тема в этом квесте, на который вы нас толкаете?

— Я сейчас. — Красовская встала и поспешила к своему мужу.

Гуров укоризненно посмотрел на смеющуюся жену. Мария очень красиво смеялась. В этот момент она была обворожительна, как-то особенно трогательно беззащитна. Гуров любил смотреть, как смеется жена. Хотя грустила она тоже очень красиво. И красиво скучала, когда они долго не виделись. Просто я ее очень люблю, подумал Лев и улыбнулся. И что с ней, с проказницей, делать. Ведь знала о том, что Красовская обратится с такой просьбой, точно ведь знала. Знала, но не предупредила. Маша всегда понимала и чувствовала грань, за которой безобидная и веселая шутка или добродушная шалость превращались в нечто оскорбительное, неуместное и глупое. В общем, в просьбе ее подруги ничего страшного и неприличного для двух полковников не было, это приходилось признать.

— Вот. — Красовская подтащила за рукав мужа и усадила на свободный стул. — Расскажи, Иван, что за тема вашего квеста во вторник. Ребята заинтересовались, хотят с тобой сходить.

— Здорово! — искренне обрадовался архитектор. — Вообще супер, что два сыщика со мной там будут. А тема — «Побег из тюрьмы»!

— Что? — опешил Гуров.

— Ну, не настоящая, конечно же, тюрьма, а имитация. Но очень правдоподобная, как говорят. Стилизация под Запад. Там предыстория какая-то. А суть в том, что нужно найти подсказки и выбраться из помещений за два часа. Там хитрые замки, ключи и тому подобное. Говорят, круто!

— М-да, — глубоко вздохнул Лев. — Из тюрьмы я еще не убегал.

Домой в такси ехали молча. Он молчал, глядя в окно, Мария тоже молчала и поглядывала на мужа со скрытой улыбкой. Как же она привыкла к нему за эти годы совместной жизни. По одному взгляду, вздоху, даже вот по такому, казалось бы, спокойному молчанию она понимала больше, чем другие жены после нескольких часов объяснений. Нет, Лев сейчас не дуется, не сердится на легкомысленную жену. Он анализирует, взвешивает, расставляет по полочкам информацию, да и всю ситуацию в целом. В этом весь Гуров. Он всегда работает над ситуацией. И не потому, что зануда, а потому, что перестал бы быть Гуровым без своего способа мышления, оценки.

Маша осторожно, но вполне по-хозяйски положила руку на локоть мужа. Гуров повернулся, мельком глянул на жену и снова окунулся в свои размышления. Маша знала, что сейчас они приедут домой и, несмотря на то что время уже позднее, обязательно включат чайник с синей подсветкой и усядутся под любимым абажуром на кухне. И не будет никаких важных или серьезных разговоров. Это просто ритуал, без которого нет семьи, это их привычка, которая их связывает, делает одним целым. Они поговорят, посмеются, вспомнив что-то веселое, может, съедят по конфетке, выудив их из корзиночки под салфеткой на столе. И все, она пойдет разбирать постель, а Гуров — в душ. День закончен, но заканчиваться он должен обязательно так...

## Глава 2

Гуров не рискнул идти сюда в костюме и оделся так, как обычно одевался, скажем, для участия в обследовании местности за городом в рамках какого-нибудь расследования.

Мягкие удобные ношеные ботинки, в которых он заведомо не натрет ноги, джинсы, удобная серая куртка, на которой не видна пыль. Как бы там ни было, но Лев любил предвидеть обстоятельства. И если этот дурацкий квест называется «Побег из тюрьмы», значит, надо и одеться близко к теме. Чтобы и на четвереньках, и в окно, и в подпол, если потребуется.

Молодой мужчина серьезного вида инструктировал участников в пустой комнате. Здесь были только две двери. Через одну они вошли, а вторая, железная и со зловещими ржавыми пятнами, видимо, вела в «тюрьму».

— Это была реальная история, — говорил мужчина. — И вам следует ее знать, чтобы проникнуться ситуацией и духом квеста. Заодно это вам поможет ориентироваться и мыслить, как мыслили те люди, которые когда-то оказались в подобной, но вполне реальной ситуации. Итак, тюрьма в небольшом городке. Неподалеку химический завод, на котором произошла техногенная катастрофа. Ядовитое облако движется в сторону городка. Среди населения паника, все поспешно покидают дома и эвакуируются. Но из города можно выбраться только на автомобиле, у кого он есть, или на поезде. Вас в суете и из-за паники забыли, но вы в курсе событий, потому что слышали крики на улице. И вы знаете, что последний поезд отойдет от перрона ровно через два часа пятнадцать минут. Ну, пятнадцать минут — это на то, чтобы добежать от тюрьмы до вокзала, значит, у вас всего два часа на то, чтобы выбраться из камеры. Ровно два часа.

Мужчина смотрел на троих участников и видел, что никто из них квестов не проходил, потому что не было не только обычных торопливых вопросов, не было вообще никаких вопросов. Кажется, будет скучно, подумал он. Запутаются, все забудут и просто просидят бестолково свое время или начнут просить, чтобы их выпустили, а потом всем будут рассказывать, что квесты — это такая лажа.

— Я вам дам одну подсказку, — продолжил мужчина. — Начинайте с шахматной доски. А уж потом ищите подсказ-

216

ки всюду. Помните, что они могут быть где угодно и что в квестах, как правило, нет бестолковых и случайных вещей. Есть вещи для интерьера, а есть вещи со смыслом. И все время думайте, думайте. Помните о том, какие вещи и предметы остались у вас за спиной, возможно, что вы просто прошли уже мимо подсказки, поэтому и не находите выхода.

— Ну, понятно. Давайте уж начинать, что ли, — предложил Крячко и посмотрел на удивленного Гурова. — Чего ты, Лева? Я вчера почитал про квесты, кое с кем переговорил, кто проходил нечто подобное. Справимся, чего стоять и время терять.

— Ну, гляди, — хмыкнул Гуров. — Тогда пойдешь первым, а я замыкающим. У вас тут, надеюсь, не предполагаются нападения каких-нибудь зомби или химических мутантов, от которых надо защищаться?

— В этом квесте нет, — засмеялся мужчина.

— И на том спасибо, — буркнул Лев и посмотрел на молчавшего и бледного Ивана Красовского. — Начнем, что ли. Раньше сядем — раньше выйдем, как говорят обитатели подобных помещений.

— Ага, — кивнул архитектор и вытер лоб тыльной стороной руки.

Железная дверь открылась, но в дверном проеме ничего, кроме вязкой темноты, не было видно.

— Слушай, Иван, а Красовская — это фамилия Анны, которую она получила от тебя? А я всегда думал, что это красивый псевдоним, — неожиданно проговорил Крячко и шагнул в темноту за дверью.

— Знаете, как в наших кругах шутят? — с показной веселостью сказал архитектор. — Говорят, что Анна вышла за меня ради красивой фамилии, а то у всех псевдонимы, а у нее законная.

Гуров молча подтолкнул его в спину, заставляя переступить порог, и вошел следом. Дверь за спиной немедленно захлопнулась, оставив троицу в непроглядной темноте, в которую снаружи не проникали даже звуки. Крячко явно не стоял на месте, а осторожно перемещался, выставив вперед руки. В воздухе пахло немного пылью, немного свежей краской. Затхлости не чувствовалось, значит, помещение изначально все же имело цивилизованное функциональное предназначение. Они приехали к бывшему заводу, а потом их проводили к какому-то зданию, пристроенному к основному административно-лабораторному корпусу. Или бывшие склады, или лаборатория какая-то. И сейчас они находились на втором этаже. Так что Гуров не исключал, что их «побег» может иметь направление и вниз.

— Станислав, не ходил бы ты никуда, — попытался остановить он друга. — Может, свет все же включат.

— А если нет? — зловещим голосом ответил Крячко.

— Да ладно, — усмехнулся Лев, ощутив даже в темноте, как напрягся архитектор. — Нас же предупредили, что начинать надо с шахматной доски. Как мы ее разглядим, если не включат свет?

— Вариантов масса! — оживился в темноте Крячко. — Блин, решетка какая-то толстенная... Варианты есть, Лева. Например, будем идти, пока не трахнемся башками о здоровенную шахматную доску. Или провалимся неожиданно в люк, а там пол раскрашен в виде шахматной доски. Вот и начало!

Свет загорелся неожиданно и беззвучно. Хорошо, что он был не яркий, не ударил по глазам, начавшим привыкать к темноте. Мужчины прищурились и опустили лица, чтобы зрение немного адаптировалось. Справа помещение оказалось разделено почти на две равные половины решеткой от пола до потолка. И если во второй половине комната имела вид помещения охраны, каким их рисуют в комиксах, с шкафами, старой шинелью на вешалке и сапогами под ней, старым столом посреди комнаты и другими атрибутами, то сама «камера» имела вид более убогий. Железная кровать с «панцирной» сеткой, застеленная старым шерстяным одеялом поверх матраца, один расшатанный стол и стул с ободраной спинкой. Шкаф у стены без дверей, а в дальнем углу знаменитая параша, которая произвела на Красовского неизгладимое впечатление.

— Вот, Иван, — кивнул Крячко на унитаз, забранный целиком в тумбу. — Так вот люди и сидят годами.

— Может, делом займемся? — спросил Гуров, присаживаясь возле встроенного шкафа. — Между прочим, здесь на полу лежит шахматная доска, повидавшая на своем веку многое.

— Давай посмотрим, что нам советовали с ней сделать, — оживился Крячко, возвращаясь к столу. — Архитектор, ты в шахматы играешь?

— Тут фигур нет, — потряс сложенную доску Гуров.

Подойдя к столу, он положил доску, раскрыл ее, и она действительно оказалась пустой. Красовский явно приуныл. На его лице было написано, что он представления не имеет, что делать дальше. А еще ему явно подумалось, что, окажись он тут один, то жизнь его тут бы и закончилась. И нашли бы его труп на этой вот кровати спустя годы, приехав дезактивировать территорию после химической аварии.

— Тут дело явно не в фигурах, — склонился над столом Крячко.

— Это точно, — отозвался Гуров, крутя доску на столе. — Смотри, вот покрытие немного отстало. Может, там записка какая-нибудь?

Он осторожно отогнул отставшую фанеру крышки шахматной доски, и Крячко ногтем вытянул оттуда клочок бумаги, сложенный вдвое. Все уставились на листок. Стас аккуратно развернул его, и стало видно одно-единственное слово — «магнит».

— Вариантов много, — развеселился Крячко. — Первый — надо послать гонца в сетевой магазин «Магнит». Выпьем, обмозгуем и дальше двинемся.

— Ключи, — коротко бросил Лев.

— Думаете, что решетка запирается на магнитный замок? — проявил эрудицию Красовский.

— Нет. — Гуров подошел к решетке и показал вниз, под стол. — Видите, там лежит связка ключей. Один, самый большой ключ вполне соответствует типу замка, которым заперта решетка.

— Нужен мощный магнит, чтобы подтянуть их сюда, — вздохнул архитектор. — Наверное, где-то есть выключатель.

— Давайте смотреть, что тут есть еще, — предложил Гуров, простукивая заднюю стенку встроенного шкафа. — Материей обтянуто, а под ней дерево. Доски, наверное.

— Прикроватная тумбочка пустая, — заявил Красовский, выдвигая ящик.

Крячко молча прощупывал постель. Пройдя всю ее руками через одеяло, он стащил его, отбросил на спинку, прощупал подушку и замер.

— Тут что-то есть. На ощупь будто чугунная, я ватных подушек сто лет уже не видел. Раритет, конечно, но в ней что-то есть продолговатое.

Гуров и Красовский подошли и стали смотреть, как Крячко шарит в недрах старой подушки через дырку в ткани. Наконец Станислав извлек на свет ржавый, поцарапанный и чуть погнутый ключ с крестообразными бороздками. Все сразу повернулись к замку на решетке. Нет, все же там была замочная скважина под обычный ключ с двумя «бородками».

— Здесь нет такого замка, — заметил Лев. — Такие замки ставятся на современные железные двери высокого уровня защиты.

— А не зря он имеет форму крестообразной отвертки, — задумчиво проговорил Стас, разглядывая ключ. — И даже вроде бы подпилен немного. Что здесь можно им отвернуть? Какие винты или шурупы?

— Замок на решетке приварен намертво, — отозвался архитектор. — Стул и стол клееные, без винтов. Кровать тоже сборная и без винтов. При царе Горохе произведена.

— А как рычаг его использовать можно? — Гуров стал осматривать помещение. — Давайте исходить из того, что ключ, образно говоря, — это возможность открывать доступ к чему-то, и не обязательно с помощью открывания замка.

— Шкаф явно только гвоздодером разбирать, — с сомнением сказал Крячко. — Полы бетонные, решетку этими зубчиками не перепилить...

— Унитаз, — перебил его Лев, разглядывая постамент. — Никаких винтов или шурупов я не вижу, но вот небольшая щель и следы какого-то инструмента, который в эту щель совали, есть. Посмотрите.

Все трое присели возле тумбы, Крячко, подсунув ключ в щель, нажал, и, к удивлению всех троих, фанера легко отошла. Он склонился, заглядывая внутрь тумбы, и с довольным видом изрек:

— Есть!

Затем просунул руку внутрь и извлек из тумбы цилиндрический кусок металла, который был подвешен там на бечевке.

— Магнит! — первым догадался Красовский. — Это же магнит. Магнит от обыкновенного старинного акустического динамика, которые у музыкантов в колонках устанавливаются, в выносных колонках музыкальной аппаратуры.

Станислав молча поднялся и, подойдя к кровати, поднес к ней железку. С характерным стуком магнит прилип к стальной ножке кровати, и отодрать его удалось с большим трудом. Гуров посмотрел на ключи за решеткой в другой части комнаты и прикинул расстояние. Примерно метра три. На этой короткой бечевочке его не добросить до ключей. А магнит явно для этого и предназначен. Вот он, путь за пределы камеры. Неужели все так просто? Из-за такого пустяка не стоило и «огород городить». Нет, тут все должно быть сложнее, хотя ключи, видимо, один из этапов игры.

— А как же мы его туда добросим? — спросил Крячко, подумавший о том же. — Точнее, добросить не сложно, сложно вернуть.

— Значит, брючные ремни, — вздохнул Гуров и стал расстегивать ремень на джинсах.

Ремни пришлось застегивать в имеющиеся на них дырочки, потому что связать их не удалось, слишком они жесткие. И из-за этого длины не хватило, примерно около метра. Тогда Гуров стащил с себя куртку. Привязав к одному рукаву ремень, а ко второму бечевку с магнитом, он решил, что теперь длины хватит. Пришлось вставать на колени, просовывать всю эту сложную конструкцию между прутьями решетки и аккуратно складывать на полу уже по ту сторону. Первый бросок не дал результата, но показал, что длины всей «веревки» хватит, если лечь на бок и просунуть за решетку руку.

Лев добровольно взял на себя эту миссию. Еще один бросок не увенчался успехом, но на третий раз магнит перелетел через связку ключей, валявшуюся под столом. Тянуть теперь надо было не на себя, перпендикулярно к решетке, а чуть под углом, чтобы магнит задел связку. Крячко лег на пол правее Гурова, перехватил из его руки «веревку» и стал плавно тянуть. Звякнул металл, и большой железный ключ на связке намертво прилип к магниту.

Все облегченно вздохнули, когда связка заползла в камеру и оказалась в руках Крячко. Станислав не без труда отсоединил ключ от магнита и, подойдя к решетке, вставил его в замочную скважину. Два поворота, и дверь в решетке со скрипом открылась.

— Ух ты! — восхитился Красовский, начинавший чувствовать вкус к этой игре. — Мы сделали это, мы выбрались из камеры!

— А связка ключей, похоже, бестолковая, — предположил Крячко, продолжая рассматривать добычу. — Тут все ключи от английских замков, плоские. И ни одной двери с таким замком. Я полагаю, что теперь надо искать ключ от следующей двери.

Гуров подошел к двери, которая вела из комнаты охраны в следующее помещение, и присмотрелся к ней. Судя по ее состоянию, ее вообще никогда не открывали. Он опустился на корточки и осмотрел нижнюю часть дверного полотна. Удивительно, но оно стояло просто на полу, без всяких порогов. Если дверная коробка и имелась, то только по бокам и сверху, но она была скрыта наличниками. Снизу дверь так плотно прилегала к бетонной стяжке пола, что, открываясь, неизбежно бы задевала и оставляла следы либо на цементе, либо обдиралась нижняя часть самого дверного полотна. Ничего подобного Лев на полу или на нижней части дверного полотна не увидел.

— Об этой двери забудьте, — сказал он. — Это муляж, а не дверь.

— Как и окно в камере, — подхватил Крячко. — Тогда где же выход?

— Я думаю, что так просто и не должно быть, — пожал плечами Лев и позвал Красовского: — Архитектор, что скажете об этом помещении?

— Трудно сказать что-то определенное, — вышел из задумчивости Красовский и стал озираться по сторонам. Ему игра явно нравилась. — Одно ясно — помещение подвергалось перепланировке. Вон видны плохо заделанные следы легких каркасных перегородок. А стены все сделаны из кирпича, определить, какая из них несущая, а какая нет, я не смогу.

— Я смогу, — сказал Гуров. — Вспомните здание, в которое мы вошли. Оно узкое. Судя по следам перегородок, помещения здесь нарезались вдоль здания, а теперь эти две комнаты, разделенные решеткой, выделены поперек. Вот тут была комната, а здесь, видимо, проходной коридор через все здание. Таким образом стена камеры, на которой изображено окно, и стена, на которой прилепили вот эту дверь, капитальные. Это внешние стены здания. За ними ничего нет, только улица. И путь у нас может быть или налево, или направо. Где, собственно, дверей и нет.

— Ох, не вовремя я сегодня упомянул про люки в полу, — засмеялся Стас, хлопая по карманам шинели, висевшей на вешалке. — Это, я думаю, интерьер. А вот маленький сейф, прикрученный к стене, заперт не случайно. В нем что-то полезное для нас быть должно.

Гуров тем временем подошел к старинному письменному столу с суконным верхом и выдвинул верхний ящик. Пыль, старые скрепки, несколько кнопок, пуговица... от шинели. Зачем здесь пуговица? Случайно или нет? По простой логике игры тут случайного быть не должно или должно быть очень мало. Скорее для того, чтобы сбить с толку. Шинель по замыслу принадлежит охране, если пуговица в столе, значит, здесь должна быть и подсказка. Это намек.

Он вытащил верхний ящик и заглянул в нишу. Ничего. Сунул руку внутрь и провел по пыльным поверхностям. Ничего. Открыв боковую дверку стола, стал выдвигать ящики. Один пустой, второй пустой... И тут Гуров увидел, что третий, самый нижний ящик не входит до конца в стол. Потолкал его рукой и понял, что ящику что-то мешает. Вытащив его совсем, он присел на корточки и посмотрел в освободившееся от выдвижных ящиков пространство стола. Там лежал ключ. Обычный, с двумя «бородками», только большой. И «бородки» были широкими, со сложными вырезами.

— Я думаю, что это как раз от сейфа, — доставая ключ, сказал Лев и поднялся на ноги.

— Ух ты! — восхитился архитектор и с уважением посмотрел на него.

— Точно, — согласно кивнул Крячко, взял у Гурова ключ и подошел к сейфу. — Надеюсь, внутри нас не ждут сюрпризы со вспышками, локальными мини-взрывами или ядовитыми змеями.

Гуров и Красовский замерли за спиной Крячко. Действительно, сейф у каждого из них ассоциировался с чем-то важным, что в нем обычно хранится. Естественно, что и в данной ситуации наличие сейфа наводило на те же мысли и вселяло определенные надежды. Крячко открыл сейф двумя поворотами ключа, пренебрежительно хмыкнув. Самый обыкновенный сейф. А если уж быть точным, это изделие называется и не сейф вовсе, а несгораемый шкаф.

На двух пустых полках было пыльно и тоскливо, как после спешной эвакуации. Две ржавые скрепки, одна гнутая кнопка. Верхнее отделение с дверкой, или в обиходе денежное отделение, было открыто, внутри что-то лежало. Сунув руку внутрь, Станислав пошарил там и вытащил пластиковую коробочку с кнопкой и стеклом на одной боковой стороне. Щелчок, и на стенке сейфа появилось пятно голубоватого света.

— Знакомая машинка, — сказал он, включая и выключая прибор.

— А что это? — Красовский с интересом посматривал на сыщиков и на прибор в руке Крячко.

— Это ультрафиолетовый детектор, — пояснил Гуров. — Такими проверяют подлинность денежных купюр, например. Есть детекторы с определенной длиной волны, которые помогают прямо на месте определить, является ли пятно на полу или на одежде кровью. Интересно, для чего нам эту штуку здесь подбросили?

— Архитектор, у тебя нет в кармане фальшивых долларовых купюр? — спросил Крячко с самым серьезным видом.

— У меня? — не понял Красовский. — Простите?

— Шутит он, — задумчиво проговорил Гуров, беря из рук Крячко детектор. — Если есть такая машинка, значит, есть и предмет, который ею можно осветить. А из бумажек у нас была только единственная записка со словом «магнит». Ну-ка, где она?

Крячко вытащил бумажку из кармана и протянул напарнику. Гуров положил записку на стол, разгладил рукой и осветил сначала ту сторону, где было написано «магнит». Никаких надписей не проявилось. Затем он перевернул листок и снова положил на стол. Теперь в голубоватых лучах света четко стали видны линии и какие-то символы.

— Ого! — не удержался от восхищенного возгласа Красовский.

— Вот это уже интересно, — потер руки Станислав и склонился вместе с Гуровым над листком бумаги. — Это же план наших двух комнат. Даже кровать и стол охраны с сейфом показаны. Что еще там есть?

— Там есть какая-то ниша или небольшая комната размером с квадратный метр, — постучал пальцем по плану Гуров. — И где-то вот за этим шкафом в комнате охраны.

— Это туалет! — оживился архитектор. — По размерам и по своему расположению в стороне от окна, как раз в том месте, где проходят вентиляционные каналы. Санузлы всегда в планировке тяготеют к вентканалам и стоякам воды и канализации.

— Типун тебе на язык, — буркнул Крячко. — Я по вентканалу не полезу. Хотя не зря его тут обозначили, это все же подсказка, и проверить надо.

— Проверяйте, — продолжая задумчиво рассматривать план, проговорил Лев. — Что-то тут еще должно быть.

Крячко и Красовский возились возле шкафа, переругиваясь вполголоса. Сыщик называл архитектора косоруким за то, что тот прищемил ему палец шкафом, который они принялись отодвигать. Красовский вежливо доказывал, что он не виноват. Потом они оба замолчали и принялись чем-то скрести по дереву.

— Что там у вас? — спросил Гуров, не поднимая головы от схемы. — Нашли вход в эту нишу?

— Практически нашли, — заявил архитектор, — только ниша закрыта деревянным щитом, а не фанерочкой. И чтобы его снять, нужна хорошая отвертка с плоским жалом. Где они такие шурупы-то взяли? Может, по шинелям снова пошарить?

— Подождите! Идите-ка сюда, — позвал Гуров.

Когда Крячко и Красовский подошли, он показал на схематическое изображение кровати, выполненной, как и вся схема, в аксонометрической проекции. Затем достал из кармана авторучку и кончиком указал на одну из ножек нарисованной кровати:

— Смотрите, ребята! Вам не кажется, что одна ножка у кровати толще нарисована?

— Кажется, все одинаковые, — посмотрев на кровать, ответил Красовский.

226

— Э, нет, дружочек, — покачал головой Крячко, сразу догадавшийся, что имел в виду Гуров. — Тут речь идет совсем о другом. Не в толщине дело, а в том, что ее на схеме выделили из других. Правая у изголовья, говоришь, Лев?

Они вернулись в камеру, и Крячко взялся решительно двигать кровать. Развернув ее поперек комнаты, он присел на корточки возле ножек у изголовья, постучал по ним костяшками пальцев. Подумав немного, встал и просто поднял кровать с одной стороны. Из правой ножки выпала и покатилась по каменному полу большая отвертка с треснутой деревянной ручкой и плоским широким жалом.

— Вот так вот, — довольно констатировал Станислав и поднял отвертку. — Снова мы на шаг ближе к разгадке. Как, Ваня, нравится игра?

Похлопав архитектора по плечу, он прошел в комнату охраны и принялся деловито вывинчивать большие шурупы из деревянного щита за шкафом. Гуров мельком глянул на часы. Пока они проходили квест с приличной скоростью и практически без заминок. Весь квест должен быть пройден за два часа, а они за пятнадцать минут и вторую комнату открыли, и потайную комнату какую-то уже открывают. Правда, маловата комната для серьезного сюрприза, но время есть. Ох, Стас, втянул его в эти игрища. Не хватало еще, чтобы Орлов узнал, чем они со Станиславом занимаются в свободное время.

— Ну-ка, мужики, — позвал Крячко, — придержите щит. Мне два шурупа осталось вывернуть.

Гуров и Красовский подошли, прижали щит и, когда Крячко закончил вывинчивать шурупы, отвалили его от стены. Проем оказался удивительно похожим на старый дверной, из которого давно уже вытащили дверной блок. Шкаф немного закрывал свет от пыльной лампочки под потолком, но было хорошо видно, что это бывший туалет. У дальней стены чугунная канализационная труба, обрезанные трубы на уровне следа от раковины. А посреди этой тесной комнатушки, вмещавшей в прошлые времена лишь унитаз и раковину, стоял большой деревянный ящик. Судя по конструкции и полустертым эмблемам и надписям, а особенно по характерной зеленой краске, ящик был в прошлом из военного ведомства, и в нем когда-то хранились или перевозились какие-то то ли бомбы, то ли снаряды большого калибра.

— Ну вот, — кивнул на ящик Лев. — Я полагаю, что у нас теперь много отгадок будет, много предметов, о которых стоит поразмышлять.

— Если он не пустой, конечно, — хмыкнул Крячко, поигрывая отверткой. — А то ведь просто просится такая вот подлянка для играющих. Я бы обязательно на месте организаторов подсунул такой аппетитный, но абсолютно бестолковый предмет. Только вот...

— Что? — спросил Гуров и стал принюхиваться.

Красовский, стоявший к ящику ближе всех и уже достаточно распаленный игрой, шагнул вперед, наклонился, поднял крышку, державшуюся на двух боковых петлях, и тут же отпрянул с таким визгливым воплем, что сыщики первым делом бросились осматривать самого архитектора, не укусило ли его что-то неведомое в ящике. Но Красовский был цел, только очень бледен, и губы у него посинели. Крячко поступил просто, он встряхнул архитектора так, что у того лязгнули зубы и хрустнули кости. Красовский ойкнул, и взгляд его стало более осмысленным.

— Там... там человек, — прохрипел он, судорожно сглатывая слюну.

Станислав подошел к ящику и поднял выпавшую из рук Красовского крышку. При слабом освещении все равно было хорошо видно, что в ящике, скорчившись, лежит человеческое тело. Лежит на правом боку, чуть повернувшись на живот. А из-под левой лопатки торчит рукоятка обычного кухонного ножа. Сыщики слишком долго проработали в уголовном розыске, чтобы с первого взгляда не понять, что в ящике труп.

— Теперь понятно, — вздохнул Крячко, — откуда этот запах крови. Причем свежей. Доигрались!

Гуров вытолкнул Красовского, у которого подгибались ноги, в большую комнату и усадил на стул. Затем поднял голову в поисках объективов камер и громко крикнул:

— Администрация! Организаторы, кто там есть, черт вас возьми! Бегом сюда!

Кажется, наблюдатели поняли, что дела обстоят не очень хорошо. Железная дверь со страшным скрипом открылась, и в игровую зону вбежали трое молодых мужчин. Один, видимо, был медиком, потому что в руках он держал небольшой чемоданчик с красным крестом на крышке. Все трое бросились к Красовскому, но Гуров схватил за рукав одного из мужчин с модной небритостью на лице и рывком остановил:

— Кто у вас здесь сейчас самый главный?

— Мужчина, успокойтесь, — вяло улыбнулся небритый. — Если хотите прекратить игру, то скажите. Мы вас сразу выведем отсюда, а насчет этого, — кивнул он на Красовского, — то вас предупреждали, что возможны сильные впечатления. И если кто-то из вас в себе не уверен, то...

— Вы тут совсем с ума все посходили! — рявкнул Гуров и тряхнул мужчину за грудки. — У вас там в ящике труп лежит. Это, по-вашему, острые ощущения?

— Что? — Небритый рассмеялся и покосился на своих коллег, доктор в ответ понимающе покивал головой и заговорил:

— Мужики, успокойтесь. Там лежит всего лишь аниматор, актер. Влад! Подай голос! А еще лучше, просто выйди к нам сюда. Игра все равно уже окончена.

— Он не подаст, — отрицательно покачал головой Крячко. — Из него столько крови вытекло, что он рад был бы, но не смог выжить.

Гуров, окончательно разозлившись, вытащил из кармана удостоверение и развернул его перед носом небритого. Дождавшись, когда тот изучит документ и смысл его уляжется в голове, он снова спросил:

— Кто сейчас старший есть в здании из вашей фирмы?

Все трое представителей администрации вдруг стали серьезными, переглянулись и как по команде уставились в ту сторону, где за шкафом была вскрыта ниша с ящиком. Гуров смотрел на них, а нос щекотал запах крови. Этот запах был хорошо знаком обоим сыщикам, и оба его сразу почувствовали, войдя в комнату с ящиком. Крови было много, гораздо больше, чем могло бы вытечь из человека, если бы в него просто воткнули кухонный нож. Много крови бывает из поврежденных внутренних органов, сосудов или если орудие убийства в ране проворачивают после нанесения смертельного удара. Есть такая манера у тех, кому приходилось часто убивать людей. Этим способом часто пользуются в боевой обстановке бойцы спецподразделений. Когда дело доходит до рукопашной схватки, времени нет на то, чтобы расчетливо нанести удар в желаемую точку тела противника, поэтому его наносят обычно в ту точку, которая на тот момент оказывается открытой. Жестоко, но оправданно.

Это были первые выводы, которые машинально сделал Гуров. Правда, умеют такие удары наносить и матерые уголовники. Но это уже чистая жестокость, желание заставить человека помучиться перед смертью. А теперь надо сделать самое главное, понимал сыщик, обезопасить место преступления, сохранить следы, которые еще можно сохранить, ограничить доступ в здание, задержать до приезда опергруппы всех, кто в нем находился до настоящего момента. Ведь среди этих людей могли быть не только важные свидетели, но и убийца. Или убийцы! А для этого необходимо максимально изолировать людей друг от друга.

И началась работа. Заперли двери в помещения самого квеста, собрали в одном холле первого этажа всех сотрудников, которых оказалось, к счастью, всего пятеро, включая бухгалтера, приехавшую подписать у управляющего документы, и охранника. Нашлись еще четыре комнаты, куда можно было поместить каждого из сотрудников до приезда следователя и криминалистов. И тут же выяснилось, что единственная входная дверь была не заперта.

Красовский сидел на мягком пуфике, зажав голову руками. Кажется, его немного отпустило, и он ударился во внутренние терзания. Ну, это подождет, решил Гуров, хорошо, хоть без «Скорой помощи» обошлось. Он подошел к кабинету, в котором сидел менеджер проекта Агапов, и распахнул дверь. Небритый молодой мужчина курил, хмуро стряхивая пепел в блюдце, хотя неподалеку имелась чистая пепельница. Лев отметил этот момент — плюсик в пользу Агапова. Явно в шоке и некоторой прострации, значит, не имеет отношения к преступлению. Хотя всегда остается шанс встретить человека с талантом актера, который это состояние просто умело разыгрывает.

— У вас вон пепельница рядом, — кивнул Гуров, усаживаясь в кресло напротив стола менеджера.

— Что? — непонимающе посмотрел на него Агапов. — Какая разница...

— Для меня никакой, — усмехнулся Лев, — вам потом из нее бутерброды есть придется. Ну, да не в этом дело. Кто этот парень в ящике?

— Труп, — зло поморщился Агапов и раздавил окурок в блюдце с таким видом, словно давил клопа. — Вы же сами сказали!

— Держи свои нервы в руках, — посоветовал сыщик. — Ты руководитель, организатор, ты лицо, ответственное за деятельность своего подразделения. Нельзя так распускаться.

— Вот спасибо, что про ответственность напомнили. А то я по причине своего инфантилизма как-то забыл про нее. Ладно, все! — Агапов с силой потер руками лицо и сказал себе вслух: — Успокоился и взял себя в руки!

— Молодец! — оценил Гуров. — Тогда займемся делом. Кто этот парень, который лежит там с ножом в спине?

— Аниматор. Владик Левкин. Актер, нанятый, чтобы изображать труп. В других квестах он изображал зомби, привидение и другую муру. Короче, создавал определенную психологическую атмосферу.

— Давно с ним работаете?

— Да год примерно. Бред какой-то! Кому он помешал? За что его могли убить?

— Важные вопросы. Но вы сначала расскажите про этого Левкина.

— А что про него рассказывать? Нормальный парень, студент актерского факультета театрального института. Веселый, беззлобный, неконфликтный.

— То есть у работников вашего предприятия убивать его причин не было. Тогда, может, конкуренты, может, вы кому-то отказали и отдали это работу Левкину, а конкурент его решил убить?

— Послушайте, — с недоумением посмотрел на Гурова Агапов, — вы вроде бы полковником представились, а говорите... простите, как начинающий лейтенант какой-то. Убивать из-за такой фигни? Да если бы и стали, то не здесь и не так! В каком-нибудь пивном баре, в парке, я не знаю, в клубе. Когда поспорили, поссорились, в пылу пьяного угара.

— Ну, вот вы и начали нормально и профессионально мыслить, — улыбнулся Лев. — Кто и каким образом мог умудриться провернуть такое замысловатое убийство? В данном случае причина — дело второе, первое — возможность! Согласитесь, что постороннему это сделать сложно, почти невозможно, а работнику вашего предприятия легче легкого. Его ведь убили, положили в ящик, потом посадили на шурупы деревянный щит, заперли все двери и запустили нас.

— Не так все, — покачал головой менеджер, — его там никто не запирал. Он поднялся с нижнего этажа по стремянке через люк в полу. В смысле, что люк в полу старого санузла, где ящик стоит, а на первом этаже это люк в потолке. Он просто скрыт потолочным растровым светильником.

И тут Агапов как-то странно замолчал, глядя перед собой и покусывая нижнюю губу. Гуров сразу отметил это состояние внезапно нахлынувшей задумчивости. Парень явно что-то внезапно вспомнил или осознал. Он постучал костяшками пальцев по столу, привлекая к себе внимание:

— Николай! Я здесь! Ау, очнитесь!

— А? — Агапов поднял глаза на сыщика и кивнул. — Да я просто сейчас подумал... Может, это его друг, с которым они сегодня вечером пришли.

— А вот с этого места, пожалуйста, подробнее, — предложил Гуров и полез в карман за блокнотом и авторучкой.

— Влад пришел сегодня раньше на полчаса, — потирая щетину на щеке, начал Агапов. — Пришел с каким-то другом-актером. Обычно кто-то из нас помогал Левкину забираться наверх, а уж там он сам гримировался, поливался краской, имитирующей кровь. Влад давно уже у нас работает, дело свое знает. Ну, полезли они вдвоем наверх. Оттуда он связался по рации. — Агапов вытащил из кармана и положил на стол дешевую простенькую рацию с маленьким радиусом действия. — Мы такие часто используем при подготовке и проведении квестов. Сказал, что готов, а тут вы приехали. Ну... потом произошло что-то неладное, мы и предполагать не могли...

— Дверь внизу кто за нами запер, когда мы вошли в здание?

— Дверь? Охранник, Сергеич. Смирнов Олег Сергеевич. Потом мы с вами коротко переговорили, вы подтвердили, что участвуете, и пошли все наверх.

— Внизу никого не осталось?

— Да... — Агапов замялся и пожал плечами. — Как-то большой необходимости в том не было. По нашим правилам, до того момента, как вы вошли в игровую зону и началась игра, охранник должен быть рядом с игровой зоной, потом... Потом он в принципе свободен. Наверное, пошел чайку выпить. Нет необходимости дежурить внизу.

— Ладно, это я понял, — делая пометки в блокноте, сказал Гуров. — Теперь опишите друга, с которым пришел Левкин.

— Вы тоже думаете, что это он? — настороженно и даже чуть понизив голос, спросил Агапов.

— Подозревать этого человека у меня столько же оснований, сколько любого из вас, — спокойно ответил сыщик.

— Но у нас нет мотивов для убийства Левкина!

— А у его друга? Вы что-то знаете о его мотивах? То-то же. Я вот тоже ничего не знаю ни о ваших мотивах, ни о мотивах того человека. Итак, опишите его.

— Да описывать-то особенно нечего, — вздохнул менеджер. — Я не приглядывался. Невысокий, худой. Нос у него такой... хрящеватый, что ли, костистый такой нос. Борода дурацкая. Неопрятная. Я еще подумал, что творческие люди, наверное, в большинстве своем не очень любят за собой следить. А может, просто не стремятся. Очки еще, с чуть затемненными стеклами. Думаю, это дань моде, мне показалось, что они ничего не увеличивают. Одет в старые потертые джинсы, футболка серая, вытянутая.

— А сколько на вид ему лет?

— Сколько... лет? — задумался Агапов. — М-да. Сложный вопрос. Не парень, конечно, не двадцать и не двадцать пять. Может, тридцать... пять, может, и больше. Короче, неопределенный какой-то возраст. Боюсь сбить вас своими предположениями.

Когда приехала оперативно-следственная группа, Гуров и Крячко дописывали рапорты, в которых излагали причины своего участия во всем произошедшем и основную хронологию событий. Передав следователю бумаги, а дежурному оперу из МУРа, приехавшему с группой, результаты своих наблюдений и свои выводы, сыщики вышли наконец на улицу под ночное московское небо.

— Эх, на звезды бы посмотреть, — вздохнул Крячко, задрав голову вверх. — Только не видно их в Москве ночью. А как все хорошо начиналось. Весело, нестандартно, было бы что вспомнить потом, а теперь...

— И теперь будет что вспомнить, — перебил его Гуров. — Хорошо, что мы с тобой на месте оказались, а то бы эти деятели накрутили бы тут, следы затоптали бы. Ты этого Морозова знаешь, который с бригадой приехал?

— Морозов в МУРе третий год, — кивнул Крячко, идя к машине. — Я его туда рекомендовал в свое время. Он перешел из Северо-Западного округа. На тот момент слыл толковым оперативником, принципиальным.

— Ну и хорошо, — усаживаясь рядом с Крячко в машину, заметил Лев. — Значит, помогли мы капитану Морозову.

Телефон зазвонил неожиданно, но Гуров даже обрадовался звонку. Ему было как-то не по себе, когда телефон долго молчал, это казалось ненормальным. Странно, но номер абонента был ему незнаком.

— Слушаю, Гуров, — отозвался сыщик в трубку.

— Товарищ полковник, это капитан Морозов из МУРа. Хотел поделиться информацией. В ящике под трупом найдены накладная борода и парик. Хорошего качества изделия, из профессионального грима.

— Ну, тогда поздравляю вас, товарищ капитан, — буркнул Гуров. — Не забудьте, что убитый Левкин учился в театральном институте. Не оттуда ли грим и не оттуда ли его «друг», с которым он пришел сегодня на квест?

— Да, спасибо. Я буду иметь в виду эту версию.

— Что там? — не включая скорости, спросил Крячко, прислушивавшийся к разговору напарника.

— Как и следовало ожидать, борода и волосы «друга» были фальшивыми.

— Вот так, — включая скорость и трогаясь, философски заметил Крячко. — Не только бороды, но и друзья зачастую случаются фальшивыми.

— Не будем спешить с выводами.

## Глава 3

За все время утренней планерки в понедельник Гуров не поднял глаз на генерала Орлова. Интуиция подсказывала сыщику, что его начальник и старый друг Петр Николаевич все знает об их со Станиславом вчерашней выходке. Крячко, наоборот, смотрел на окружающих со снисходительной усмешкой и был с самого утра активен как никогда. Он взязывался в обсуждение служебных вопросов, вставлял свое мнение, там где его даже и не спрашивали, начинал разносить в пух и прах ситуации, в которых молодые сотрудники управления показали себя не с лучшей стороны или не с максимальным профессионализмом.

Орлов, казалось, не замечал гиперактивности Крячко и унылого состояния Гурова. Однако, когда планерка закончилась и офицеры стали с шумом подниматься из-за стола и покидать кабинет генерала, он вдруг подошел к Гурову и попросил его и Крячко остаться. Лев вздохнул и снова опустился в кресло, с которого только что встал. Орлов принялся ходить по кабинету, что всегда означало состояние сосредоточенности. Или сосредоточенности на каком-то деле, или Орлов просто подбирал слова помягче и поделикатнее, чтобы не обидеть своих друзей.

— Кажется, знает уже, — тихо сказал Крячко. — Сейчас он нам всыплет по первое число.

— Так, — заговорил наконец Орлов с явным неудовольствием в голосе. — Что это там за история с квестом и трупом в гробу?

— Не в гробу, — тут же бросился поправлять Крячко, — а в ящике. Военный ящик от крупнокалиберных боеприпасов.

— Черт бы вас подрал! — процедил Орлов сквозь зубы. Это получилось у него не зло, а скорее устало. — Два великовозрастных шалопая, игры им молодежные, видите ли, нужны, в «Зарницу» решили поиграть. Что это вообще за занятие такое, времяпрепровождение для двух полковников полиции? Вам что, на работе не хватает подвалов, решеток, ржавых цепей и скелетов?

— Так, Петр, — остановил его Гуров, — давай без нервов. Дело обычное, заурядное. И ничего в этом постыдного или предосудительного нет. Я имею в виду само развлечение, а не убийство, конечно. Я тебе сейчас расскажу.

— Да, знаю, знаю, — махнул рукой Орлов и уселся в кресло напротив сыщиков. — Навел справки еще утром. И я не говорю, что это неприлично. Каждый волен развлекаться как хочет, если это не идет вразрез с общественной моралью. Но вот вам, полковникам МВД, надо бы поосторожнее себя вести в таких вопросах.

— Никто не предполагал, что все так закончится, — вздохнул Гуров. — Это случайность, что в игре оказались именно мы со Станиславом. Но в какой-то мере и хорошо, потому что, будь на нашем месте другие люди, и оперативно-следственная группа не собрала бы и половины тех доказательств и следов, что для них сохранили мы. Что, министру уже доложили?

— Заместитель министра ждет меня через час по этому вопросу.

— Из-за нас?

— Не уверен, что только из-за вас. Там с вами был архитектор один, Красовский его фамилия. Он человек со связями оказался, и его покровители обеспокоены, не попал ли этот модный в определенных кругах архитектор в число подозреваемых. И если попал, то как его отмазать.

Гуров спокойно, но сжато рассказал Орлову все, что с ними произошло в этом злополучном квесте и что они предприняли, когда обнаружили труп. Особо отметил, что оснований подозревать Красовского нет и быть не может. Орлов хмуро смотрел в стол и крутил карандаш.

— Ну, это понятно. Копии ваших рапортов у меня на столе.

— Тогда зачем понадобилось снова нас расспрашивать? — возмутился Лев.

— Затем, что живая речь дает больше, чем буквы на бумаге, — равнодушно отозвался Орлов, вставая и отходя к своему рабочему столу. — Ты этого не знал? Кто там в МУРе занимается этим делом?

— Вчера с группой приезжал капитан Морозов, а кому отписали сегодня, неизвестно, — ответил Крячко.

— Что из себя этот Морозов представляет? Кто-нибудь его знает?

— Станислав уверяет, что это толковый опер.

— Это хорошо, — кивнул Орлов и уселся набирать номер на телефоне.

Он звонил в МУР, и Гуров сразу понял зачем. Помимо того что он узнает о ходе расследования этого убийства, он еще распорядится, чтобы дело оставили именно за капитаном Морозовым. Это всегда полезно, когда человек, занимающийся преступлением, сам побывал вместе с оперативно-следственной группой на месте событий, своими глазами видел все, до мельчайшего пятнышка, видел положение тела, просто ощутил обстановку на месте. Из вторых рук информация искажается порой очень сильно, а уж чего говорить о «вторых» и «третьих» руках. Наконец Орлов закончил разговор, сделал себе еще несколько пометок на листе бумаги и задумчиво поднял глаза на сыщиков:

— Ну, в принципе там работа ведется нормально. План работы реальный, силы подключены нужные. А вам мне придется объявлять поощрение в приказе.

— Упс! — засмеялся Крячко. — Это что же! Только что возил нас фейсами об тейбл, и вдруг...

— А ты учись, Станислав, учись, — улыбнулся наконец генерал. — Вот заставит тебя судьба переключиться на руководящую и административную работу, и ты мои уроки вспомнишь. Отправляйтесь-ка оба к себе и садитесь за рапорты. Основные ключевые слова и понятия, которыми должны пестрить ваши писанины, — это мой устный приказ о проведении проверок распространившихся по Москве странных игр под названием «квесты» на предмет выявления потенциальной угрозы для молодежи, роста криминала и тому подобное. Основную идею поняли? Вы там были по работе, а не развлекались, потому что одного жена попросила, а второй не смог отказать мужу смазливой актриски.

— Очень смешно, — проворчал Крячко, выбираясь из-за стола. — Когда это я увлекался замужними женщинами?

Мария Строева за время репетиции ловила на себе взгляды Ани Красовской раз двадцать. Это мешало репетиции, сбивало ее. В конечном итоге Мария решила просто не смотреть в сторону подруги. Понемногу она снова стала втягиваться в роль, и события позавчерашней ночи отошли на второй план. Аня Красовская всегда была дамой невыдержанной и несколько избалованной вниманием и в понедельник утром наговорила Строевой столько неприятного, что Мария просто повернулась и отошла от нее. Разговаривать в подобном тоне она не хотела. И вот теперь, судя по взглядам, Красовская искала пути к примирению. Ну, и пусть помучается, думала Маша.

Аня ждала ее в пустом прохладном вестибюле. И как только каблучки Марии застучали по ступеням лестницы, она кинулась навстречу подруге и затараторила:

— Машенька, ну, прости меня, ну, прости! Я дура вспыльчивая, я импульсивная, ты же знаешь! Ну, не сердись, Машенька!

— Аня, перестань! — поморщилась Мария. — Что ты как школьница, в самом деле?

— Машенька, мне просто страшно неудобно из-за того, что я втянула твоего мужа в эту дурацкую историю. Ну, откуда я могла знать, что там все так повернется? Это ужасное убийство! Жуть какая! Ваня вернулся домой под утро, на нем лица не было. Ты себе не представляешь! Ужасное тело, кровь, потом ночь в полиции, допросы. Может быть, его даже подозревают. Только ведь об этом никто не скажет, правда?

Последний вопрос явно не был риторическим. Да и все интонации, суетливое поведение Красовской говорили сами за себя. Уж Аню Мария Строева знала хорошо, как-никак близкая подруга. Но сердиться на нее Маша не могла. Да, Аня была источником этой жуткой ситуации, она притащила откуда-то эти подарочные сертификаты на прохождение квеста. Но ведь она не имела отношения к убийству и знать про него не могла.

Маша вздохнула, подумав, что для ее мужа и Станислава обнаружение трупа — дело обычное. Они всю жизнь их обнаруживают, сталкиваются с ними. Но все же неприятно, когда испорчен отдых, когда вечер, который можно было бы провести в более приятной обстановке, вдруг превращается в очередное расследование. Хотя...

— Машенька, милая, расскажи, как там обстановка. — Анна схватила подругу за локоть и подвела ее к пустому гардеробу.

— Анька, ну я откуда могу знать? — ответила Мария.

— Как откуда? — Красовская сделала большущие глаза. — У тебя муж полковник! Он же тебе что-то рассказывал, ты же его расспрашивала?

— Нет, — отрицательно покачала головой Строева.

— Как не расспрашивала? — ошеломленно уставилась на подругу Красовская. — Тут ведь... это же...

Она явно потеряла дар речи оттого, что ее подруга оказалась такой нелюбопытной, да еще в такой неподходящий момент. Или же говорила неправду, выведала все у мужа, а теперь набивала цену. Маша снисходительно посмотрела на Красовскую, взяла в руку ее ладонь и заговорила с интонациями, с которыми разговаривают с маленькими капризными девочками:

— Анечка, ты пойми, мне совсем не хочется лезть в дела мужа. Я беспокоюсь за него, я волнуюсь, когда его нет дома ночами или когда он уезжает в командировки, но расспрашивать... Не принято у нас это. Если ему нужно, он рассказывает, делится. И потом, дома ему хочется отдыхать от всего того, чем он занят буквально сутками. А тут я еще не дам ему своими расспросами расслабиться.

— Ну, — разочарованно выпятила губку Анна, — это дело хоть ему поручили?

— Аня, ты совсем ничего не понимаешь в этих делах. Мой муж работает в министерстве, ему никаких таких дел не поручают. Курировать он может, проверять может, но сам ничего не ведет. Для этого есть территориальные органы полиции. В данном случае, если я не ошибаюсь, дело передали в ГУВД Москвы, в МУР. Это убийство, это особо тяжкое преступление, и им занимаются в МУРе.

— Машунь, — Красовская жалобно посмотрела на подругу, — ты хоть спроси у Льва Ивановича, мой муж, он как... Для него это чем-то грозит?

— Ничем не грозит, глупая! — засмеялась Мария. — Он-то здесь при чем? Он даже не свидетель, потому что преступление совершено раньше, чем они туда вошли. Они просто обнаружили тело, и все. Я не понимаю, почему ты волнуешься, Аня? У твоего Ивана столько высокопоставленных покровителей, у него заказчики с такими регалиями, что достаточно одного звонка, и все разжуют и на блюдечке подадут.

— Он мне тоже ничего не рассказывает, — вздохнула Красовская.

То, что немного улеглось в душе с того злополучного вечера, снова всплыло, заставив где-то внутри ныть и болеть, как дырявый зуб. Мария ехала домой, на душе у нее было очень тревожно. Тревожно и страшно от того, что в городе вот так запросто могут убить человека. И не просто на улице или в темной подворотне, а во время игры в месте, куда приходят люди, где, кажется, все хорошо организовано. Казалось, что злодеи, затаившиеся в ночной Москве, всемогущи, что им нет преград и они могут все.

Что я себя мучаю, пыталась восстановить душевное равновесие Мария, Гуров разберется. Если дело на контроле в МВД, то его раскроют. Рядом Станислав, у них есть Петр, а он ведь генерал. Ребята все сделают как надо, они разберутся, защитят, они обязательно найдут убийцу, и все будет хорошо. Это просто от усталости нервы расходились. Я же актриса, успокаивала она себя, у меня слишком эмоциональная профессия, вот и устаю.

К дому Мария подходила уже почти спокойной, но напряжение снова сдавило ее безжалостными тисками, когда она подошла к подъезду. Только что подъехавшая полицейская машина стояла напротив, несколько зевак наблюдали, как полицейские открывают двери старенькой запыленной

«Хонды». Мария замедлила шаг, потом остановилась как вкопанная. На переднем сиденье лежало тело женщины в нелепом ярком маскарадном наряде. Женщина была мертва, это Мария поняла сразу. Что-то неуловимо отличает труп от пьяного, спящего или человека, просто находящегося в бессознательном состоянии. Непромытое, почти коричневое лицо выдавало в женщине алкоголичку. Полицейские просили отойти посторонних, возле машины молодой лейтенант разговаривал с кем-то по рации. Говорили о том, что машина числится с самого утра в угоне.

А возле «Хонды» эксперты щелкали фотоаппаратом, что-то осматривали, приседая на корточки. Потом, расстелив полиэтилен, стали вытаскивать труп женщины. Он выглядел как тряпичная кукла. Руки и ноги свисали и все время цеплялись за машину и сиденье. Нелепый костюм еще больше увеличивал сходство тела с куклой.

— Маша, что ты тут стоишь? — послышался рядом такой родной голос. Гуров обнял жену за плечи и поднял за подбородок ее лицо вверх. — Зачем тебе смотреть на это? Иди домой, я скоро тоже поднимусь.

— Ты здесь? — не столько удивленно, сколько с радостью в голосе спросила Мария. — Почему?

— Мне позвонил дежурный по городу. Возле нашего подъезда... вот я и решил приехать. Иди, Машенька, я скоро!

Мария кивнула и направилась к подъезду. Гуров проводил ее взглядом, потом подошел к оперативнику:

— Ну, что у вас есть?

— Пока мало, товарищ полковник, зато нелепость на нелепости.

— В каком смысле? Поясните.

— Эту женщину опознал местный участковый. Алкоголичка, квартиру имеет, но предпочитает бомжевать. Мы отправили отпечатки ее пальцев, скоро получим ответ. Она имеет судимость, и через час у нас будет основание считать, что личность убитой установлена.

— А машина?

— Машина в угоне. Хозяин живет на Шаболовке. Заявление об угоне поступило сегодня в половине девятого утра. Свидетелей уже опрашиваем. И здесь, и на Шаболовке, начали поквартирный обход, снимаем данные с камер видеонаблюдения.

— Хорошо, работайте, — кивнул Гуров и отошел к своему подъезду.

Он взглянул на машину и суетящихся криминалистов со стороны. Действительно, что за нелепость, подогнать угнанную машину к элитному, в общем-то, дому. И не просто машину, а усадить в нее труп бомжихи в клоунском наряде. Нелепость? Или преступники захотели привлечь чье-то внимание? Слишком уж все нарочито, броско. Похоже на то, что действительно хотели привлечь внимание. Осталось выяснить, чье именно.

Гуров решительно открыл дверь подъезда и вошел в прохладу чистого подъезда. Раз уж приехал, надо пообедать дома, да и Машку успокоить. Что-то она сама на себя не похожа сегодня. Может, в театре что-то, а он даже не спросил! Хотя Маша не только сегодня такая, она уже несколько дней смурная. У нее тонкая душевная организация, и в отличие от нас она не привыкла к созерцанию и осознанию происходящих рядом с ней убийств.

Открыв дверь своим ключом, Гуров вошел в прихожую и удивился тишине в квартире. Он постоял, прислушиваясь, потом прошел в гостиную и увидел Машу, лежавшую на диване. Она уткнулась головой в подушку, подтянула ноги к груди. Такое ощущение, словно хотела спрятаться, вжаться в диван так, чтобы скрыться от окружающего мира.

— Маша! — Гуров кинулся к жене, опустился на колени возле дивана и взял в руки ее лицо. — Машенька, что с тобой?

Мария посмотрела на него с такой болью в глазах, что Лев испугался. А потом обхватила его за шею, прижалась и прошептала со слезами:

— Я боюсь, понимаешь. Мне просто стало страшно.

— Глупая, чего тебе бояться? — стараясь говорить уверенно и весело, сказал Гуров. — С таким мужем тебе нечего бояться, с ним ты как за каменной стеной. Нет, за чугунной. Хотя... А что крепче, камень или чугун?

Он нес еще какую-то ахинею, стараясь снять с нее напряжение, он гладил ее по волосам, прижимал к себе, старательно улыбался. Но она вдруг отстранилась, посмотрела ему в глаза и со страхом в голосе прошептала:

— Ты не понял. На ней был костюм Коломбины.

— В смысле? — удивленно уставился на жену Лев. — На ком?

— На той женщине в машине. На мертвой. Это костюм Коломбины.

— Коломбины? Это что-то из национальных итальянских...

— Коломбина, — нетерпеливо стала объяснять Мария, — традиционный персонаж итальянской народной комедии масок. Понимаешь, они знают, что я актриса, что твоя жена театральная актриса! Это намек, это угроза, понимаешь? Я боюсь!

— Ну-ну! — Гуров снова обхватил жену руками и, поднявшись с пола, сел рядом с ней на диван. — Не надо так. Я серьезно говорю тебе, что угрозы нет. Что бы этот наряд ни обозначал, что бы злоумышленники ни имели в виду, тебе ничего не угрожает и угрожать не будет. Я тебе обещаю, что сейчас же вернусь к себе и возьму под самый полный контроль разыскные мероприятия по этому делу. И вот еще что, Маша... Я отправлю тебя из города...

— Ага, — кивнула Мария, — ты теперь согласен со мной, да?

— Ни с чем я не согласен, — улыбнулся Гуров. — Просто тебе нужен отдых, тебе нужно сменить обстановку, развеяться. Ты ведь теперь не сможешь ходить мимо нашего подъезда, не вспомнив ужасный труп женщины. А надо обязательно забыть, вот и вся причина.

Гуров, конечно же, и не собирался взваливать на себя контроль за розыском преступников по всей Москве из-за малейшего страха или усталости жены. Конечно, он пообещал, но это была небольшая ложь во благо. Он позвонит, он будет периодически узнавать, что удалось выяснить оперативникам и что стоит за этой страшной выходкой. Но Маша должна быть уверена, что все под контролем, что ей ничего не угрожает. А завтра же или послезавтра он решит вопрос с путевкой, сам переговорит с ее руководством в театре и отправит ее отдыхать подальше от Москвы. Нет, не подальше, в приличный подмосковный санаторий.

Обзвон соответствующих агентств, продававших путевки в санатории и дома отдыха, занял у него много времени. Пришлось отвечать на массу вопросов о состоянии нервной системы, хронических заболеваниях женщины, которая должна была отправиться по предполагаемой путевке отдыхать и поправлять свое здоровье. На вопросы Гуров отвечал лишь до момента, когда ему уже в четвертом агентстве сказали, что при покупке путевки нужно именное направление врача.

До такой степени «светить» Марию он категорически не хотел. Маша должна исчезнуть на время из Москвы без всяких следов покупки путевки и предъявления иных документов медицинского характера. И тут Лев вспомнил старого знакомого. Конечно же! Лозовский! Старого профессора-психиатра, все еще практикующего и слывущего незаменимым в своей области, Гуров знал уже много лет. Сначала судьба их свела при проведении психиатрических экспертиз подозреваемых, когда руками разводили именитые светила из Кащенко, и именно Лозовский выводил на чистую воду прирожденных актеров и симулянтов, цеплявшихся за жизнь и пытавшихся избежать высшей меры наказания.

Дверь кабинета неожиданно распахнулась, и вошел генерал Орлов.

— Слушай, Лева, — с ходу начал он, — я тут подумал вот о чем. Надо бы присмотреться к этому вашему преступлению.

Гуров с интересом посмотрел на старого друга. Идеи Орлова всегда были не просто интересными, они были неожиданными.

— Так, ну-ну?

— Модная игра для взрослых. Помещения, в которых оформляют игровую зону, растут как грибы после дождя. А ты вспомни, что любое массовое увлечение во все эпохи всегда поднимало со спокойного обывательского дна нечто нестандартное и отличное. Попросту будило маньяков разных мастей. Игра, ты мне сам говорил, очень эмоциональная, заставляющая нервную систему встряхнуться. А это ли не катализатор для шизофреника или человека, страдающего фобиями?

— Фобии, мне кажется, здесь не совсем подходят, — с сомнением сказал Гуров.

— Ладно, пусть не фобии, пусть просто чисто психологическая реакция отторжения, неприятия на маниакальном уровне.

— Ну, допустим. Есть в этом рациональное зерно, но паспортных данных участники квестов не оставляют, а записи с камер, как мне кажется, организаторы не хранят. Может, и не записывают вовсе, а только наблюдают, чтобы вовремя прекратить игру, если в группе участников пойдет что-то не так.

— «Может», «мне кажется», — повторил Орлов. — Знаешь, если бы не твой опыт...

— Прости, Петр Николаевич, — улыбнулся Лев. — Если ты пришел посоветоваться, это одно, если у тебя созрел определенный план работы, тогда это совсем другое.

Орлов поднял голову и некоторое время смотрел на сыщика. Потом глубоко вздохнул и улыбнулся в ответ:

— Тебе никогда не говорили, Гуров, что ты становишься занудой? Все тебе надо довести до абсурдной ясности и загнать в четкие рамки логики. Как с тобой Машка живет? А где свободный полет мысли оперативника, где его творческое мышление?

— А я двуличный, — развел руками Лев. — Дома — один, на работе — совсем другой. А творческое мышление подсказывает мне продолжение твоей мысли. Стоит присмотреться и к студентам театральных вузов. По крайней мере, посетить факультет, где учился погибший Левкин, стоит. Кстати, о Маше. Она мне как-то рассказывала о тенденциях в молодежных актерских кругах. Есть там определенные течения, которые при определенной эмоциональности могут вызвать неприятие. Только не называй меня ретроградом. Молодежь стремится к настоящим ощущениям, а не к наигранности. Отсюда и «руферы», и «трейнсерферы», и «фрейтхоперы», и «трейнхоперы», и «зацеперы». Хотя последние — это, кажется, одно и тоже.

— Ну, ты, я вижу, в теме!

— Как сказать, — пожал Гуров плечами. — Значит, ты полагаешь, что за этим преступлением не стоят никакие личные или корыстные мотивы. Что за ним вполне может быть нечто маниакально-социальное. Может, ты и прав. Хорошо, я пообщаюсь в институте, поговорю с капитаном Морозовым. Короче, подумаю на эту тему.


Профессор Лозовский предложил Гурову встретиться в парке их клиники посидеть на свежем воздухе. Борис Моисеевич терпеть не мог кондиционеров и сплит-систем, хотя обходиться без них не мог в силу своей профессии. Какое лечение, какой прием больных в жаре и духоте? Но если появлялась возможность хоть несколько минут подышать нормальным, живым, как он его называл, воздухом, он обязательно ее использовал. И сейчас в тенистом парке клиники он ждал сыщика, облокотившись на спинку лавки и выставив назад свои острые локти.

— Приветствую вас, Лев Иванович! — далеко выкидывая широкую сухую ладонь, улыбнулся профессор. — Рад вас видеть в добром здравии. Прошу, садитесь. Как здоровье вашей очаровательной супруги?

— Здравствуйте, Борис Моисеевич, — пожимая руку профессору и садясь рядом на лавку, ответил Гуров. — Вы не поверите, но именно о Марии я с вами и пришел поговорить.

— Да что вы? — Профессор сделал большие глаза и сложил сухие руки на груди. — Неужели по моей линии появились симптомы?

— Нет, я бы так не сказал! Вы не волнуйтесь, профессор, все нормально, но ваша помощь действительно нужна моей супруге.

— Хорошо, вы рассказывайте, — кивнул профессор, — а уж потом подумаем, чем вам помочь.

И Гуров рассказал все, начиная с состояния общей усталости у Марии и заканчивая страхами, которые у нее родились после событий в квесте и увиденной мертвой женщины в машине у подъезда их многоквартирного дома. Профессор слушал внимательно, чуть прищурив один глаз, и неторопливо кивал головой.

— Ну, да, — соглашался он, когда Гуров делал паузы, — ну, да. Вы правы, Лев Иванович, абсолютно правы.

— И теперь, — с виноватым видом развел руками Лев, — мне хочется отправить ее в специализированный санаторий недалеко от Москвы. Подлечить нервы, устроить ей общую терапию нервной системы и... простите, знать, что она близко, а не где-то в Минеральных Водах.

— Ну, может, кардинально сменить обстановку для нее было бы и лучше, но я понимаю, что вас волнует еще кое-что, и поэтому вы хотите, чтобы Мария была неподалеку.

— Если честно, Борис Моисеевич, то я просто опасаюсь оставлять ее одну на таком расстоянии. Не знаю, может, интуиция подсказывает что-то, но мне многое не нравится из того, что происходит вокруг. И еще, кроме того, что я хотел попросить вас помочь с путевкой в хороший санаторий, есть у меня к вам один важный разговор.

— С путевкой не проблема. Сегодня же я вам устрою направление и путевочку в один тихий и просто шикарный санаторий. Главное правило в нем — анонимность. Но вы не думайте, что там лечатся душевнобольные родственники олигархов. Просто таковы правила, это ведь врачебная тайна, а люди любят деликатность в обращении с собой. Так что направление, путевку и мой туда звоночек вам обеспечены. Что еще вас беспокоит?

Гуров рассказал о своих сомнениях. Лозовский снова молча слушал, только изредка кивая головой, и, когда сыщик закончил, сразу начал отвечать, как будто давно уже заготовил все аргументы.

— Я бы не стал, Лев Иванович, возводить случайные факты в разряд закономерности, хотя согласен с вами в отношении причинно-следственных связей. Коль скоро мы имеем отклонение в поведении человека, то причина лежит либо внутри его, либо снаружи. Либо она в прошлом этого человека и все его поступки так или иначе обусловлены некой психологической травмой, либо им движет какая-то цель, но методы ее достижения обусловлены его личностными особенностями, а это уже моя епархия.

— Вот и я ломаю голову, хотя все время чувствую, что ответ где-то рядом.

— Насчет молодежных течений, Лев Иванович, я бы не стал так все драматизировать. Уверен, что у вас в МВД есть своя определенная статистика, но и у нас, медиков, есть своя. Я бы сказал, что тенденция, которая должна беспокоить государство, лежит в плоскости не агрессивной, а скорее депрессивной. Вы заметили, как увеличилось количество подростковых суицидов? То-то же. Нет, Лев Иванович, ваш случай с убийством на квесте — это какая-то самоцель, а не патология.

— Значит, серьезный расчет, а не извращенная фантазия? — задумчиво переспросил сыщик. — Ну, допустим. А два необычных преступления подряд, с интервалом в двое суток, — это нормально. Я имею в виду с точки зрения статистики.

— Какой? — тут же вопросом на вопрос ответил Лозовский. — Медстатистики или полицейской статистики? Или математической?

— Ну, с точки зрения математической, все просто, — улыбнулся Гуров. — Если перефразировать один из ее основных законов на простой язык обывателя, то можно сказать, в мире нет ничего невозможного, а есть только наименее вероятное. Спасибо вам, Борис Моисеевич!

Гуров встал и протянул профессору руку. Лозовский тоже поднялся как складной метр, сунул в руку сыщика свою сухую большую ладонь и внимательно посмотрел на него:

— Ну, я ничем особенным вам, Лев Иванович, и не помог. Чисто организационно с путевкой, и не более. Вы же все равно за нее платить будете...

— Я имел в виду не это. Вы помогли мне уложить в голове в стопочки все мои мысли и аргументы.

В пять утра Крячко по просьбе Гурова увез Марию на своей машине в подмосковный санаторий. Льву не пришлось долго уговаривать жену. Она просто посмотрела ему в глаза, когда он начал убеждать ее уехать на время, заодно получить очень приятные и полезные процедуры общеукрепляющего свойства и, главное, сменить обстановку, и поняла, что он беспокоится за нее, что у него нет времени заниматься ее капризами, страхами и фобиями здесь в Москве, что накатывает что-то серьезное, и это его беспокоит.

Лев приехал в МУР в половине десятого утра, когда утренняя планерка уже закончилась. Капитан Морозов задумчиво размешивал в бокале растворимый кофе.

— Здравия желаю, товарищ полковник, — сразу напрягся он, увидев Гурова, и поставил бокал на стол.

Лев махнул рукой и прошелся по кабинету. Столько лет прошло, а все равно ощущения сохранились. Вот в таком же кабинете и они с Крячко сидели, когда работали в этих стенах. Да, хлебнули они немало. И не потому, что в Москве самая напряженная криминогенная обстановка, а потому, что им пришлось захватить девяностые годы в этих стенах. Самые тяжелые времена для полиции после распада Советского Союза.

— Ты садись, садись, Костя, — пей кофе, раз намешал. Пей и рассказывай мне, что вы там еще интересного нашли после нашего отъезда. Борода, кстати, сделана профессионально? — проговорил он, садясь на свободный стул.

— Так точно, товарищ полковник, — начал было Морозов, но Гуров его сразу осадил:

— Костя, мы с тобой не на приеме у министра. Обращайся ко мне по имени-отчеству. Мы с тобой коллеги, просто я старше тебя, опытнее, а в остальном никаких отличий нет. Мы — опера. Так что там с бородой?

— Борода фабричного производства, как и парик, который мы там нашли. Производители разные. Я приглашал одного спеца, и он меня просветил по производителям такого вида продукции. Потом запросы отправил, но фактически они мало что дадут. Это же не номерное изделие, поэтому куда отправляли, в какие города...

— А куда их вообще отправляют с фабрики?

— Естественно, учреждения культуры и индустрия развлечений. В Москве потребителей такого рода продукции, я думаю, несколько сотен. Чтобы связаться со всеми и узнать, где убийца взял бороду и парик, нужно много времени. Постепенно я выполню эту работу, но сейчас...

— Да, сейчас есть работа и поважнее, — согласился Гуров. — Хотя с париком и бородой разобраться все же придется. Ты был в институте, в котором учился Левкин?

— Нет еще. Собирался сегодня после обеда.

— Ну, в вузе после обеда найти кого-то уже сложно. Да ладно, не езди, я сам туда поеду и наведу справки.

— Вы? — удивился Морозов. — А что, дело на контроле в министерстве?

— Нет, просто... у нас есть кое-какие соображения, и мы решили поучаствовать в разыскной работе по этому делу, и не только. Но все по порядку. Значит, так. Я еду в институт, а ты лучше организуй нам встречу с хозяином предприятия, которое занимается тем квестом. Николай Агапов, с которым я говорил в ночь преступления, всего лишь менеджер этого проекта. А собственника зовут Александр Лисин. Договорились?

— Договорились, — кивнул капитан и вдруг спросил: — Лев Иванович, а вы кофе не хотите?

— Нет, спасибо, — ответил Гуров и встал из-за стола. — Ты что-то хотел еще спросить?

— Конечно. — Морозов тоже поднялся. — Лев Иванович, а в чем все же дело? Задет кто-то из высокопоставленных граждан или в криминальной среде происходит что-то, чего я не знаю?

— Нет, Костя. Скорее второе, но все равно не то. Не хотел тебе раньше времени говорить, но, может, тебя это и не коснется. Есть еще преступление, не похожее на это убийство на квесте, но все равно имеющее с ним много общего. Не исключено, что их придется объединять в одно оперативно-разыскное дело.

## Глава 4

— Владик Левкин? — Женщина скорбно покивала головой и подошла к окну в пустой аудитории. — Конечно, хорошо знала, ведь я куратор их группы. Влад выделялся еще на первом курсе, когда они только пришли к нам. Все ребята были, конечно, замечательными, все стремились в выбранную актерскую профессию, все занимались с упоением. Но Влад был, как бы это сказать...

— Одержим? — подсказал Гуров.

— Нет, скорее он хотел успеть попробовать все. Понимаете, попробовать, испытать все. Ему нравился классический театр, его интересовало новаторство в этом виде искусства, он любил эстраду, кино. Я до сих пор так и не поняла, к чему больше лежало его сердце. И конечно же, он очень много работал. И успевал, как вы теперь знаете, подрабатывать аниматором. Очень был увлеченный парень.

— У него было много друзей?

— Они вообще дружная группа. Это общительное поколение. Но именно закадычных, такого, чтобы неразлейвода, я не знаю. Девушка у него была. Это Настя Славина из их же группы.

— Я бы хотел с ней поговорить.

— Через пятнадцать минут у них занятия в этой аудитории, я вам ее покажу.

— Скажите, а были у Левкина какие-то конфликты, может быть, вы знаете о его серьезных ссорах с кем-то, каких-то ситуациях подобного рода?

— Пожалуй, нет, — отрицательно покачала головой женщина. — Но я точно не знаю. Мне ведь не рассказывают о том, кто и с кем где-то поссорился вечером в парке или днем на пляже. Это проходит мимо меня. Я не классная мама и не нянька. Я организую их в учебном процессе, в социальных вопросах, касающихся студенческой жизни. А личная жизнь проходит мимо меня, хотя ребята относятся ко мне очень хорошо, смею заметить, даже где-то любят. Но я для них все равно взрослая «старая тетка» и «препод», как они нас называют.

Еще пятнадцать минут наводящих вопросов, дополнений и характеристик так ничего нового Гурову не дали. Как в начале его визита в институт ничего не дала и проверка на предмет пропажи чего-то из гримерного цеха. Парики, накладные бороды, косметические средства были на месте. Предъявленные Гуровым вещественные доказательства работники гримерки не опознали. А если накладная борода и парик человека, который пришел на квест вместе с Левкиным в день его убийства, не из театрального института, то надо ли говорить, что и подозреваемый в убийстве человек тоже не из этих стен? Хотя на сто процентов этого утверждать нельзя. Значит, надо продолжать опросы.

Настя Славина оказалась высокой девушкой с хорошей спортивной фигурой и непослушными длинными темными волосами. Услышав, что с ней хочет поговорить человек из полиции, она решительно подошла к Гурову, ждавшему ее в коридоре на мягком диванчике. Девочка с характером, подумал он, глядя, как Настя то и дело нервно поправляет волосы, падавшие на лицо.

— Это вы из полиции, да? — сразу спросила она и смело посмотрела на полковника.

— Вы сядьте, — ответил он. — Я вас кое о чем хочу расспросить, это важно для расследования. Вы поможете мне?

Славина поправила волосы и опустилась на диванчик, стиснув в руках смартфон в ярком чехольчике.

— Скажите, Настя, у Влада были враги? Не просто ссоры с кем-то из сверстников или бытовые обиды, а именно враги.

— Наверное, у каждого человека в жизни есть недоброжелатели, — проговорила девушка.

Гуров вздохнул про себя. Есть ведь вот такие любители умничать, философствовать, претендуют на глубину мысли, вместо того чтобы попытаться понять вопрос. Как часто приходилось сыщику сталкиваться с подобным.

— Понимаете, Настя, недоброжелатель — это человек, который не желает добра другому человеку. А человек, который хочет убить и убивает другого человека, — это враг! Это преступник, это крайняя мера вражды между людьми.

— Вы думаете, что это могло быть из-за меня? — неожиданно спросила Славина. — Из ревности, да?

— Я не знаю, Настя, — спокойно ответил Гуров. — Поэтому я и пришел к вам в институт, поэтому и расспрашиваю. Причиной убийства могло быть что угодно — или ревность, или серьезный конфликт с кем-то. Например, заступился за кого-то перед хулиганами, помешал вору украсть. Примеров привести можно много. Было нечто похожее между Владом Левкиным и кем-то еще?

— Какие конфликты? — горько усмехнулась девушка. — Он парень миролюбивый. Был. Веселый, любил розыгрыши. И абсолютно беззлобный. Я даже иногда говорила ему: почему ты не сделаешь замечание, почему не поставишь на место? А он с усмешечкой так отвечает... отвечал, что это ничего не даст и ничего не изменит в мире. Только добавит

254

лишнего негатива в отношения между людьми. А это никому не нужно.

— Ну что же, это жизненная позиция, а каждая позиция требует к себе уважения, ведь за ней стоит личность человека. Скажите мне еще, Настя, были у Владимира знакомые, друзья вне стен института? Ведь он приехал поступать из Астрахани. Успел он обзавестись здесь друзьями?

— Не знаю даже, — задумалась девушка. — О каких-то друзьях он мне не рассказывал, но меня ни с кем не знакомил.

— Может быть, вы видели его с молодым мужчиной лет тридцати-сорока, невысоким, худощавым с тонким хрящеватым носом?

Настя снова задумалась, покусывая губы. Ответить она так и не смогла. Потом они смотрели на смартфоне фотографии, на которых был Левкин и их общие друзья. Гуров мысленно примеривал бледный словесный портрет подозреваемого в убийстве человека, но ничего похожего не находил. Все на снимках были людьми молодыми, в возрасте сильно до тридцати лет. Потом Гуров и Славина пошли в деканат, где им разрешили воспользоваться компьютером, и снова смотрели фотографии на страничках Насти в социальных сетях. И снова ничего примечательного.

Ну что же, привычно успокаивал себя сыщик, выходя из института, отрицательный результат тоже результат. Избитая истина, но проделать эту работу нужно было обязательно. Это направление первично отработано. Ведь может оказаться, что характерный нос подозреваемого тоже накладной. Этот мужчина мог оказаться, к примеру, не студентом театрального института, а преподавателем. Тоже вариант. Он мог оказаться земляком, приехавшим с родины Левкина в Москву. Скорее всего, в институт придется наведаться еще не раз. И фотографии смотреть еще не раз. И не только у Насти Славиной, а и у других ребят.

Кто был этот человек, нацепивший бороду? Его это борода или он подбросил полиции в ящик с телом другую, а на лице у него была естественная растительность? Он ли является убийцей или был еще третий человек? Не может ли это все оказаться криминальной выходкой кого-то из конкурентов коммерческого предприятия, занимающегося организацией квестов? Вопросы, вопросы, вопросы. И ход розыска зачастую зависит от того, насколько грамотно и профессионально эти вопросы поставлены.

Лисин оказался молодым человеком вполне интеллигентного вида: дорогие джинсы, футболка с отложным воротником, дорогая сумка-планшет на плече и уверенный взгляд. Гуров неожиданно подумал, что как-то неуловимо сменился имидж бизнесмена в Москве за последние годы. Ушли в прошлое костюмы, черные ботинки. А когда-то были малиновые пиджаки. И, если вспомнить, зачастую образ бизнесмена сочетался с выпивками, ресторанами, девочками в саунах. А теперь пришли вот эти: молодые, крепкие, непьющие и некурящие. Заботящиеся о здоровье и проповедующие здоровый образ жизни.

— Александр, — представился Лисин, пожимая Гурову руку.

Морозов, как они и договорились заранее, вывел менеджера Агапова в другую комнату, чтобы допросить его потом еще раз, если возникнет такая необходимость. Сейчас они снова собрались здесь, в этом здании, где недавно во время игры был убит студент актерского вуза Влад Левкин. Видно было, что ситуация для бизнесмена неприятная, но внешне он был спокоен.

— Скажите, Александр, вы хорошо знаете всех своих работников, которые в день убийства находились в здании?

— Да, конечно. Они работают у меня не один месяц, даже больше года. Я сам руковожу своим бизнесом и знаю всех своих сотрудников в каждом подразделении, даже если и не я лично их нанимал.

— Хорошо. А кто-то из них мог убить человека? — прямо спросил Гуров. — Допустим, возник конфликт с наем-

256

ным актером-аниматором. Актер кого-то оскорбил, сильно оскорбил, и ваш сотрудник...

— Исключено! — перебил сыщика Лисин. — Единственный из четверых, кто в армии служил, кто хоть как-то оружие в руках умеет держать, — это охранник, Олег Смирнов. Но он в момент убийства находился на людях, у него железное алиби. Все мои были на втором этаже в тот момент, когда Левкин через люк поднимался в комнату с ящиком, где по сценарию должен был изображать труп. Нет, вы меня не убедите, Лев Иванович. Это только тот тип, с которым он пришел.

— Я не буду вас убеждать, потому что у меня пока нет убедительных доводов. Подозревать приходится всех. Такая наша работа. А Агапов не мог подстроить все это?

— Николай? — Лисин уставился на сыщика удивленным взглядом, потом усмехнулся и отрицательно покачал головой: — Нет, Агапова я знаю тысячу лет. Он самый мой надежный сотрудник, потому что я знаю его с детства. Я не сторонник принимать на работу друзей и знакомых, но в данном случае это исключение себя оправдало. Агапову я верю. Он надежен и предан мне, не побоюсь таких громких слов. Да и зачем ему?

— Например, чтобы взять на работу другого аниматора, — предположил Гуров.

Он прекрасно понимал, что его предположение нелепо, но проверить, как мыслит и реагирует бизнесмен, было нужно. Человека во время допроса или беседы надо периодически выводить из равновесия необычными вопросами и неожиданными поворотами в беседе, тогда удастся разглядеть его реакции. Во время ровно текущей беседы в человеке, особенно незнакомом, не разглядеть элементарных эмоциональных окрасок, а они выдают многое: умысел, вину, тайные замыслы. Косвенно, но выдают, если у тебя есть достаточный опыт ведения допросов.

— Другого? — Лисин снова посмотрел на полковника с удивлением. — Да незачем было брать другого. Влад отлично работал, ни разу не подвел. И если уж надо было его подставить ради шкурного мелкого интереса, можно было... не знаю, кошелек у уборщицы украсть и ему в сумку подбросить. Но убивать из-за этого? У него что, зарплата — миллион? Должно же быть какое-то соответствие между уровнем преступления и уровнем мотива?

— А конкуренты? — пропустил язвительный тон бизнесмена мимо ушей Гуров. — Конкуренты, чтобы убрать вас с рынка, могли вам подстроить такое?

— Конкуренты? Это как в большом лесу один грибник убил другого, чтобы тот не срезал его десять грибов с его тайной полянки. Хотя вам это непонятно.

— Насчет грибов? — хмыкнул Гуров.

— Нет, насчет бизнеса, насчет своей ниши. Вы просто не знаете, что с квестами нет никакой особой конкуренции. Я даже не знаю, сколько квестов в Москве. Может, десятки, может, сотни. Есть модные, есть такие, о которых говорят, есть просто интересные. Но ведь это доходы ненадолго. Темы следует менять, а их еще нужно придумать. Вы знаете, как создается квест? Находят автора, который пишет сценарий по аналогу, имевшему место в истории или нашей страны, или другой. Главное, чтобы все основывалось на правдоподобных событиях, иначе не пойдут люди. Потом подбирается помещение или переоборудуется имеющееся, и вперед. Уверяю вас, что месяц, максимум два, и интереса к вашему квесту уже не будет. Найдется новый сюжет, найдутся другие удачливые исполнители, и можешь сносить все это. — Лисин обвел рукой помещение вокруг себя и посмотрел на Гурова с сожалением: — Понимаете, Лев Иванович, есть бизнес ради денег, а есть ради интереса. Это разные вещи и разный уровень доходности. Я понял бы, если бы убили ради акций Газпрома, если бы делили долевое участие в алмазных приисках или каком-то другом громадном бизнесе. А это... как прокат пони в детском парке. На корм лошадкам хватает, на машину, чтобы привезти их из конюшни, хватает, ну и слава богу. И еще. Если бы кто-то решил ударить по моему бизнесу серьезно, чтобы пошатнуть меня как бизнесмена, он бы ударил по другим подразделениям. Более доходным, более перспективным. А это просто развлечение.

— Вы очень образно и убедительно все рассказываете, — ответил Гуров. — Собственно, вы ничего нового мне и не сказали. Но я вас все же попрошу ответить еще на один вопрос. Постарайтесь не выключать вот это свое образное мышление и способность аргументированно убеждать.

— На какой вопрос?

— Кто и за что мог убить аниматора?

— Да-а, вопросик! — покачал головой бизнесмен. — Кто и за что? Да кто угодно и за что угодно. На почве личной неприязни или из-за девушки. Главное, в чем я убежден, что бизнес мой тут ни при чем. Это просто случайно выбранное место для совершения преступления. Может, специально выбранное как наиболее удобное. Могу предположить, что убили по чисто личным мотивам, но есть сомнения, что Левкин мог во что-то такое вляпаться, за что могут убить в наше время. Знаете, даже какая мысль пришла мне в голову? Его убили по ошибке. Перепутали!

— Да, фантазия у вас хорошая, — кивнул Гуров. — Но согласитесь, что легче и проще убить на улице. В тихом месте подкараулить, где не будет свидетелей. А зачем убийце такие сложности с гримом, с появлением, пусть и в загримированном виде, перед свидетелями.

— Тут вы правы, хорошо подметили. Как будто он специально это сделал, как будто позерство какое-то. Слушайте! — вдруг оживился Лисин. — А может, это какой-то новоявленный маньяк, который решил поиграть в догонялки с уголовным розыском? Вы с таким не сталкивались?

Гуров и Крячко задержались в кабинете Орлова после планерки. Генерал выслушал короткие доклады о том, как продвигается дело по расследованию убийства Левкина и алкоголички, найденной в угнанной машине, и произнес:

— Четыре дня прошло, а результата, можно сказать, ноль с хвостиком.

— Ну, результата больше чем ноль, — возразил Гуров. — Отработаны связи Левкина, просмотрены тысячи фотографий, составлен фоторобот предполагаемого преступника с бородой и гипотетический портрет без бороды, отработаны все учреждения, где имеются и применяются накладные бороды и парики, опрошены сотни людей, которые могли видеть в обществе погибшего Левкина того человека, которого мы ищем. Без дела никто не сидит.

— Ох, Лева, — поморщился Орлов, — я все это и без тебя прекрасно знаю, и любой оперативник поймет и похвалит. Только вот людей, не имеющих отношение к полиции, трудно убедить процессом — им ведь результат подавай. А в их понимании результат может быть только один — раскрытое преступление и пойманный преступник.

— Ясно, опять на тебя давят?

— Пока не очень, но скоро могут начать. Это как кому там наверху шлея под хвост попадет. Ладно, мы с тобой давить не будем, но ты держи-ка руку в МУРе на пульсе этого дела. Позванивай, подсказывай.

— Хорошо, — кивнул Гуров и вместе с Крячко вышел в приемную.

Секретарша Орлова подскочила с кресла, взяла какой-то конверт и протянула Гурову:

— Лев Иванович, вам принесли из канцелярии.

— Что это? — с удивлением взял в руки конверт полковник.

— Письмо.

— Странно. — Гуров продолжал смотреть на самый обычный продолговатый почтовый конверт с маркой и штемпелями, свидетельствующими, что письмо прошло все стадии почтового оформления и пересылок.

Насколько он понимал, письмо было не из другого города, а отправлено из Москвы, с Главпочтамта. Никакого обратного адреса, но вот адрес МВД был указан точно, с индексом и даже наименованием главка уголовного розыска. Крячко с интересом посмотрел на конверт в руках напарника:

— Любовное послание?

Гуров промолчал. В кабинете он уселся за свой стол и полез в ящик за ножом для резки бумаги. Когда-то ему подарили изумительно красивую вещь в стиле кинжала, только сделанную из пластмассы. Пользоваться этим сувениром ему еще ни разу не приходилось, но вот сейчас появился шанс наконец использовать подарок по прямому назначению.

— Давай уже открывай, — нетерпеливо попросил Крячко, — а то я подумаю, что ты боишься.

Лев молча достал нож для бумаги и осторожно вскрыл конверт. Лист бумаги был сложен втрое. Обычный лист «снежинки» формата А4. Он развернул и стал читать короткий, напечатанный на лазерном принтере текст:

«Полковнику Гурову

Настоящий труп, вместо актера, который должен был его изображать, не случайность. Труп в машине возле вашего подъезда — не случайность. Это все намеки. И приглашение пройти еще один квест под названием «Жизнь».

*Меня называйте Режиссер. Я буду письмами или другими способами передавать подсказки и время на разгадывание моих подсказок. Если успеете, то очередной человек не умрет».*

Лев снова и снова перечитывал нелепый текст и все не мог поверить в реальность происходящего. Сразу вспомнилась Маша, которая сейчас находилась в санатории в нескольких десятках километров от Москвы. Он поднял глаза на Крячко. Старый друг сидел, весь подавшись вперед.

— Что случилось?

— На, почитай, — швырнул Гуров листок через стол. — Детский сад, ей-богу!

Станислав несколько раз перечитал текст, не отрывая глаз от бумаги. Он не просто читал, а шевелил при этом губами, как будто пробовал текст на звуковые ассоциации. Наконец поднял взгляд на Гурова:

— Это не детский сад, Лева. И это не шизоидные бредни. Это разумный текст, весьма осмысленный, хотя и немного нелепый. Но мы с тобой просто не знаем всех возможностей этого Режиссера. Хотя догадываться можно.

— О чем? О чем можно догадываться, Станислав? У кого силенок хватит тягаться с сотрудниками Главного управления уголовного розыска МВД страны. Надо быть параноиком, чтобы замахнуться на такое. Это просто попытка самоутвердиться. Вот, мол, какой я смелый, вон какое письмо отправил в МВД.

— Не просто в МВД, а именно полковнику Гурову, — спокойно напомнил Крячко. — Тому самому Гурову, который пошел играть в квест и наткнулся на свежий труп. Который приехал к подъезду своего дома, чтобы увидеть размалеванную и разодетую под клоуна мертвую алкоголичку. Он это сделал. Так что давай отнесемся серьезно к письму.

— Что он сделал, Станислав? Он мог вообще ничего не делать, а просто узнать об этих событиях и использовать свои знания, чтобы шантажировать меня или попытаться запугать. Чушь ведь!

— Пойдем к Петру, — предложил Крячко.

— Перестань, — поморщился Лев. — Не делай из меня посмешище на все управление.

— Лева, — так же спокойно, но уже настойчивее проговорил Стас, — учти, что он пишет о новых убийствах, которые совершит, если ты откажешься. Люди могут пострадать. А это уже серьезно. Я звоню Петру?

Гуров открыл было рот, но не произнес ни слова, продолжая смотреть прямо перед собой. Его буквально раздирали сомнения. Особенно последнее здравое упоминание Крячко об обещанных Режиссером преступлениях, о возможных убийствах, если Гуров не согласится с игрой. И он кивнул.

Крячко взял телефон и набрал номер мобильного Орлова. У них была такая договоренность: если сыщики звонят не на проводной, а на мобильный, значит, это личное и серьезное.

262

Орлов отозвался почти сразу. Гуров слышал даже его голос в динамике телефона напарника.

— Что, Станислав?

— Петр, у нас серьезное ЧП. На имя Гурова через канцелярию доставлено письмо неизвестного с угрозами совершать еще преступления. И этот неизвестный берет на себя труп на квесте и труп женщины в машине у дома Гурова.

— Что-о?! — Голос Орлова из низкого и уверенного начальственного мгновенно превратился в тихий угрожающий рык. — А ну быстро ко мне оба!

Забрав у Крячко письмо, Гуров бросил его и конверт в папку и поднялся из-за стола.

— Самое неприятное, — сказал он, — что мы уже внутренне приняли его условия игры и пошли у него на поводу.

Орлов встретил сыщиков у двери, высунул голову в приемную и сказал секретарше, чтобы никого не пускала. Гуров прошел к столу генерала и аккуратно положил письмо и конверт. Орлов, жадно схватив его, уставился на текст. Он тоже прочитал его несколько раз, побагровел, потом полез за платков в карман и принялся вытирать лоб и шею.

— Так, докатились до угроз полковникам главка. Ладно! Вы читали ваши выводы?

— Гуров не хочет соглашаться, — первым заговорил Крячко, — а я считаю, что угроза может оказаться не пустой. Даже если письмо написал какой-то полудурок, который ничего толком не умеет и не может, а лишь обладает извращенной и богатой фантазией, он вполне сможет убить кого-нибудь и заявить, что сделал это по причине нашей несговорчивости. Пусть это будет одна смерть, пусть это будет смерть какого-нибудь бомжа в парке, но и этого допустить мы не имеем права!

— Браво! Отличная речь, — буркнул Гуров. — Будем исходить из самых пессимистических прогнозов?

— Мы будем исходить из реальности угрозы, — ответил ему генерал. — Что по оформлению письма? Ваше мнение?

— Письмо написано в целом грамотно, — вздохнул Лев, — хотя ясно, что писал его не университетский профессор. Но следов судимости я тут не вижу. Средний класс, не выше. А вот адрес на конверте, заметьте, написан детской рукой.

Орлов взял конверт и стал рассматривать надпись на нем. Крячко удивленно посмотрел на Гурова, потом встал и подошел к генералу, встав за спиной.

— А ведь ты прав, — сказал он. — Ясно, что человек не хочет подставляться под почерковедческую экспертизу, значит, он далеко не глуп.

— Он сильно не глуп, Станислав, — ответил Гуров. — Я даже подозреваю, как он это сделал. Не стал просить никого из взрослых, потому что у большинства знакомых, да и посторонних тоже, возникнет здоровое недоумение, когда они под диктовку напишут адрес. Ему такая реакция и запоминаемость ситуации ни к чему. И он попросил написать адрес ребенка, но не из тех, кто живет по соседству или в одном дворе. Это можно было сделать на том же почтамте, попросив любую мамашу разрешить девочке надписать конвертик, чтобы она не скучала, или потому, что у доброго дяди болит ручка. Он уверен, что эту девочку и ее мамашу мы никогда в жизни не найдем. И он, кстати, прав. Потому что это мог быть и не почтамт, а аэропорт, вокзал, турбаза, чертова дыра.

— Ну, теперь я узнаю прежнего Гурова, — одобрительно кивнул Орлов. — Я тоже полагаю, что отнестись ко всему этому надо серьезно. И учтите, что он знает Гурова, он знает, что Гуров работает не в МУРе, а в министерстве. Слушайте приказ, ребята, и, пожалуйста, без возражений и брюзжания. Оба дела объединяем моим приказом в одно общее. Это первое. Второе, создаем моим же приказом оперативную группу во главе с полковником Гуровым. Заместитель — полковник Крячко. Все дела отложить, список мне на стол, я разберусь, кому что передать. Дальше, где сейчас Мария?

— Тут он уже предусмотрел заранее, — улыбнулся Крячко. — Два дня назад я отвез ее в санаторий «Архангельское».

Об этом никто не знает, кроме нас четверых и одного старого профессора психиатрии, с которым Гуров дружен.

— Ладно, уверен, что ты хорошо подумал, — задумчиво сказал Орлов. — Можно было бы поставить ей охрану, но это только привлечет внимание и расшифрует место нахождения Марии. А делать Гурова уязвимым нам сейчас не следует. Даю вам четыре часа на формирование сводной межведомственной группы и разработку плана работы. Первое — по форсированию розыска в рамках обоих дел. Второе — в рамках противодействия этому Режиссеру и по его розыску. Все, вперед, ребята!

Гуров сидел за своим рабочим столом и рисовал на листе чистой бумаги уже восьмой вариант схемы. С каждым разом схема получалась все более точной и полной. Крячко сидел верхом на стуле рядом, положив подбородок на руки. Капитан Морозов за столом Крячко просматривал разыскное дело и делал пометки в своем ежедневнике.

— Так, с временным радиусом мы определились, — сказал Гуров, снова чертя круг. — За время работы в министерстве я практически никого сам лично по суд не подводил. Тот, кто отсидел двадцать лет и более, это я округляю, на различного рода месть не способен. Ему бы скоротать остаток жизни и чтобы на лекарства хватило. А письмо писал человек, еще сильный телом и духом.

— А вы все равно рассматриваете только кандидатуры тех, кто пострадал от рук полковника Гурова? — спросил Морозов, оторвавшись от бумаг.

— Гуров уже давно в полковниках, — задумчиво ответил Крячко, сдерживая добродушную улыбку. — Понимаешь, Константин, те, кого сажал подполковник Гуров и даже майор Гуров, уже не помнят ни Гурова, ни папу с мамой...

— Патриарх, — хмыкнул Лев. — Все просто, временные рамки в десять последних лет работы в МУРе — самые подходящие для обиженных и для тех, кто на меня может иметь какой-то зуб.

— А может, это родственник того, кого вы посадили двадцать лет назад? Он только-только вырос для мести.

— Так гадать можно до бесконечности, капитан, — ответил Гуров. — Гадать, так и не приступив к работе. Отработаем этот временной отрезок, потом будем думать дальше, если не получим результата. Нельзя объять необъятное. Итак, Станислав, давай вспоминать заметные фигуры за тот временной промежуток. Ставлю задачу. Во-первых, человек получил реальный срок в районе десяти лет, и никак не меньше, потому что он настоящий преступник, а не шушера и не мелочь. Мелочь и шушера не станут мне мстить, им даже в страшном сне не приснится такая мысль.

— Слишком широко, — ответил Крячко. — МУР мелочью и шушерой не занимается. Там все клиенты подпадают под эту категорию. Дальше ставь ТЗ.

— Второе, — продолжил Гуров. — Преступление, совершенное этим человеком, заметное, хитроумное. Клиент никак не рассчитывал оказаться за решеткой, и для него было большим сюрпризом, что его поймали.

— Так, уже четче, — согласился Крячко. — Уже есть кого выделять из общей массы тех, кому колония дом родной и для кого воля — лишь время оглядеться, напиться и что-то совершить снова, чтобы вернуться в привычную среду. Для нашего клиента колония не есть привычная среда. Дальше.

— Третье, — согласно кивнул Гуров. — Это личность неоднозначная, с намеком на нездоровую психику, хотя экспертиза признала его здоровым. И еще он с нездоровой фантазией.

— Знаете, на что это похоже? — вставил Морозов, с интересом глядя на полковников.

— На фильм «Пила»? — улыбнулся Крячко. — Как там он говорил? Я хочу сыграть с тобой в игру?

— Нет. На другой избитый сюжет. Например, на одну из серий фильма «Крепкий орешек». Там тоже полицейского такой вот режиссер заставил стоять в центре Гарлема голым в табличкой на груди «Я не люблю черных». А потом давал ему задания и загадывал загадки. В фильме он оказался братом преступника, который погиб благодаря главному герою. Кстати, главный герой там был опустившийся и спивающийся бывший полицейский.

— Я как раз вполне допускаю, что и наш клиент — человек начитанный, и эти картины смотрел, — ответил Гуров. — Вот почему я и говорю, что он не заурядный уголовник, а человек с фантазией, человек, который нас в свое время удивил, который считал себя хитрее нас, считал себя неуловимым. Кстати, в результате наших сегодняшних размышлений мы получим реальный портрет подозреваемого из его дела. Будет с чем сравнить фоторобот.

— С этим направлением понятно, теперь следующее, — предложил Крячко. — Если все же преступление совершено именно против Левкина? Или против хозяина фирмы, которого кто-то решил подставить? И все это маскируется под месть Гурову?

— Это возможно, но лишь в том случае, если люди, организовавшие убийство Левкина, хорошо знают Гурова. Сразу вопрос: а откуда они его знают? Настолько хорошо, что им пришло в голову решение подставить именно его и отвести внимание следователей от истинных мотивов преступления.

— Ну, нормальная постановка вопроса, — пожал плечами Морозов.

— Нет, Костя, — отрицательно покачал головой Крячко. — Не нормальная. Должно же быть соответствие между мотивом убить Левкина и сложностью и трудоемкостью организовать подставу Гурову. Овчинка выделки не стоит. Если бы олигарха или депутата убили, тогда это реальные затраты. А из-за простого студента... Смысла нет. Его просто могли где угодно прирезать, без заморочек.

— То же самое я могу сказать и про бизнес, — вставил Гуров, — если ты имеешь в виду, что кто-то захотел пугнуть или испортить репутацию бизнесмену Лисину. Нет в этой области такой уж конкуренции, не с кем там воевать. И бизнес не очень доходный, чтобы из-за него подставлять вот так, с использованием особо опасных преступлений. Тоже не пропорционально.

На следующее утро после планерки Гуров положил Орлову на стол список подозреваемых из пяти человек и план работы по объединенным делам. Оба сыщика выглядели, мягко говоря, не выспавшимися до последней степени.

— Так. — Генерал нацепил на нос очки и взял со стола список Гурова. — Пять человек? С одной стороны, конечно, хорошо, но с другой... Вы уверены, что претендентов из практики Гурова всего пять?

— Уверены, — сразу же ответил Гуров и устало потер лицо руками. — Петр, мы всех перебрали, кто хоть в какой-то мере представлял собой личность. Личность незаурядную, пусть и в криминальной области. А такие в нашем деле попадаются, ты сам знаешь, не очень часто. И не каждый год. Мы ограничили себя во временных рамках годами, когда этот человек мог отсидеть, вернуться и все еще жаждать мести. Мы не уверены, что решили проблему и, стоит нам найти этих пятерых, все кончится. Но это наиболее вероятная версия. Параллельно будут отрабатываться и другие. Это азы разыскной работы. Кстати, там дальше перечень и других версий, но не так подробно. Морозов со вчерашнего дня уже работает по основной версии. Мы хотим получить информацию о том, где сейчас каждый из этих пятерых кандидатов.

— Ну, хорошо. — Орлов снова вернулся к списку. — Проинформируйте меня хотя бы по этим пятерым. Что за личности? Я должен их помнить.

— Конечно, вспомнишь, — кивнул Гуров и прикрыл рукой рот, не удержавшись от зевоты.

— Не закрывайся ты, — нахмурился недовольно Орлов. — Не гимназистки же здесь собрались. Я знаю, что ночь не спали. Можете зевать в полный рот.

— Воспитание, — с улыбкой развел руками Крячко.

— Ну, тогда поехали по порядку. — Гуров откинулся головой на спинку кресла, прикрыл глаза и начал рассказывать: — Первым там значится Никифоров Олег Николаевич, 1969 года рождения, уроженец Одинцова. В прошлом домушник, но в последнее время увлекся офисами. Виртуоз, выдумщик, фантазия действительно извращенная. Мы его ловили на такую информацию, что пальчики оближешь, а он обходил наши ловушки с такой ловкостью, как будто его кто-то информировал.

— Помню такого, — кивнул Орлов. — Мы тогда еще серьезно отрабатывали версию крота в нашем ведомстве. Взяли мы его, кажется, в 2004 году?

— Его Гуров тогда и взял, — подсказал Крячко.

## Глава 5

Олега Никифорова по кличке Зима не могли взять второй год. Вором он был осторожным, не доверял почти никому, и агентура вхолостую сообщала обо всех похожих людях, появлявшихся мельком на блатхатах и у скупщиков. Зима был неуловим, и он почти не повторялся. Когда он еще в 90-х только учился своему ремеслу и был заурядным домушником, его не могли взять в Подмосковье. Да и некому было его брать и гоняться за ним — дикий недокомплект штатов оперативников, участковых сказывался в этот непростой период. Да и криминализация органов была в то время велика, поэтому преступники во многом чувствовали себя вольготно.

Но Никифоров не хотел прозябать в окрестностях Москвы, собирая по квартирам устаревающие видеомагнитофоны, модные тогда поляроиды и получающие все большее распространение мобильные телефоны и домашние радиотелефоны. Он не хотел рисковать из-за трех золотых цепочек, двух обручальных колец низкой пробы и сомнительных подростковых сережек. Ему нужна была добыча, он хотел не только адреналина, вскрывая помещение, которое вскрыть, по мнению хозяев, было невозможно.

И Зима вовремя переориентировался с квартир на офисы. В Москве новые офисы росли быстрее, чем грибы после дождя, росло количество различных фирм, рос ассортимент услуг и товаров, которые предлагались партиями, мелкими и крупными. В те времена еще вольно относились к финансовой и кассовой дисциплине, зачастую в офисных сейфах на ночь оставлялись суммы гораздо большие, чем оговаривалось условиями обслуживающего банка.

И вот тогда в МУРе поняли, что преступный мир родил очередное криминальное выдающееся явление. Долго оперативники не могли узнать, кто же был этот неуловимый и такой удачливый вор, и один ли это человек или таких по столице шустрит несколько. Потом постепенно легенды о Зиме поползли и в криминальных кругах. Особенно после того, как авторитетные воры заставили его вносить свою долю в общак.

Постепенно появилась информация на Никифорова, но подобраться к нему оказалось невозможно. Он почти всегда работал один, привлекая помощников лишь в крайних случаях и только на ограниченную часть работы. Очень часто помощники даже не знали, что происходило ограбление офиса. Фотороботы расходились по столичным отделам милиции вместе со словесными портретами, но результата не было. А ведь Зима никогда не менял внешности, идя на операцию. Высказывались подозрения, что менял он ее в обыденной жизни, поэтому не удается его взять.

Гуров, когда к нему попала информация по Зиме, сразу решил, что подходить к преступнику надо через информирующих его сотрудников офисов. Как-то Зима должен был узнавать, в каком офисе есть что взять, а в каком пусто. Он ведь не любил рисковать попусту. Это Гуров тоже выяснил, изучив историю становления Зимы как преступника. И тут сыщика ждал первый сюрприз. Установить контакты Зимы и информаторов из числа сотрудников ограбленных офисов не удалось ни разу. Получалось, что Никифоров каким-то другим способом узнавал о ценном оборудовании и большом количестве наличности в офисе. Но каким?

Доказать свою теорию начальству ему тогда не удалось, и он стал разрабатывать Никифорова сам, на свой страх и риск. Основной идеей были признаки, по которым хитроумный Зима вычислял ценное содержимое офисов. Признаков было много, в большинстве своем они незаметные, но когда их набиралось много, то гарантия появлялась почти стопроцентная. Самое главное, выяснить профиль организации. Тут помогала реклама. Потом отслеживался поток посетителей, выбиралось время пик. И неважно, турагентство торговало путевками или это консультационный технический центр, который торговал на заказ микроволновыми печками. Главное, что в определенный день поток покупателей, клиентов, или как их там называли в данной компании, до вечера нес и нес деньги. До самого вечера, когда становилось ясно, что инкассации уже не будет.

Вычислил Гуров и еще несколько признаков того, что в офисе ночью оставались деньги, другие материальные ценности, удобные к выносу и реализации у скупщиков краденого. И тогда он стал продумывать засаду. Он расставлял сети вдумчиво, неторопливо, проверяя себя и реакцию Зимы, стараясь не вспугнуть его раньше времени. Четыре раза оперативники во главе с Гуровым готовили офисы к краже. Давали рекламу в средствах массовой информации, вывешивали объявления во всех доступных и разрешенных местах, заставляли сотрудников распускать слухи, но Никифоров почему-то не «клевал» на эту наживку.

Гуров решил, что есть еще какие-то признаки, по которым Зима выбирает место для ограбления. А еще у него зародились сомнения: а не имеет ли Никифоров информатора в МУРе? И тут ему повезло! Правда, сам он это везением не считал, полагая, что как раз количество стало перерастать в качество. Что вся проделанная работа не ушла как вода в песок, а наконец дала результат. Расставленные сети стали приносить рыбку.

Один из бывших оперативников, работавший теперь в охране крупного бизнесмена, сообщил, что они спугнули неизвестного с биноклем и фотоаппаратом с чердака здания во время подготовки деловой встречи с иностранными инвесторами. Предполагалось посещение нескольких офисных центров и производственных предприятий, и служба безопасности отрабатывала обязательную схему.

Никто особенно не ждал и не верил, что могут появиться снайперы, что на чердаках и в других укромных местах могут прятаться наблюдатели, собиравшие информацию о конкурентах. Просто имелась схема обеспечения безопасности, и по ней работали специалисты. К своему удивлению, они такого человека и спугнули. Неизвестному удалось скрыться, что говорило о хорошей подготовке. Судя по следам, лежка у него была оборудована на несколько дней. Гуров сразу попросил адрес места, где вспугнули наблюдателя. Он не ошибся. Неизвестный изучал окна офиса, который оперативники пытались оборудовать и подставить Никифорову как приманку.

Был ли это сам Зима? Вряд ли. Скорее всего, он просто научил своих помощников, как готовить лежку, пути отхода на случай обнаружения, на что обращать внимание во время наблюдения за офисом. Видимо, существовала и связь с Зимой, который через наблюдателя понял, что ему готовят ловушки. Получалось, что Гуров сам подставился и его идея стала понятна преступнику. Сознавать это было неприятно.

И Гуров пошел ва-банк. Он решил сам попробовать мыслить как преступник. Стал выбирать офис для ограбления по тем же признакам, по каким, как он полагал, подбирал их Зима. Он изучал информацию, рисовал схемы, оценивал здания и помещения, с точки зрения наличия путей отхода, и в результате выбрал четыре таких объекта. До последнего, до дня пик он ничего не говорил руководителям фирм и не выставлял наблюдателей.

И вот наступал последний день. В темноте по продуманной схеме выдвигались полицейские наряды, на путях отходов ставились группы оперативников, группы захвата занимали исходные позиции. Никифорова Гуров взял на третьем объекте. Зима прошел из ограбленного офиса по коридору десять метров до решетки, отделявшей одно крыло от другого. Во втором крыле заканчивался ремонт, и он умудрился когда-то перепилить штыри петель двери в решетке. Теперь спокойно отодвинул ее, в образовавшуюся щель пролез сам и бросил сумку с деньгам. Поставив дверь на место, Зима прошел через верхний этаж, но не успел выйти на крышу. В холле, где стояла готовая новая мебель для помещения, его ждал Гуров.

Сыщик в каждом из выбранных им офисов сам принимал участие в подготовке захвата. Не потому, что в этом была какая-то особая необходимость. Это было уже личное в их неозвученном соперничестве с Никифоровым. Гуров должен был своими глазами увидеть лицо Зимы, увидеть, какое на нем будет выражение, какими будут его глаза. Кстати, лицо у Зимы было тогда очень недоброе, и глаза злобные. Еще бы, неуловимый, каким он себя считал, преступник, а вынужден сесть в тюрьму. Неприятно, конечно.

— Так, с этим понятно, — согласился Орлов, продолжая знакомиться со списком. — Горобец! Что-то не припоминаю.

— Горобец Сергей Павлович, 1974 года рождения, — не открывая глаз, заговорил Гуров. — Уроженец Москвы. Задержан за разбойное нападение в составе преступной группы. На момент задержания уже имел судимость за аналогичное преступление. Дерзок, жесток, хороший организатор. Группу выявить удалось только через полгода. Брали с перестрелкой за МКАД, двоих убили, два сотрудника милиции были ранены. Ты, Петр, тогда находился в командировке.

— Точно, — ответил Орлов, — теперь припоминаю. Да, личность, которая вполне может устроить такой вот... квест. Ладно, идем дальше. Ремезов Василий Борисович, 1971 года рождения, уроженец Москвы. А этого я хорошо помню. Тогда проходило дело по грабежам, и по приметам он подходил. Его допрашивали, долго трясли. Он ведь и сел за грабежи.

— У него было тогда железное алиби, — вставил Крячко.

— Да, точно.

— Если у него и сейчас окажется железное алиби, это нам скажет о многом, — вдруг произнес Гуров. — Не люблю, когда алиби очень уж железное. Перебор это. И, как правило, оказывается, что алиби не настоящее. Настоящее не всегда железное, настоящее оставляет немного сомнений.

— Ладно, посмотрим, — кивнул Орлов. — Идем дальше. Михно Аркадий Сергеевич.

— Да, Михно. Кличка, естественно, Махно. 1966 года рождения, уроженец Балашихи. Довольно известный взломщик сейфов, домушник. Не брезговал и нападением на хозяев квартир, если те оказывались дома или неожиданно возвращались. Обошлось, правда, без убийств, но тяжкие телесные были на нем. Хитер как лис.

— Я помню, — снова кивнул генерал. — Он тогда на суде защищался шустрее своего предоставленного государством адвоката. Срок он себе скостить умудрился существенно. То якобы хозяин на него напал, и он вынужден был защищаться, то пытался убежать, но сбил хозяина с ног в состоянии аффекта. Испугался, видите ли, того, что его поймают и посадят. Сейчас звучит как инфантильный лепет школьника, а тогда все было вполне убедительно. Для судьи, конечно.

— А еще мы не сумели ему доказать пять или шесть эпизодов, — заметил Крячко. — Один, между прочим, с убийством. А вот последний в этом списке, как нам кажется со Львом Ивановичем, самый яркий претендент на роль Режиссера.

— Магомедов Магомед Гамзатович, 1970 года рождения, — прочитал Орлов. — Видное, Московская область. Что-то знакомое. Грабежи?

— Да, работал один или с напарником, — ответил Гуров. — Напарников ловили, а Магомедов уходил. На него тогда дела заводили в нескольких районных отделах милиции. Несколько раз признавали погибшим или умершим, а он появлялся снова. Клички Миша, Муха, Заточка. Две судимости. Одна за грабеж, вторая — за убийство по неосторожности. Это формулировка такая осталась уже во время судебного заседания. Следователь вменял как раз с отягчающими, прокурор поддерживал, но он выкрутился. Теперь этих пятерых надо разыскать и примерить на роль Режиссера.

— По фотографиям уже будет многое понятно, — задумчиво проговорил Орлов. — Хотя вполне можно было не только бороду прилепить, можно и нос наклеить, и цветные линзы в глаза вставить. Сейчас это не проблема. Надо сделать экспертизу текста письма. Мне кажется, что писал его действительно русский. Магомедов так бы не написал, хотя, помнится, он по-русски говорил вполне правильно, правда, с еле заметным акцентом.

— Да, — сказал Гуров. — Он родился и вырос в Видном. И мать его оттуда родом. Русская, между прочим. А отец из Краснодарского края. В Дагестане только дальние родственники по отцовской линии остались.

Вечером в кабинете на Житной собрались вчетвером. Кроме Гурова и Крячко, на этой мини-планерке присутствовали капитан Морозов и старший лейтенант Сеня Захарченко. Участковый Захарченко выглядел подавленным и унылым. Начальство крепко намылило ему шею за убийство на его участке бомжихи и за клоунаду с ее трупом возле подъезда жилого дома, в котором жил не кто-нибудь, а полковник из главка уголовного розыска.

И сейчас Захарченко вполне резонно предполагал, что в кабинет того самого полковника его пригласили для того, чтобы продолжить головомойку, сделать внушение, может быть, снять звездочку или вообще... попросить из органов. Он сидел на стуле посреди и с грустью смотрел на Крячко, который все звонил и звонил кому-то по телефону, расхаживая по кабинету из угла в угол и старательно обходя стул с сидевшим на нем участковым. С не меньшей грустью он смотрел и на Гурова, который о чем-то оживленно спорил,

275

склонившись над бумагами на своем столе вместе с молодым крепким капитаном.

Вот все делом заняты, думал участковый, точнее, профессионально расхлебывают то, что я натворил. Нет, не я натворил, а в результате моей непрофессиональной деятельности получилось так, что им теперь расхлебывать, отложив свои важные дела в сторону.

— Так, а давайте и Захарченко введем в курс дела, — бросив трубку на стол, заявил Крячко. — Что он сидит как бедный родственник.

— Сейчас, подожди, — отмахнулся Гуров, продолжая о чем-то негромко шептаться с капитаном.

— Ну, раз так, тогда я сам начну, — пожал плечами Стас, ногой пододвинул стул и уселся напротив участкового, сложив руки на груди. — Значит, так, парень. Включаешься на этом этапе в работу нашей сводной оперативной группы. На твоем участке убили эту тетку, которую потом нашли в угнанной машине. Об этом ты в курсе. Но вот что было до этого и почему объединили оба разыскных дела, ты еще не знаешь. Рассказываю...

И он сжато, не опускаясь до подробностей и предыстории, рассказал об убийстве во время прохождения квеста, а затем упомянул и о письме, которое получил Гуров от некоего Режиссера, взявшего оба преступления на себя и угрожавшего полковнику Гурову, требуя от него определенных действий в обмен на несовершение им какого-то убийства.

Захарченко ошалело кивал головой, переводя взгляд с Крячко на Гурова, потом на Морозова и снова на Крячко. Он ожидал, приехав сюда, чего угодно, но только не такого поворота.

— Да, — закончив шептаться с Морозовым, повернулся к участковому Лев, — теперь убийство этой алкоголички выглядит совсем в ином свете. Значит, вы участковый, на территории которого совершено этой убийства?

— Так точно, товарищ полковник, — попытался встать Захарченко, но Гуров одним движением руки пресек эту попытку.

— Как тебя зовут, парень?

— Захарченко! — по привычке бодро начал участковый, тут же смутился и попытался представиться полностью: — Старший лейтенант Захарченко Семен.

— Давай договоримся так, Сеня, — сухо сказал Гуров. — В нашей группе работать нужно быстро, эффективно и не изображать казарму. Если бы я не навел о тебе предварительно справки, я бы решил, что ты гимназистка. А за тобой два задержания вооруженных бандитов. И начальство тебя считает толковым специалистом. Поэтому привыкай к следующему: обращаться к нам не по званиям, а по имени-отчеству, каблуками не щелкать и не бодать головой воздух с возгласами «так точно» и «никак нет». Разговаривать обыкновенным языком, деловито и лаконично. Понял?

— Понял, — кивнул участковый.

— Молодец! А теперь давай, что по этому убийству бомжихи есть на сегодняшний момент?

— Есть не очень много, потому что следов никаких группа не нашла. По ее личности гораздо больше. Штырева Ольга Ивановна, 1980 года рождения. Уроженка Москвы, образование среднетехническое. После окончания школы получила специальность швеи-мотористки, устроилась работать на швейную фабрику. Неудачное замужество, проблемы с беременностью, стала увлекаться алкоголем, появились такие же подруги, недовольные жизнью и имеющие огромный зуб на мужиков. Правда, обществом мужиков они не чурались и выпивали группами по несколько человек.

— Прямо поэт, а не участковый, — улыбнулся Крячко. — Это ты сейчас все нарыл или знал о ней раньше?

— Что-то знал раньше, что-то разузнал сейчас, когда ее убили. Они у меня под надзором всегда были. Писали на них соседи, приходилось заниматься профилактикой, но серьезных правонарушений они не допускали. По душам с Штыревой поговорить мне никак не удавалось, потому что она с незнакомыми, тем более с участковым, не любительница откровенничать. А подруги про нее не много знали. Пьет, потому что с семьей не получилось, вот и вся информация. А уж когда это случилось, я навел о ней подробные справки.

— Сень, а за что ее могли убить? — неожиданно спросил капитан.

— Ни за что. Агрессивностью в их компании никто не страдал. Драк во время пьянок практически никогда не было. Другое дело, что она компании не в квартиру к себе водила, а все норовила с ними на свежем воздухе выпивать. Вот тут от участковых ей попадало за распитие в общественных местах.

— Значит, оперативники ее окружение потрясли?

— Да, всех, с кем Штырева пила, я им передал со своими характеристиками. Между прочим, там нет ни одного судимого. Просто алкоголики и люди со склонностью к бродяжничеству. Как и у самой Штыревой.

— Твое мнение? — спросил Гуров. — Сам ты к какой версии склоняешься?

— На мой взгляд, Штырева случайная жертва, — заявил Захарченко. — Ее никто особенно не выбирал. Вскрытие показало, что убили ее около полуночи. Получается, что просто попалась на пути и убийцам было все равно, кого убивать. Собутыльники в последний раз видели ее возле гаражей. Потом они, по их же словам, расползлись кто по домам, кто по ночлежкам, и никто не помнит, куда и когда ушла Штырева. Убийцам, как я теперь понимаю, важно было просто продемонстрировать мертвую женщину в костюме Коломбины. Машина нужна для того, чтобы не нести труп на руках, это всем было бы заметно. А с машиной как раз нормально — подъехал, вышел, положил труп у подъезда и ушел, а тело и машина остались.

— Это все понятно, — поморщился Гуров. — Ты, Сеня, нам сейчас наши мысли озвучил, узнав, что преступления связаны, а нас интересует, что ты подумал, когда труп нашли, когда ты узнал, что у тебя на участке убили бомжа.

— Циничное, беспредельное хулиганство, — ответил участковый, — ничего особенно и не преследующее. Возможно, что и убийство было случайным, непреднамеренным. А уж потом решили с телом вот так «пошутить».

— Ничего себе шуточки, — покрутил головой Крячко. — Ты в своей практике уже встречал таких шалунов?

— Нет, конечно, — развел руками Захарченко, — но уж больно выходка нелепая. Ну, я тогда так подумал.

— Между прочим, Сеня, — нравоучительно заметил Крячко, — ты должен раз и навсегда зарубить себе на носу, что просто не сумел придумать правдоподобных версий и расценил все как глупую и циничную шутку. А на самом деле так никто не шутит, разве что раз в пятьдесят лет. Всегда есть серьезная причина для серьезного поступка. А убийство — поступок очень серьезный.

— Итак, ликбез заканчиваем, — подвел итог Гуров. — Слушаем приказ. Захарченко в помощь Морозову и изучать окружение и собутыльников погибшей Штыревой. Переверните в районе все с ног на голову, но узнайте точно, кто и за что мог убить женщину, как все произошло, есть ли свидетели. Подворный обход в микрорайоне, откуда угнали машину, ничего не дал, поэтому времени на это не теряйте. Задание агентуре оперативный состав в этих районах получил. Мы с Крячко займемся пятеркой претендентов на роль Режиссера. На сегодняшний день первые сведения у нас есть, причем очень любопытные.

— Настолько, — проворчал Крячко, — что все наши теории готовы рухнуть в одночасье.

— Отнюдь, Станислав, отнюдь, — подняв указательный палец, возразил Лев. — Как раз было бы плохо, если бы все пятеро сидели в настоящий момент или, наоборот, все пятеро были на свободе и находились, скажем, в розыске. Итак! Никифоров сидит как миленький во второй раз, как я понял. Я переговорю с оперативниками, которые его вели и брали, познакомлюсь с материалами дела. Станислав, ты займись запросом в Якутию, или где он там отбывает. Дальше, кто у нас там?

— Горобец умер около полугода назад, а Магомедов почти десять лет назад.

— Насчет Магомедова я бы не стал так спешить с выводами, — заметил Гуров. — Парень пропадал несколько раз и находился. Мог снова сделать такой же фортель. А что больше не проявился, так мог завязать и жить на награбленное все это время. Или в бизнес вложился. Нет, этих покойных проверять будем так же тщательно, как и ныне здравствующих. У нас на свободе из этой пятерки Ремезов и Михно. Я займусь живыми, а ты, Станислав, займись проверкой умерших.

Ремезова Гуров нашел в двух десятках километров от Москвы в Нахабине. После освобождения ему не разрешили жить в столице, да Ремезов и не горел желанием, как рассказал по телефону оперативник, который первое время надзирал за освободившимся уголовником. В Нахабине у него жила престарелая тетка, которая согласилась принять непутевого племянника и списалась с ним, когда он еще сидел под Рязанью. В Нахабино ему и выписали проездные документы.

То, что никто на работу не взял человека с судимостью, Гурова не удивило. Что ни говори, а таких на свободе в коллективах не жалуют, а если и берут, то на такие низкие и неквалифицированные должности, что в статусе бывший сиделец сравнивался с узбеками, подметавшими города и поселки России на социальные зарплаты или на пособия от центров занятости населения. Лев был уверен, что Ремезов нигде не работает и тихо спивается в кругу таких же опустившихся личностей с разной судьбой, но общим финалом. Или снова взялся за старое ремесло, но его просто еще не поймали.

К большому удивлению сыщика, он нашел Ремезова в элитном коттеджном поселке. Все такой же коренастый, плечистый, с кривоватыми ногами и «ежиком» на темени, он таскал батареи отопления, мешки с какими-то строительными смесями, лопатой на листе железы старательно перемешивал раствор. Гуров смотрел на Ремезова со стороны минут двадцать, пытаясь понять, какие еще изменения произошли в этом человеке, кроме появившейся в волосах проседи и морщин возле уголков губ и глаз. Лихой был парень в прошлом, грабежей за ним было больше, чем удалось доказать следствию. И выкручивался он тоже лихо. Кажется, Ремезов всегда пытался предусмотреть все в этой жизни, но не всегда у него получалось с алиби, и загремел он тогда в колонию как миленький.

— Здравствуй, Василий! — сказал Гуров, подойдя к Ремезову со спины и остановившись в трех шагах. Кто его знает, а вдруг нахлынут воспоминания, а в руке тяжелая от засохшего на ней раствора совковая лопата.

Ремезов медленно повернулся, смерил гостя взглядом с головы до ног и так же неторопливо вытер тыльной стороной ладони пот со лба. И еще сыщик заметил, как глаза бывшего уголовника метнулись по сторонам. Привычки остались, подозрительность тоже, но что это означает? Что Ремезов все еще промышляет грабежами или просто никому не верит и боится, что за ним придут еще раз уже без причин, а потому что он уже сидел? Похож или не похож он на того человека, что приходил, по описанию свидетелей, с Левкиным в день его гибели на квест? А если бороду приложить?

— Не узнаешь? — снова спросил сыщик.

— Узнаю, — с вызовом ответил Ремезов. — Вас забыть сложно.

— Что это? — улыбнулся Лев, подходя ближе. — Неужели такая неприязнь сохранилась в душе? Кажется, в то время все было честно. Ты жил преступным промыслом, моя работа заключалась в том, чтобы защищать людей от таких, как ты. Я тебя взял с поличным и доказал, что ты виновен. Что не так?

— Я теперь что, должен вам на шею при встрече бросаться? — поморщился Ремезов и как-то затравленно стал озираться по сторонам.

— Идем-ка присядем, — кивнул Гуров на новенькие лавочки, составленные у заборчика в ожидании установки.

Они сели. Ремезов сразу полез за сигаретами, закурил, держа сигарету по-зэковски, огоньком в ладонь. Гуров продолжал смотреть на него внимательно и оценивающе.

— Зачем пришли? — глухим голосом спросил Ремезов. — Старые дела?

— А если новые?

— Я в завязке, начальник. Много лет в завязке, хоть меня и «сватали» много раз. Вот работаю. Целыми днями работаю, от себя уйти хочу.

— Слушай, Василий. — Гурову пришел в голову один вопрос, который он захотел тут же задать бывшему уголовнику. — Скажи, а за что вы все полицию ненавидите? Ты вот можешь ненавидеть лопату за то, что она тебе не дает перевернуть и перемешать одним движением сразу кубометр раствора? Ты можешь ненавидеть свои руки или спину, что они не могут позволить тебе перенести в дом сразу восемь мешков сухих смесей? Так и мы не позволяем вам делать то, чего природой не предусмотрено. Обществом не предусмотрено.

— Не надо, начальник! У меня нет ни к кому ненависти, нет ни на кого обиды. Даже на тех бывших дружков, которые меня в падлы записали, потому что не пошел с ними на дело. Тебе не понять, начальник, что такое стоять одной ногой в ночи, а второй на солнце и выбирать, куда шагнуть. Ты вот смотришь на меня, как на бывшего «сидельца», что, мол, с него взять! А у него душа, может быть, есть, открылась душа. Спросишь, раскаиваюсь ли за прошлое? А я просто не хочу о нем думать и вспоминать. Я его вычеркнул из памяти, я за него отсидел честно весь срок.

— А теперь? — осторожно спросил Гуров.

— Ничего теперь! Просто я разницу увидел, почувствовал, через ноздри пропустил, через душу свою. Понимаешь, начальник, я увидел разницу, когда к тебе относятся как к скоту, а когда как к человеку. Есть нормальные люди, у кого семьи, квартиры, телевизоры, дети, которых они водят в парк на качели и в зоопарк. А есть угрюмая кашляющая масса в серых робах, есть паханы с гнилыми зубами и глазами, полными ненависти ко всем вокруг. Это целый мир, наполненный ненавистью и лагерной вонью. И я сделал свой выбор. Пойми, начальник, что здесь я человек! Не Ремез, не Ряха, а Васек. Иногда даже Василий Борисович. Меня уважают, я смотрю людям в глаза как равный. И я понял, что стыдно считаться бывшим преступником. Ты это понимаешь, начальник?

Гуров смотрел на Ремезова, видел, как подергиваются желваки на его скулах, как в глазах, полных ожесточенности, очень беззащитно появляются слезы. И как этот большой и сильный мужик пытается усилием воли унять эту подступающую к глазам и горлу влагу. А ведь я не зря жизнь прожил, подумал он. Вот глядя на таких и думаешь, что не зря. Говорят, что колония не перевоспитывает. А вот и нет, она дает возможность сравнить и почувствовать разницу, сделать выбор. Между прочим, сделать самому!

— Ладно, Василий Борисович. — Гуров поднялся и похлопал Ремезова по плечу. — Это ты хорошо сейчас сказал обо всем, о себе. Я же просто мимо шел, увидел, вот и решил поговорить, узнать, как ты. Приятно удивился, что ты работаешь. Ну, будь здоров!

Прораба Гуров нашел в соседнем коттедже. Черноволосый, с большим животом, крикливый, с насмешливыми глазами мужчина посмотрел в удостоверение Гурова и махнул рукой, как настоящий заговорщик, уводя гостя на задний двор новостройки, где была навалена гора еще не вывезенного строительного мусора.

— И что тут у нас интересного для МВД? — спросил он, закуривая и сплевывая. — Нами вроде не уголовный розыск должен интересоваться, а кто-то вроде отдела по экономическим преступлениям. Или кража века произошла?

— Ничего не произошло, — улыбнулся Лев, глядя в смеющиеся глаза прораба. — Про одного человека хотел втихаря расспросить. Только вы ему не говорите, что я расспрашивал.

— Мое дело — сторона. Раз не надо ему знать, значит, и не узнает. О ком речь? У меня шустрых ребят, за кем глаз да глаз нужен, много.

— Вася Ремезов. Он у вас тут вроде разнорабочего.

— Упс! Ремезов, говорите? Жаль, хороший парень и работник старательный. Между прочим, практически единственный непьющий.

— Да вы не спешите выводы делать, — перебил прораба Гуров. — Я ничего плохого про него вам рассказывать не собираюсь. Наоборот, расспросить хотел.

— Да, знаю я, что он судимый, — поморщился прораб, и его глаза перестали быть смешливыми. — Это его беда, он от всех скрывать пытается, но ведь земля слухами полнится, как в старину говорили. Все и так знают, многие не верят, что он за грабежи сидел. Знаете, ребята молодцы, что хоть с расспросами не лезут к нему.

— Скажите, вы верите, что он завязал? — коротко спросил Гуров.

— Вы бы видели, как он работает, не задавали бы таких вопросов. Я ведь знаю, что в уголовной среде работать самому, своими руками — постыдное дело. Только воровать и отнимать. И семью им заводить нельзя...

— Да, есть такие старые понятия, — отмахнулся Гуров. — Вы лучше мне скажите, где был Ремезов вот в эти дни. — Он достал маленький карманный календарь и обвел авторучкой две даты.

Прораб удивленно взглянул на календарь и что-то прикинул в уме. Потом уверенно заявил:

— Здесь был. В поселке. У нас получился простой из-за того, что материалы вовремя не подвозили, и пришлось потом полторы недели нагонять. Ребята работали по двенадцать часов, а то и больше. А Ремезов живет вон в том доме с теткой. — Прораб показал в сторону кучки частных домов, которых еще не коснулось веяние современной архитектуры. — Вкалывали все до седьмого пота. Так что он или дома, или здесь. Хотя если в поселке что-то, то... тут я поручиться не могу.

— Странно, — вздохнул Гуров, убирая календарик в карман.

— Что странно? — не понял прораб.

— Странно, что не можете поручиться. Мне показалось, что вы относитесь к Ремезову с большой симпатией и готовы защищать его.

— Ну, тут за самого себя трудно поручиться, — нахмурился прораб и опустил голову. — В наше время я не знаю, кто кому верить станет.

— А времена всегда одинаковые. Дело, мне кажется, не во временах, а в людях.

— Да ладно, ладно! — Прораб нахмурился еще больше. — Понял я вас. Думаете, что своя рубашка ближе к телу и все такое прочее? Если хотите откровенно, то скажу. Не верю я, что Васька Ремезов снова пойдет на преступление. Завязал он навсегда и очень серьезно. Он мне говорил, я глаза его видел.

— Вот за это спасибо. — Гуров улыбнулся и протянул прорабу руку.

Крячко увидел в кабинете сидевшего на своем любимом диване Гурова и замер у порога:

— Ты чего, Лева?

— Тебя жду, — отозвался сыщик и с неохотой поднялся с дивана. — А ты слишком рано пришел. Не дал насладиться раздумьями.

— Вся ночь впереди. А что за мысли тебя одолевают, сомнения какие или так просто?

— Знаешь, Станислав, иногда вот накатывает одна мысль, что мы будем делать, если эти пятеро окажутся не при делах, а преступления, которые мы пытаемся примерить к матерым и злобным уголовникам, совершил милый, симпатичный парень как раз из коммерческих соображений? Ты не боишься потерять веру в современную молодежь и будущее страны? Ведь это же страшно, что уголовники его не совершили, а парень совершил.

— Ну-ну, — не очень весело засмеялся Крячко. — Уверяю тебя, что совершили эти преступления как раз злобные уголовники. А ты что, про Никифорова узнал что-то интересное?

— Узнал. Наш старый знакомый прохиндей Олег Никифоров не шел в ногу со временем и научно-техническим прогрессом. Видишь, как много значит в жизни образование. Оно не мешает в любой профессии, даже в профессии вора. Ты не поверишь, но, обворовывая год за годом богатые офисы и обходя всякие современные электронные средства безопасности, он как раз на них и попался. Я разговаривал с опером, который им занимался, и у меня создалось впечатление, что, сколько веревочке ни виться, а конец все равно будет. Научно-технический прогресс движется вперед быстрее, чем за ним успевают полуграмотные воры. Короче, он второй раз загремел на нары уже с рецидивом. Что из Якутии на него прислали?

— Оперативный отдел характеризует его не очень хорошо. Представь только, его сравнивают со злобным хорьком. Вроде блатные его уважают, а все равно отношения не складываются. Слишком этот парень любит себя и ненавидит всех остальных. Там целый набор фотографий прислали, так что есть с чем сравнивать. Скажу честно, если бы Никифоров был на свободе, ни секунды бы не сомневался, что все эти убийства — его рук дело. Но он сидит, и очень далеко отсюда, и сидеть ему еще... много.

— Связь с волей поддерживает? Дружки, родственники?

— Нет, замкнулся. Они его там разрабатывали, думали, что он малявы получает, так нет, нет у него связи с внешним миром. У меня тоже, честно говоря, появлялась мыслишка, что эти преступления — его рук дело, но только не сам он ими занимался, конечно, а через дружков своих. Но, похоже, что он тут ни при чем.

— Да? Ладно, оставим Никифорова пока на скамейке запасных. Не очень я верю этой публике, и его карту в колоду пока убирать рано.

# Глава 6

Крячко положил перед Гуровым на стол еще один лист бумаги.

— Это выписка. Прислали из колонии, где Горобец отбывал срок. Рак ему поставили, поэтому, сделав исключение, и выпустили по УДО. А это свидетельство о смерти. Могилу я тоже видел, хотел взять выписку из регистрационной книги на кладбище, но начальника не было, и я решил, что ты поверишь мне на слово.

— Поверю, — задумчиво ответил Гуров, не отреагировав на шутку Крячко. — Вышел из колонии и через два месяца все же умер. Вот опять у меня возникает ощущение, что огромный объем работы, который мы проделали, уходит как песок сквозь пальцы. А ведь Горобец, Михно и Магомедов больше всех подходили по фигуре и форме лица под того «друга» Левкина, с которым он приходил на квест в день своей смерти.

— Да, Горобец умер полгода назад. А Магомедов пропал без вести десять лет назад.

— Не верится мне что-то. Ты же помнишь Магомедова, он скользкий был как уж намыленный. Сколько раз выворачивался, сколько раз его считали умершим, а он снова появлялся, терял дружков, а сам уходил. Я хорошо помню, как среди блатных слушок пошел, что Магомедов специально подставляет подельников, чтобы самому уйти. У него якобы стиль такой. И с ним уже никто не хотел идти на дело.

— Кстати, его, в конце концов, свои же дружки и бросили в последний раз, когда засыпались с грабежом в Марфине. Его гнали несколько часов зимой. Он вышел на лед на Пестовском водохранилище, решил оторваться от машин оперативников и провалился. Пока ребята подоспели, его уже затянуло под лед. Тело, кстати, так и не нашли. Ни весной, ни позже. Так что в известном смысле Магомедов снова ушел, только теперь навечно.

— А ты уверен, Станислав? Ты рапорта оперативников читал, сам с кем-то из тех, кто его гнал в тот день, разговаривал? Знаешь, разыщи кого-нибудь, пообщайся. Точно Магомедов утонул или сомнения остались? Горобец хоть тело оставил, вскрытие делали, а от Магомедова ничего не осталось. Смущает это меня, учитывая, каким был Магомедов.

— Хорошо, — кивнул Крячко. — Я проверю все как можно точнее.

Гуров посмотрел на часы. На сегодня оставалось последнее важное дело — съездить в Горенки недалеко от Балашихи, где, по полученным сведениям, сейчас жил Михно. Спустившись во двор и сев в служебную машину с водителем, он вспомнил, что так и не позвонил сегодня Маше. Но при водителе вдруг общаться с ней не хотелось, и Лев решил отложить разговор до вечера. Маша все равно не ляжет спать, пока не дождется его звонка. Это он знал точно.

— Здравия желаю, Лев Иванович! — повернулся к нему водитель Сашка Артемьев.

— Здорово, Сашка! — поздоровался с ним Лев.

Артемьев был парнем общительным и открытым. Светлые непослушные волосы все время падали ему на лоб, и он их убирал одним ловким движением. Сашка весь был какой-то большой и светлый. И глаза, и кожа, и рубашки носил всегда светлые, и улыбка у него была простая и открытая. А еще Сашка всегда знал, помолчать или, наоборот, занять шефа ненавязчивым и необременительным разговором. При всем при этом он был хорошим полицейским, и Гуров знал несколько случаев, когда Сашка умудрялся задерживать преступников, помогая оперативникам, а однажды отразил нападение каких-то олухов, решивших ограбить кассира, выходившего из банка с деньгами.

— Куда едем, Лев Иванович?

— В Горенки. Это возле Балашихи, если ехать по Объездному шоссе.

— Ага, знаю, — улыбнулся Сашка и завел машину.

Проскочив по Садовому до Кожевнической, он ушел вправо, зная, что свободные дороги в это время суток будут как раз здесь. По Новоспасскому мосту они перелетели Москву-реку, потом по пустому Рогожскому Валу выехали к шоссе Энтузиастов. Еще не вечерело, но в воздухе уже пахло свежестью. Тянуло влагой и зеленью из Измайловского парка. Трехполосное шоссе было практически пустым, и Сашка гнал машину со скоростью под 90 километров. Гуров не возражал. Времени было в обрез, постоянно приходилось работать в условиях жесткого цейтнота. Дважды попадались наряды ДПС, и оба раза, увидев номера МВД, постовые отдавали честь, пропуская «Сонату».

Нужную улицу они нашли почти сразу. Сашка ехал медленно по пыльной улице, вглядываясь в номера домов. Гуров показал вперед на высокий синий забор, набранный из обрезной доски. Забор, крыша дома и кусок участка возле забора выглядели ухоженными. Чувствовалось, что в доме есть хозяин. Не вязался образ ухоженного сельского дома с образом уголовника, домушника, взломщика, человека, которого Гуров подозревал в двойном убийстве и шантаже с непонятной пока целью. Кажется, опять пустышка.

— Останови метрах в двух до калитки, — велел он водителю. — Из машины выйди и будь внимателен. Я не исключаю, что нужный мне человек захочет скрыться в какой-то момент.

— А нападение на вас возможно? — деловито спросил Артемьев.

— Возможно, Сашка, но маловероятно. Но ты все равно держи ухо востро.

— Есть держать ухо, — улыбнулся водитель, выключая двигатель.

Калитка было железной, обшита доской, а по верхней части украшена довольно симпатичной резной деревянной панелью. Повернув ручку, Гуров зашел во двор дома. Первая же мысль была, что двор небогатый, но чистый и аккуратный. Утоптана дорожка из глины и битого кирпича, низкий заборчик из обрезков древесины и большая веранда со снятыми на лето оконными блоками. И опять в душе сыщика появились сомнения. Не вязался этот тихий, ухоженный, пусть и не богатый уголок с образом матерого уголовника.

Вдоль стены дома стояли деревянные резные оконные ставни. Резьба была аккуратная, сделанная хорошим инструментом. Кажется, это дом местного мастера-краснодеревщика. Лев подошел к веранде и увидел на ней большой верстак, несколько мешков со стружкой в углу и несколько заготовок каких-то резных панелей. Он поднялся по ступеням и взял в руки одну панель. Легкая липовая дощечка была разрисована карандашными контурами, и часть из них была уже вырезана. Почему-то Гурову подумалось сразу про баню.

— Чего, заказать хотите? — послышался за спиной старческий голос.

Гуров положил панель и обернулся. Из полумрака сеней к нему выходил старик с длинными седыми волосами. Судя по походке, у него вместо одной ноги был протез, причем плохой. И только когда старик приблизился, Гуров его узнал. Это был Михно. Не тот Михно, каким Лев его помнил, не те лисьи глаза, не та кошачья походка. Глубже стали морщины, в глазах напряжение, плотно сжатые тонкие губы превратились в узкую бледную полоску.

— Гуров?! Опять? Зачем ты явился? От меня и так осталась половина человека... Как я тебя ненавижу!

Сыщик положил на место резную панель и посмотрел в глаза уголовнику. Ненависть? Скорее усталость от всего, что было в жизни. Да, потрепала она его изрядно. Лев уже понял, что без ноги Михно не смог бы проделать то, что сделал убийца Влада Левкина. Правда, всегда оставалось место оговоркам, например, физически убить мог другой человек, нанятый им, или хромоту Михно сейчас просто имитирует, а нога в штанине у него вполне нормальная.

— Меня любить не обязательно, — без улыбки ответил Гуров. — Я этого от людей никогда не добивался. У меня другие цели в жизни.

— Как можно больше посадить? — скривился в злой ус-мешке Михно.

— Мне интересно узнать, как ты стал таким мастером, — кивнул сыщик на резные изделия. — Удивил! А вот твоей обидой я нисколько не удивлен. Очень часто приходится такое слышать. Ты как будто был в прошлом воспитателем в детском саду. Ты же вор, Михно! За это сел, за это и отсидел. Кто тебе мешал жить иначе?

— Шило, мочало, начинай сначала, — проворчал уголов-ник, прошел мимо Гурова и уселся в старое кресло в углу ве-ранды. Теперь стало понятно, что вместо ноги у него в самом деле протез. Причем начинался он выше колена. — А кто мне поверил? Кто-то услышал меня, когда я раскаивался, когда просил снисхождения?

— Как у тебя все просто, — покачал головой Лев. — За-хотел — украл, захотел — раскаялся. Ты хоть задумывался иногда, сколько неприятностей, проблем и горя ты принес людям своими преступлениями? Ладно, когда ты залезал в сейф богатого человека, я допускаю, что украденные налич-ные из его сейфа не последние и он без них не умрет. Но у него сорвалась сделка, у него из-за этого что-то изменилось в планах, люди, которые на него работали, могли не полу-чить премию, может, он уволил нескольких человек из своей охраны из-за того, что ты был таким шустрым, потом их, с его характеристикой, не взяли ни в одно приличное место, а у двоих кредиты на квартиру были, у всех дети. А когда ты украл казенные деньги, которые этому человеку пришлось возвращать из своего кармана...

— Все такие несчастные, — проворчал Михно. — Я еще не видел ни одного несчастного с такими деньгами. Обо мне никто не подумал?

— Я тебе только что объяснил, что и другие люди зави-сят от того, кого ты обокрал. Ты обокрал богатого, а кро-ме него, из-за тебя пострадали бедные, малоимущие. Все в этом мире взаимосвязано. И притом, Аркадий, в какой это стране, в каком обществе разрешено брать чужое? Чужое, понимаешь? Грубо говоря, даже если двери моего дома не заперты и в него можно свободно попасть, это не оправдание для вора. Это чужой дом, он просто не имеет права туда входить. А насчет снисхождения... Понимаешь, за свои поступки принято отвечать перед людьми. За преступления тем более. Почему к тебе должно быть другое отношение? Чем ты лучше других?

— А цена? — Михно весь подался вперед в своем кресле, его глаза полыхали ледяным огнем.

— Цена одна для всех, она прописана в Уголовном кодексе. И смягчающие ее обстоятельство, и усугубляющие тоже.

— А вот с этим как жить? — Уголовник постучал костяшками пальцев по протезу. — Это в твоем кодексе тоже прописано?

— Как ты ноги лишился? В колонии или после?

— Ладно, Гуров, проехали, — вдруг сник Михно и обреченно повесил голову. — Ты прости, что накинулся на тебя. Просто по ночам так тоскливо бывает, такое накатит, что потом весь день сам не свой ходишь. Ясно, что никто, кроме меня, не виноват в том, как жизнь сложилась. И никто не обязан меня в темечко целовать и по головке гладить. Просто обидно иногда, что именно у меня так глупо все сложилось. Вон авторитеты живут и в ус не дуют. И даже ваши их не трогают. А я не смог. И в зоне не смог. Ты спрашиваешь, где я ноги лишился? Да в колонии же и лишился. Мне ее шестерки паханов наших отрезали на пилораме.

— На пилораме? — Гуров поперхнулся и машинально стал опускаться на табурет возле стола.

Михно взял со стола незаконченную скульптурку медведя на задних лапах и стал поглаживать, теребя в руках. Но взгляд его был направлен куда-то дальше или глубже. По его лицу не метались эмоции, связанные с воспоминаниями и прошлой болью, наверное, этот человек уже переболел всем своим прошлым и теперь просто смотрел на него как на кучу хлама в углу дома, который ему уже никогда не выгрести отсюда.

— Там в зоне я и увлекся резьбой, — после короткого молчания заговорил Михно. — Сидел на досках и резал для себя. Чтобы руки занять, да и голову тоже. Мастер заметил, попросил попробовать сделать что-то посерьезнее, крышку ящичка от настольной игры. Ну, я набросал рисунок и давай резать. И увлекся. Мастер забрал, заплатил мне сигаретами. А потом стал часто обращаться, и я делал. Он то сигаретами расплачивался, иногда и деньгами, пока никто не видит. Много чего красивого я тогда сделал. Сам вкус почувствовал. А потом... Потом подошли ко мне двое, присели рядом и сказали, что я ссучился.

Гуров смотрел на Михно и слушал его рассказ. Ничего необычного в этой истории не было. Скорее всего, это закономерный финал, о котором в молодости начинающие воры не думают. Они полагают, что вся их жизнь будет сплошным удовольствием и приключениями. А потом возвращаются из колоний после второй, третьей ходок с полным ртом гнилых зубов, с незалеченным туберкулезом, с раком или СПИДом, с больными почками, сердцем. А часто и вот так, покалеченными.

Все они считали, что воровское братство незыблемо, что оно полно романтической взаимовыручки и держится на святых воровских законах. А потом зона бьет им под дых заскорузлым от крови и нечистот кулаком, да еще припечатывает сверху так, чтобы твоя челюсть клацнула о чужое грязное колено. Образно, конечно, но именно так и ломают слабых в зоне. Много существует способов подчинения себе, способов сделать зависимым, вечным должником. Сломать, искалечить морально и физически, чтобы одному или двум авторитетам жилось вольготно и не прекращался поток чая, денег, алкоголя, наркоты и других источников удовольствия, которые обеспечивают вот такие сломленные, задавленные, растоптанные подчиненные.

Так же поступили и с Михно. Его долго не трогали, готовили компромат, на случай, если он умудрится пожаловаться кому-то повыше в уголовной иерархии. А когда доказательств набралось достаточно, ему рассказали, что мастер цеха просил Михно вырезать поделки не для себя и не для продажи. Они шли «хозяину», то есть начальнику колонии, который ими украшал свой кабинет, а потом при случае хвалился своими кадрами и дарил эти работы гостям, нужным людям, своим вышестоящим начальникам. И Михно обвинили в том, что он ссучился, что имеет дела с администрацией зоны, а за это якобы его не трогают, не придираются, как к другим по поводу мелких нарушений, не сажают в ШИЗО. Мол, Михно прекрасно знал, кому изготавливает свои безделушки.

Он возмутился и попер буром там, где надо было поступить умнее. Заслужив погоняло Махно, созвучное с его фамилией Михно, он решил, что стал ровней другим ворам. Даже сам себя в разговоре пытался называть вором. Ему прощали, потому что ждали удобного момента, чтобы начать ломать. И этот момент настал. Его спровоцировали на агрессию, и он кинулся выяснять отношения, доказывать и... угрожать. Тогда прозвучало короткое «укоротите его», и двое здоровенных «быков» схватили Михно и бросили на пилораму. Он смутно помнил, как с визгом бешено вращающаяся фреза рванула плоть его ноги. Наверное, природой так предусмотрено, чтобы сберечь рассудок, она отключает сознание. Потом только сплошной кровавый туман вперемешку с периодической нестерпимой болью, от которой он выл и сходил с ума, когда ему изредка делали укол.

Гуров смотрел, как подергивалось лицо Михно, и думал о том, что этот человек сам, сознательно всю свою жизнь шел вот к такому финалу. Могло быть еще хуже. Могло не оказаться таланта резчика по дереву, не оказаться сильной воли, и Михно, начав пить, сейчас бы уже умер где-то у дверей винного ларька в этой вот деревне. Или под колесами автомашины, переходя пьяным ночью шоссе.

— Получается, что я на всех в обиде, — проговорил Михно. — И на воров в обиде, и на ментов в обиде. Только на себя одного я не в обиде.

Гуров удивленно посмотрел на уголовника. К чему он клонит, что хочет сказать этой странной фразой? Правда так считает?

— Ладно, ты на меня так не смотри, — уже другим тоном заговорил Михно. — Я просто, наверное, испугался, когда тебя увидел. Все снова нахлынуло, подумал, что вот все по второму кругу начинается. А дурак я сам, и только я. Так чего ты пришел, Гуров?

— Узнал, что ты здесь живешь, что не сидишь... зашел посмотреть.

— Вот так и живу. Руки кормят. Снова, — усмехнулся Михно. — Раньше замки вскрывали, а теперь вот красоту режут. И, представляешь, люди хорошо платят. А мне много и не надо. Мне бы покоя немного и тишины. Так-то вот, Гуров.

Хлопнула железная калитка, и сыщик с трудом сдержал естественный порыв резко повернуть голову на звук. По дорожке к дому шла миловидная женщина с густой проседью в волосах, держа в руках трехлитровую банку с молоком.

Кивнув Гурову, женщина легко взбежала по ступеням веранды и поставила банку на верстак, ловко смахнув передником стружки.

— Вот, Аркаша, молочка тебе принесла, — сказала она, поправив чистую тряпочку, которой была накрыта банка. — Ты его в холодильник поставь, только не высоко, не надо, чтобы ледяное было. А вечером я хлеб испеку. А вы хотите свежего молока? — неожиданно обратилась к Гурову она, глядя на него по-доброму, но все же настороженно. Наверняка историю жизни Михно она знала.

— Нет, спасибо. — Лев решительно поднялся. — Спешу! А так бы с огромным удовольствием. Знаете, с детства люблю молоко с теплым хлебом. Еще раз спасибо. До свидания! Будь здорово, Аркадий!

Он неторопливо пошел к калитке, думая по дороге, что в личной жизни у Михно, кажется, все складывается. Просто так, без стука молочко не приносят, просто так от калитки разрешения спрашивают войти. Когда Гуров вышел в переулок, там прогуливался, внимательно озираясь по сторонам, Артемьев да жарилась на солнце его машина.

А за приоткрытой калиткой соседнего дома уже стояла та женщина и смотрела на них. Гуров подошел к ней и представился:

— Меня зовут Лев Иванович. А вас как?

— Ольга Ивановна, — с готовностью ответила женщина и тут же с болью в голосе спросила: — Вы его снова заберете, да? За старое?

— За старое? — переспросил Гуров, удивившись, как точно эта женщина поняла, кем является на самом деле гость Михно. — Мне кажется, что за старое он расплатился сполна.

— Да, расплатился. Именно расплатился, — горячо заговорила Ольга Ивановна. — Большую он цену заплатил. Вы не смотрите на протез, на то, что ноги нет. Это самая малая плата. Вы ему в душу загляните. Там ведь черно все от неверия в людей, от обиды. Он ведь только-только отходить начал, он ведь зверюшек и цветы вырезает теперь, а не просто узоры, на решетку похожие.

— Вы знаете, за что он отсидел? — спросил Гуров.

— Все я знаю. Мы здесь все знаем друг о друге.

— Ольга Ивановна! — Гуров облокотился на каменный столб в проеме и задумчиво, по привычке почесал бровь. — Ответьте мне на один маленький, но очень важный вопрос.

— Отвечу, — храбро заявила женщина.

— Скажите, по-вашему, Аркадий способен снова совершить преступление?

— Никогда! — горячо ответила она. — Ударить может, крепко побить может, если кто... или из-за меня. Но чтобы снова воровать и грабить... Этого он никогда больше не сделает. Он ведь считает, что это как бы кара небесная ему за все содеянное. У него душа замерзла, тепла просит. Никогда он больше не сделает того, что делал в молодости. Он детей любит. Вы бы видели, как он на них смотрит. Он ведь почти год, как вообще за ворота дома не выходит. Мать похоронил, так бобылем и живет. А заказы и материалы ему сюда привозят, тут и работает.

— Спасибо, Ольга Ивановна, — кивнул Гуров и зашагал к машине.

Ну, вот, думал он, все косвенные доказательства перевесили сомнения. Не станет Михно заниматься местью. Некому больше мстить. Если уж говорить образами, то прежний Михно давно умер, может быть, в муках в больничной палате. И там же родился, когда боли улеглись, новый Михно. Нет, поправил себя Лев, не новый, а как раз тот, какой он на самом деле и есть. С болью с него сползла эта воровская шкура, и душа обнажилась.

— Знаешь что, Сашка. — Он подошел к водителю и похлопал его по плечу. — Ты поезжай вперед и жди меня возле автобусной остановки. Я пройдусь пешочком. Мне подумать надо, по телефону позвонить. Хорошо?

— Давайте я за вами поеду, Лев Иванович, — предложил водитель. — Все у меня на глазах будете.

— Сашка, нет опасности, — улыбнулся Гуров.

— Ну, раз была раньше, то снова появиться может, — строго заметил Артемьев. — Уж лучше перестрахуемся.

— Ладно, — засмеялся Лев и двинулся по переулку.

Настроение у Гурова было странное. То, что Михно оказался, видимо, непричастным к преступлениям и вообще отказался от преступной деятельности навсегда, радовало. Но, с другой стороны, круг подозреваемых не просто катастрофически сужался, он просто таял на глазах. А новых пока не появлялось, несмотря на массу оперативных мероприятий, новых улик и новых подозреваемых. Напряжение не отпускало, и возможность поговорить с женой по телефону была сейчас для Гурова бальзамом на душу. Он ведь еще и за нее переживал, как и она за него.

— Але, Маша, — едва услышав в трубке голос жены, заговорил Лев, — как ты там? Как отдыхается?

— Да у меня все хорошо, ты почему не звонил мне весь день?

— Машенька, некогда было. Да и что со мной может случиться, когда вокруг меня все время толпы полицейских и неприступные стены министерства?

— Все шутишь, — вздохнула Мария. — Когда у вас там все это закончится? Вы уже кого-то поймали?

— Ну, ловим мы в последнюю минуту, чтобы с поличным, ты же знаешь. А большую часть времени мы наблюдаем за преступником, изучаем его связи, вычисляем помощников. Так что этим и занимаемся.

— Ох, не знаю, я тут отдыхаю больше или нервничаю. Может, дома мне было бы спокойнее?

— Ты там процедуры принимаешь, ты под надзором и в руках специалистов. Не забывай, моя хорошая, что ты еще и здоровье поправляешь. Я же не просто в дом отдыха тебя отправил, а в специализированный санаторий.

— А ты не боялся, что я окажусь в среде тихо помешанных и слегка двинутых пациентов? — явно повеселела на том конце Мария.

— Таких там не бывает, — невольно улыбнулся Гуров. — Это санаторий для солидных людей, которым нужно подлечить нервную систему, подпитать ее, сделать устойчивее, просто нужен отдых в руках хороших специалистов. Я же знаю, что там в основном пожилые пары и дамы солидного возраста. Думаю, что к тебе и с разговорами никто из пациентов не будет приставать. Там все отдыхают, и от общения в том числе.

— Ты немного ошибся, знаменитый сыщик. Есть и молодые, и вполне симпатичные люди. Я тут заприметила одного, который с меня глаз не сводит. Такой крепкий парень, и что-то меня сомнения берут, что у него проблемы с нервной системой.

— Такой высокий шатен, лет тридцати? С прической как у Джонни Деппа и он чуть щурит левый глаз?

— Да! Это что такое?

— Это не молодой ловелас в поисках зрелых дам, Машенька. Этого молодого человека зовут Ярослав, и он капитан полиции. Ты же не думаешь, что я тебя отправил одну без всякого надзора? Это твоя охрана и мои глаза в санатории. Думаю, так тебе будет спокойнее. Меня очень беспокоило твое состояние, после того как ты увидела эту убитую женщину в машине.

— Ну, хорошо, — грустно вздохнула жена. — А я уж думала, что ты мне не доверяешь.

— Маша, — засмеялся сыщик. — Ты разве меня так плохо знаешь?

— Я тебя хорошо знаю, Гуров. И я очень соскучилась. Заканчивай там побыстрее со своими розысками, ладно?

— Ладно, моя хорошая. Я закончу и позвоню. А потом приеду за тобой сам. Даже возьму денечек-другой отпуска и поделаю себе массажик, электрофорез, что там еще делают. Какой-нибудь гипнотический курс пройду. А вечерами мы будем с тобой гулять по парку между корпусами. Там есть парк?

— Есть. И парк есть, и лавочки. И даже сверчки.

— Ну, вот и славно. Тысячу лет не сидел с тобой под звездами и не слушал сверчков!

Да, сверчки, думал Гуров, убирая телефон в карман. Тишина, покой, уютные корпуса и сверчки по вечерам. Сказка! А пока у меня перед глазами два трупа и письмо ненормального, который требует чего-то непонятного, но вполне понятно угрожает смертью еще одному человеку. И у меня нет зацепок и ниточек, за которые можно ухватиться. Знать хотя бы, кого он себе наметил в следующую жертву, если это вообще в его планах. Скорее всего, просто письма больного человека. Психологическая экспертиза ничего толком не дает, лингвисты по тексту никаких серьезных выводов сделать не могут. Список претендентов, обиженных лично на меня, иссякает. Кто он, этот Режиссер? И чего он хочет на самом деле?

Гуров вернулся домой, когда еще не наступила полночь. Стояли машины напротив дома, уставшие за день, уютно светились окна квартир. Подумалось сразу, что в его квартире пусто и слишком тихо. Когда дома была Маша, то стоило открыть дверь, и сразу чувствовался запах чего-то вкусного, тихо играла музыка. Маша любила радио, потому что его не надо смотреть, а можно только слушать, и всегда находила музыкальные программы. Занималась своими домашними делами, слушала веселый треп ведущих, музыку и ждала мужа.

И всегда у них было ритуальное чаепитие под абажуром на кухне. Дело было не в чае, а в поводе посидеть рядом и посмотреть друг другу в глаза, почувствовать, что у каждого все хорошо. Проблемы, какие-то неприятности — все это бывало, но все оставалось за входной дверью снаружи.

А я налью чаю, подумал Гуров с улыбкой, и позвоню Маше. Буду пить не спеша и разговаривать с ней перед сном. Он вошел в подъезд, привычно открыл ключом почтовый ящик и вытащил ворох бумаги. Пара газет, которые они не выписывали, но которые регулярно бросают во все почтовые ящики, несколько маленьких рекламных листовок и... почтовый конверт.

Лев повернул конверт лицевой стороной и сразу напрягся. Адрес получателя был написан не от руки, а напечатан на принтере, вырезан ножницами и наклеен на конверт. Важное сразу бросилось в глаза. «Гурову Л. И.», а дальше — Москва, улица, номер дома, и... номера квартиры не было указано. Но письмо лежало в его почтовом ящике. Конверт чуть влажный с одного угла. Гуров посмотрел на пол. Подъезд сегодня вечером мыла уборщица, кое-где еще виднелись влажные места.

Поднявшись к себе, он прошел на кухню, включил чайник и уселся на стол, положив на него конверт. Итак, что в нем, уже понятно, очередное послание от Режиссера. Номер дома он знал, знал подъезд, видимо, простая слежка выявила. А вот номера квартиры Режиссер не знал. Это очевидно. И письмо брошено в почтовый ящик не им. Наверное, он смог попасть только в подъезд, а дальше... Дальше, видимо, положил письмо на пол возле ящиков, а уборщица подняла его и положила в ящик Гурова. Уборщица? А она знала, в какой он квартире живет? Он ее, например, ни разу в глаза не видел. Ни разу. Потому что приходил домой слишком поздно. Стоп, остановил себя сыщик, давай-ка все по порядку.

Кухонным ножом он аккуратно взрезал одну сторону конверта. Так, опять все тот же лист «снежинки», сложенный втрое по форме узкого вытянутого конверта. Ну, вот и нет больше сомнений...

*«У тебя 15 минут на то, чтобы отправить эсэмэской адрес своей электронной почты вот на этот номер.*

*Не пытайся определить место нахождения телефона и его хозяина. Телефон украден, и хозяин хватится его не скоро. Непослушание актера приведет лишь к тому, что Режиссер накажет его смертью невинного человека».*

Рука Гурова машинально схватила мобильный телефон, но он тут же разжал руку и посмотрел на кухонные часы. Спокойно, время еще есть. Сначала надо оценить ситуацию, наметить план действия. Негоже матерому полковнику метаться, как... цветок в проруби. Он хочет получить номер моей электронной почты, потому что в 21-м веке писать письма на бумаге нелепо, и скорость доставки страдает, а он желает общаться со мной оперативно. Твою мать, на кой черт я ему сдался? Мстить? Давно бы попытался зарезать из-за угла или пулю в голову пустить. А то, что он вытворяет, кроме как клоунадой и не назовешь. Ладно, пусть клоун, у клоуна тоже своя логика должна быть.

Значит, поиграть решил? Давай поиграем. А ведь этот Режиссер не знает, что почту можно и не посмотреть вовремя. А нет у меня доступа к электронной почте сейчас. И завтра всю первую половину дня. Пока он это сообразит, потеряет еще один день. А потом я придумаю другую проблему. Правда, водить его за нос долго не удастся, но немного времени мы все равно получим. Вот тебе адрес моей почты. Гуров стал набирать сообщение...

Крячко увез письмо в лабораторию, а Гуров еле дождался восьми утра, чтобы дозвониться в свою управляющую компанию. Там долго не могли понять, зачем жильцу понадобилась уборщица, если претензий к ее работе нет. Потом кто-то там сообразил или вспомнил, что в этом доме живет полковник полиции, который работает в министерстве, и уже через пятнадцать минут женщина, отвечающая за содержание жилого фонда, встретила Гурова у подъезда соседнего дома. Джинсики в обтяжечку, кроссовки, волосы, забранные в хвостик на затылке. Миловидная женщина лет сорока с очень живыми глазами. Ее Гуров помнил, приходилось как-то обращаться.

— Здравствуйте, — деловито протянула она руку. — У вас правда нет претензий к ее работе?

— Никаких, — заверил Гуров. — У меня к ней только вопрос.

— Ну, пойдемте. — Женщина открыла магнитным ключом входную дверь и торопливо побежала по ступеням.

Уборщица, молодая, тучная, в очках, заканчивала уборку в подъезде и собирала свой инвентарь. Она удивленно посмотрела на свою начальницу и незнакомого мужчину.

— Вот, Катя, это мужчина из соседнего дома, он тебя о чем-то расспросить хотел. Ты же вчера у них убиралась, да?

— Подождите, — остановил деятельную начальницу Гуров и подошел к уборщице: — Катюша, вы вчера вечером возле почтовых ящиков в подъезде письмо поднимали с пола?

— А вы тот самый Гуров, значит? — улыбнулась уборщица, но тут же испуганно согнала с лица улыбку: — А что-то не так, да?

— Да все хорошо, Катя! Вы письмо нашли на полу, да?

— Я подумала, что кто-то уронил, и подняла. А потом смотрю, там забыли номер квартиры написать. Наверное, почтальон не знал, в какой ящик положить, и положил сверху, а оно упало.

— Наверняка так и было, — поспешил успокоить уборщицу сыщик. — А вы его в мой ящик положили. Я вас должен поблагодарить?

Женщина из управляющей компании смотрела на уборщицу, на Гурова и медленно осознавала, что разговор между ними происходит какой-то нелепый. Смысл его крутился возле какого-то конверта, но о чем тут можно так долго говорить и, главное, зачем?

— Так я и не знаю, в какой вы квартире живете, — засмеялась уборщица. — Я хотела положить конверт на ящики сверху, а потом мужчина какой-то вошел, я его спросила про вас, он мне номер квартиры и подсказал. Ну, я и опустила письмо в ваш ящик.

— Огромное вам спасибо, — расплылся в улыбке Гуров, чтобы хоть как-то мотивировать уборщицу на дальнейший откровенный разговор и снять с нее напряжение. У него был еще ряд вопросов, которые могли показаться обеим женщинам еще более странными. — Скажите, Катя, а вы во сколько пришли вчера убирать подъезд?

— Поздно пришла. Часов в десять вечера, наверное.

— И сразу письмо увидели?

— Да нет, убралась уже, а потом глядь, а оно лежит на полу. Я его и подняла...

— А вы не помните, оно до этого на ящиках сверху лежало или его принесли, когда вы уже убирались?

— Вот уж не могу сказать.

— А входная дверь хлопала, когда вы были в подъезде?

— Так... разве упомнишь? И дверь у вас тихая в подъезде.

Ничего она не помнила, с этим пришлось смириться. Не помнила, встречался ли ей кто-то у подъезда, когда она только пришла убираться, не помнила, заходил ли кто, когда она уже работала там. Хорошо хоть запомнила мужчину, который ей подсказал номер квартиры Гурова. Это сосед, живший этажом выше, главный инженер в большой организации и вполне приличный человек.

У Орлова они собрались только в одиннадцать часов, когда солнце нещадно палило в окна генеральского кабинета, и пришлось опускать жалюзи и включать сплит-систему. Орлов потирал руки, глядя на акт экспертизы, который ему только что принесли.

— Значит, проявился гаденыш? Ладно, что у нас есть на него?

— Ничего нет, — отрезал Крячко. — Кто был похож, те умерли, а третий без ноги и озлоблен на весь мир. Только на своей деревяшке далеко ему не ускакать. И не верю я, что Михно вдруг стал таким великим организатором, что все это провернул, дергая за ниточки из своего дома в деревне.

— Не горячись, Станислав, — не поднимая головы, сказал Орлов. — Значит, отпечатков на письме нет, потожировые... ага, есть. И подлежат идентификации.

— Только еще было бы с кем сравнивать, — заметил Гуров.

— Спокойно, Лева, — поднял руку Орлов. — Если есть такая возможность, то мы ее и реализуем. Хуже не будет, зато достоверно будем знать, что это не они. Я распоряжусь, чтобы негласно собрали потожировые с ваших претендентов из списка. Пусть с троих, но и их отработаем. Дальше характеристика принтера. Ну, это нам понадобится, когда мы найдем человека. Тогда и будем вменять ему использование собственного принтера или чужого для шантажа старшего офицера полиции. Кстати, он тебе уже на почту что-то прислал?

— Не знаю, — усмехнулся Лев. — Если он хоть что-то понимает в этих делах, то должен знать, что проще простого отправлять по электронке письма с уведомлением, так что легко выяснить, когда я его прочитал. А я вот не смог зайти в почту и все. Времени не было. Правда, он и эсэмэсок пока больше не слал.

— Ладно, что еще сделано?

— Морозов с Захарченко перевернули весь микрорайон. Свидетелей похищения или убийства Штыревой не найдено. По ее последним контактам прошли плотно. Фотографии показывали нашей пятерке претендентов, никого не опознали. Попыток, скажем, каким-то способом завладеть ее квартиркой не зафиксировано, так что оснований полагать, что ее убили из-за квартиры, пока нет.

— Все камеры наружного наблюдения, — продолжил доклад Крячко, — проверены. Ни одна не имела направления хотя бы примерно в нужную нам сторону. Вечерние опросы прохожих проведены. Половина действительно в указанное время регулярно ходит по этой улице. По нашим снимкам никого не опознали, бородатого не видели.

— Черт, где он мог украсть бороду и парик? — хлопнул рукой по столу Орлов. — Ведь профессиональные же средства, не самодельщина.

— Мы занимаемся и этим, — ответил Гуров. — Я велел ребятам из МУРа проверить все объявления о гастролях в Москве и, главное, в ближайшем Подмосковье в течение последнего месяца каких-либо эстрадных, цирковых или театральных коллективов.

— Почему гастролеров? — спросил Орлов. — Хотя ты прав. Красть у своих, московских опасно. А иногородние приехали и уехали. Логично!

## Глава 7

Капитан Морозов позвонил, когда Гуров и Крячко только вошли в свой кабинет после совещания у Орлова.

— Что у тебя, Костя? — Гуров сразу отметил, что звонок не плановый и оперативник как минимум хотел о чем-то посоветоваться. Обычно они созванивались в конце дня, если ситуация не позволяла Морозову приехать к Гурову.

— Есть одно заявление о краже у творческого коллектива, — сказал капитан. — Произошла она за шесть дней до убийства Левкина.

— Подожди, — перебил его Лев, — а где данная кража произошла, при каких обстоятельствах?

— В Щербинке. У них как раз торжества местного масштаба по поводу годовщины присоединения городского поселения к Москве. На торжества были приглашены творческие коллективы для выступления на нескольких площадках. Один из них — это эстрадный театр «Миражи» из Рязани.

— Ну-ну, Костя, не тяни кота за хвост!

— Я пока больше ничего не знаю, Лев Иванович. Пока только факт заявления о краже реквизита из гримерки. Я решил вам позвонить и сразу ехать туда.

— Да, езжай, Костя. Если среди украденного есть парик и накладная борода, то по полной возьми у них копии протоколов. Упрутся — сразу звони мне!

Гуров положил трубку на стол и задумчиво посмотрел на Крячко. Напарник еле заметно покачал головой. Да, старый друг прав, и интуиция говорит о том же. Через десять минут Гуров уже выехал в Щербинку. Пока он добирался до Щербинского УВД, Крячко уже успел организовать телефонограмму из главка МВД. И капитан Морозов, не знавший о телефонограмме и пытавшийся выполнить задание Гурова просто на голом энтузиазме, обомлел, когда одно появление полковника в здании УВД изменило ситуацию в корне. С Гуровым, а заодно и с Морозовым стали разговаривать предупредительно, приказы выполнялись быстро и точно. Молодой капитан пытался приписать это популярности Гурова и его харизме, пока не увидел телефонограмму.

Однако уже через пару минут Константин забыл и о телефонограмме, и своих попытках добиться информации без чьей-либо помощи. Морозов подошел к сидевшему за чужим столом Гурову и заглянул через плечо в протокол, в котором было перечислено похищенное из гримерной труппы рязанского эстрадного театра «Миражи». Сыщик тыльной стороной карандаша провел по строкам, где был указан парик, потом накладная борода, потом «костюм театральный «Коломбина».

— Видишь, Костя?

— Вот, значит, откуда и костюм, Лев Иванович. Это что же получается, он заранее спланировал все? Обе свои выходки, которые, по его мнению, должны были убедить вас в серьезности намерений?

— Возьми, сними ксерокопию, — приказал сыщик и стал перебирать другие бумаги на столе.

Начальник уголовного розыска УВД сидел напротив и хмурился. Гуров перерыл материалы по заявлению театра о краже, но нигде среди объяснений и протоколов так и не нашел никаких описаний, хотя не раз упоминался некий мужчина, который... Наконец в кабинет ввалился, явно запыхавшись, молодой оперативник, который пробежал глазами по лицам и остановил свой взгляд на Гурове.

— Оперуполномоченный лейтенант Синицын, — представился он.

— Сядьте, — кивнул на свободный стул Лев. — Рассказывайте все по порядку. Как обратились сотрудники театра из Рязани, что вы предприняли, что удалось установить?

— Я тогда дежурил по управлению, товарищ полковник. Выезжал по их заявлению.

— Это все, что вы можете сказать?

— Не понимаю, товарищ полковник. — Лейтенант удивленно посмотрел на Гурова, потом на начальника уголовного розыска.

Крупный плечистый майор покусывал губу и непроизвольно барабанил пальцами по крышке стола. Наконец он не выдержал и начал сам объяснять, что в тот день поступил телефонный звонок из Летнего театра в Центральном парке, что группа была на выезде, что Синицын отправился в театр один на личной автомашине. Но Гуров быстро прервал его:

— Я понимаю вас, лейтенант — ваш подчиненный, и все же вопрос был адресован ему. Он — офицер, аттестованный сотрудник, способный, судя по всему, работать самостоятельно, принимать решения и нести за них ответственность. Нет? Я не ошибаюсь?

— Все верно, товарищ полковник, — нехотя согласился майор. — Просто...

— Просто ваш сотрудник почему-то не может двух слов связать и сформулировать элементарные выводы. Итак, кто звонил в дежурную часть и сообщил о краже?

— Это надо спросить у дежурного, — пожал плечами лейтенант. — Я могу узнать, кто именно в тот день был оперативным дежурным.

Гурову не хотелось жалеть этого мальчика в звании лейтенанта полиции. Он понимал, что виноват не только Синицын, виноваты и те, кто не научил, не привил, не требовал, а может, в чем-то и поощрял такое отношение к своей работе. Как часто Гуров стал сталкиваться вот с такой ситуацией, когда в подразделении делали все, чтобы уменьшить объем работы искусственно. До боли обидно порой было видеть вот таких молодых сотрудников, для которых преступление — это всего лишь галочка. Раскрываемое, значит, стоит заниматься, если сразу видно, что висяк, они сделают все, чтобы не работать по этому делу. А способов спустить расследование на тормозах много, и каждый оперативник их прекрасно знал. Были даже такие, которые из всех оперативных наук первым делом выучили именно науку, как поменьше работать и не отвечать за это.

Постепенно картина нарисовалась. Оперативный дежурный позвонил Синицыну вечером и сообщил, что произошла кража. Синицын выехал в Летний театр в парке, его встретил администратор и сразу провел в деревянное строение, где временно располагались гримерные. Синицын тут же вскрыл, как понял Гуров, недостатки в работе администрации театра, не обеспечившей сохранность материальных ценностей. Более того, по его мнению, с чем вежливая администрация театра со вздохом согласилась, это была прямо-таки преступная халатность, граничащая с провокацией. Это же какой человек пройдет мимо кошелька, оброненного другим прохожим! А тут пусть и не кошелек, но лезь кто хочет в окно, бери все, что понравится.

Гуров слушал, задавал вопросы, морщился, но терпел. Сейчас важнее было выудить из всего этого словесного хлама рациональное и полезное. Да, оперативник припугнул администрацию театра тем, что суд, если воры найдутся, вынесет частное определение, касающееся именно администрации театра. И когда он убедился, что желание искать воров у руководства театра пропало напрочь, он, как одолжение, стал изображать профессиональную деятельность. То есть описал положение комнаты в здании, доступность открытых и незащищенных окон, слабость дверей и дверных запоров, отсутствие надлежащей системы охраны имущества. Разумеется, он составил и список похищенного, стараясь минимизировать не только количество похищенного, которое и так было предельно мало, но и стоимость его, со слов, конечно, администрации.

Похищенное стоило копейки, как удалось установить оперативнику, администрация сама виновата, и в результате на стол легло постановление об отказе в возбуждении уголовного дела. Между прочим, начальник уголовного розыска его визировал и теперь сидел, пряча глаза.

— Почему вы не допросили очевидцев? — Гуров потряс перед носом Синицына листом бумаги. — Вам же пытались сказать, что видели преступника, вам его описать даже пытались. Или вы уже там знали, что напишете отказное? Хорошо же вас выучили!

Он перевел взгляд на майора, отчего тот еще больше втянул голову в плечи. Получалось, что именно он так учил работать своих подчиненных — работать ради процесса, а не ради результата. И когда, в какой момент здесь, в этом территориальном управлении внутренних дел, произошла вот такая подмена моральных ценностей, подмена долга?

— Двенадцать дней по этому делу никто не работал, — констатировал Гуров. — Двенадцать дней вы демонстрировали и преступникам, и гражданам вашего городка, что работать вы не будете. Одни могут спокойно воровать, вторые пусть оставят надежду на то, что вы их защитите, поможете. — Он поднялся из-за стола и пошел к двери. Остановившись на пороге и обернувшись к местным оперативникам, добавил: — Не хочу показаться вам субъективным, не хочу делать выводов только по одному делу. С завтрашнего дня я инициирую проверку вашего отделения и проверку оперативной работы в УВД.

На улице его догнал Морозов. Лев взял его за пуговицу на рубашке и заговорил:

— Значит, так, Костя! Сегодня ты должен выехать в Рязань и найти там этот театр «Мираж». Прошу как об одолжении, не срами наши органы и сделай вид, что все это время мы геройски занимались их делом, этой дурацкой кражей. Нельзя убивать в людях веру в справедливость, понимаешь?

— Я понимаю, Лев Иванович, — улыбнулся капитан. — Постараюсь.

— Постарайся! И еще, Костя. Опроси всех, кто мог видеть вора, кто слышал о нем, от кого слышал. Я дам тебе ноутбук с программой «фоторобот». Это на случай, если свидетели не опознают никого из нашей пятерки претендентов. Тогда ты должен будешь составить по их описаниям портрет. Но это еще не все. Когда будешь опрашивать людей, постарайся выудить из них не только визуальную информацию, а их ощущения. Понимаешь, каким они увидели этого вора, как он себя вел, пусть оценят его таланты или недостатки. Вся эта дополнительная информация крайне важна в этом деле. Мы ведь до сих пор не можем даже косвенных улик набрать на кого-то конкретного.

— Я понял, Лев Иванович, — кивнул Морозов.

К своему соседу на работу Гуров заскочил в обеденный перерыв.

— Здорово, Лев Иванович! — Главный инженер, выходя, закрывал кабинет на ключ, но, увидев Гурова, остановился. — Что за срочность такая, которая до вечера подождать не может? Ну, ко мне зайдем или как?

— Давай к тебе, — согласился Гуров, пожимая соседу руку. — Да я ненадолго, не задержу. А дело и правда срочное, до вечера не терпит.

— Ух ты! — засмеялся главный инженер и отпер дверь. — Как у вас, у полковников, все серьезно.

— У нас-то? У нас очень все серьезно.

Они уселись в кресла, и сосед с беспокойством обратил внимание, что лицо Гурова вдруг стало серьезным. Исчезла улыбка, исчезли беспечные морщинки вокруг глаз. И интонации голоса стали глухие и бесцветные.

— Александр Петрович, ты извини, что пришел с таким к тебе, но я вынужден попросить пообещать мне, что о нашем разговоре никто не узнает. Вообще!

— Не пугай меня, Лев Иванович. Обещаю, конечно. А что случилось?

— Сначала ты ответь. В тот день, когда уборщица нашла на полу адресованное мне письмо, ты у подъезда не встретил никого незнакомого, подозрительного, просто чем-то запомнившегося человека? Знаю, было темно, но все же.

— Запоминающегося? — пожал плечами сосед. — Хромотой, может быть, запоминающегося?

— Хромотой? Ты видел у подъезда хромого?

— Ну, не у подъезда, а... — Сосед неопределенно повертел рукой в воздухе. — Это я так, для образности спросил. Если честно, то под вечер я не только на посторонних мужчин внимания не обращаю, мне и не до женщин уже. Устаю очень в последнее время, работы много.

— Понятно, идешь домой, уткнувшись взглядом в асфальт?

— Практически так и есть.

— А про какую хромоту ты сейчас говорил?

— Просто ты сказал о том, что человек чем-то должен выделяться, что-то броское можно заметить, вот и вспомнилось. Прихрамывал тот, которого я на улице встретил.

— Не у подъезда?

311

— Нет... не знаю. Наверное, у начала дома, у крайнего подъезда, а что?

— Он со стороны нашего подъезда шел?

— Да, хотя я не уверен, что именно нашего, может, соседнего.

— А какого он роста, возраста?

— Роста? А хрен его знает. Я больше его ноги видел. И про возраст не скажу. Хотя если учесть, что на нем свободные штаны и растоптанные кроссовки, то думаю, он далеко не мальчик.

— Хорошо, ты бы не удивился такому одеянию у человека какого возраста?

— Умеешь ты спрашивать, — засмеялся сосед. — Ну, думаю, что мужчина лет сорока уже не вызвал бы у меня недоумения такой одеждой.

— Волосы? Какой длины волосы, какого цвета?

— Ну, захотел!

— Давай опять включим образность твоего мышления, ты же инженер. Боковым зрением ты его наверняка видел всего, от пяток до маковки. Что-то вспомнилось?

— Нет, вот про волосы ничего не могу сказать. Может, он вообще в бейсболке был.

— Жаль, значит, длинные волосы с сединой на ветру не развевались.

— Не знаю. Хотя...

— Что?

— Не уверен, его это лицо или подсознание что-то подсказывает из другой картинки, но мне почему-то кажется, что у него худое лицо. Хотя не уверен.

— Ладно, давай про хромоту подробнее поговорим. На какую ногу он хромал?

— Лев, в письме были угрозы? Шантаж? Они не точно знают, где ты живешь, поэтому письмо без номера квартиры?

— Петрович, ну что ты в самом деле, — грустно улыбнулся сыщик. — Ты же не маленький, понимаешь, что не все можно выносить из конторы наружу.

— Ясно, — серьезно кивнул сосед. — Значит, угрозы. Ладно, больше не расспрашиваю. Про хромоту рассказать? На какую он ногу хромал, я тебе теперь уже не скажу. Времени столько прошло, а выдумывать нельзя. А вот хромота у него была, как бы тебе сказать поточнее, странная или особенная. Знаешь, бывает, когда человек споткнется, ушибет палец и... вот какая-то такая. Только я не видел или не заметил просто, когда он споткнулся.

— Ясно.

— Погоди, Лев Иванович, — запротестовал сосед. — Значит, выглядела она у него, я тогда еще подумал, или как недавно ушибленная нога, или как протез. Только протез плохой, некачественный.

— Протез? — Гуров недоуменно посмотрел соседу в глаза и полез в карман за флешкой. — У тебя ноутбук включен? Ну-ка, глянь вот на эти фотографии.

Александр Петрович легко поднялся и, перейдя к своему столу, включил ноутбук. Лев сел рядом и принялся листать перед ним фотографии пятерки подозреваемых.

— Ну и рожи, — бормотал сосед, добросовестно вглядываясь в лица. — Знаешь, я иногда просто жалею тебя, Лев Иванович. Ты всю жизнь имеешь дело с такой вот публикой. Мне тоже на работе встречаются уроды, но не до такой степени.

— Хоть одно лицо тебе кого-то напоминает?

— Нет, не напоминает. Я все-таки всю жизнь с людьми работаю, память на лица хорошая. Нет, этих типов я ни разу в жизни не видел.

— Ну, ладно. Извини, что оторвал время от обеденного перерыва.

Гуров вышел из здания на улицу, подошел к машине, оглянувшись, убедился, что рядом нет посторонних, достал телефон и набрал Крячко:

— Станислав, ты в управлении?

— Да, что-то случилось?

— Свяжись-ка официально с УВД в Балашихе. Пусть негласно понаблюдают за домом Михно. Мне интересно, выходит он куда-то, может, даже ездит. И как ловко он может пользоваться своим протезом.

— Не понял? У тебя снова появились сомнения насчет Михно? Откуда они взялись?

— Понимаешь, в тот вечер, точнее ночь, когда мне в подъезд подбросили письмо, домой возвращался мой сосед, который живет этажом выше. Это он подсказал уборщице, в какой ящик опустить конверт. И возле дома он видел одного человека. Ты ведь согласишься, Станислав, что после одиннадцати вечера на улицах как-то становится малолюдно.

— Я уловил такую закономерность после двух с лишним десятков лет работы в органах, — засмеялся Крячко.

— Так вот, тот человек шел со стороны моего подъезда, и он хромал. Хромал он, по мнению очевидца, как человек, который либо ушиб ногу, либо у него был плохой и некачественный протез, которым он натер ногу.

— Судя по тому, что ты мне рассказал о Михно, как-то мало верится в то, что он этим занимается, хотя...

— Мне тоже мало верится, но нам нужна уверенность полная. Либо «да», либо «нет». И пусть устроят оперативную проверку Михно по месту жительства.

Телефон коротко просигналил о том, что по электронной почте пришло письмо. Гуров взял с тумбочки телефон и некоторое время смотрел на него с сомнением. Четыре утра. Все правильно, так и должно быть. Да, они с Орловым уже решили, что уходить от контактов с Режиссером долго нельзя, можно сделать только хуже. Пусть активизируется, тогда его легче будет взять. Ну что же, теперь Гурову придется побыть в роли наживки. Хочет преступник почувствовать, что он кукловод, дергающий за ниточки, пусть считает и пусть пробует дергать.

*«Через пять минут ты должен стоять у подъезда спиной к дому. Иначе один твой знакомый умрет. Для этого все готово».*

Ах ты, гаденыш! Гуров скрипнул зубами и стал быстро натягивать джинсы, футболку. Две минуты, теперь в карман ключи, бумажник, завязать шнурки. И с тумбочки в прихожей дежурный набор, который он приготовил на такой вот случай: налобный светодиодный фонарь, складной инструмент, модный сейчас среди молодежи, небольшие пассатижи, нож, отвертки двух видов. И все это сложено по принципу «ножа-бабочки». Две минуты на спуск на лифте...

— Станислав! Черт, спишь... слушай меня! Он позвонил, он начал давать задания. Сообщи Орлову, пусть технари пеленгуют мой телефон. Я не могу держать его все время в состоянии ведущегося диалога, а то Режиссер все поймет и убьет кого-то. Буду по возможности сообщать...

Крячко молодец, он только междометиями давал понять, что слушает и понимает. Вот и дверь подъезда. Больше говорить нельзя. Гуров нажал отбой и вышел на улицу. Давай, Станислав, соображай. Мы же все с тобой проговаривали заранее. Все варианты проигрывали в теории. Сейчас Крячко запустит большой маховик. Сейчас оперативные силы будут аккуратно перебирать ткань ситуации, чуткими пальцами подбираясь к горлу Режиссера. А я им помогу... И тут снова звякнул телефон, сообщая о поступившем сообщении на электронную почту. Стервец, эсэмэски не посылает, понимает, что его место нахождения за пять минут определят на карте города.

*«Поверни направо и иди вдоль своего дома, потом еще направо и по улице до подземного перехода. Там тебя будет ждать белая «шестерка».*

Вот новость! Он что, не соображает, что подставляется? Машина с водителем или без? Лишний свидетель, скорее всего, без водителя. Гуров быстро набрал Крячко и обрисовал в двух словах ситуацию, отметив, что белой «шестеркой» могут быть не только «Жигули». Например, «Ауди А6», или «БМВ Х6», или что там еще есть среди моделей иномарок...

Ладно, сообразят. Если Крячко сейчас позвонил Петру, то управление на ушах, дежурные технари уже прикидывают варианты помощи и слежения. Некоторые из оперов, лично знавших Гурова в лицо, наверняка уже выехали в этот район. Ну-ну, Режиссер, посмотрим, как ты справишься с махиной МВД страны.

Уже подходя к подземному переходу, Гуров, к большому удивлению, не обнаружил белой машины. Единственное объяснение, пришедшее в голову, что все-таки Режиссер задействовал помощника, который сейчас за рулем и должен подъехать, как только он выйдет к переходу. Или будет новое сообщение, что машина за углом и не белая, а черная. Вполне реально, но не оригинально. А переход он выбрал хорошо, заметил Лев, он закрыт на ремонт и в нем заведомо не будет посторонних. Ладно, давай поиграем.

Гуров вышел на перекресток. Да, пешеходов в это время тут было не видно. Да и машин на этих двух улицах сновало сейчас маловато. Ничего удивительного, такова Москва. Есть улицы, на которых даже днем движение такое, что... Телефон снова издал звук, который, Гуров это уже понял, он будет ненавидеть до конца своих дней. А мелодию, извещающую о письме, поступившем на электронную почту, сменит завтра же.

*«Спустись в подземный переход. Напротив шестого опорного столба справа будет дверь. Зайди в нее и жди указаний».*

Дешево, приятель, мысленно рассмеялся Гуров. С машиной глупо, а с дверью как? Пойдем искать колонну и дверь рядом. Что ты там придумал, мастер квестов недоношенный? Так, Крячко можно не звонить, они там уже открыли на компьютере мою электронную почту и читают все. Теперь буду звонить, если что-то пойдет не так, как я планирую.

Отодвинув стойку металлического ограждения, Лев стал спускаться по ступеням в подземный переход. Это был очень простой переход, с тремя выходами. Вот только света в нем

316

сейчас не было. Вынимая на ходу и надевая на лоб светодиодный фонарик, он прислушивался к звукам. То ли вода где-то капала, то ли на другом выходе ветерком теребило край полиэтиленовой пленки.

Шаги гулко отдавались в пустом переходе, под ногами хрустела старая штукатурка, сбитая со стен вместе с отделочной плиткой. Гуров осматривался, прикидывая, может ли здесь спрятаться человек или сможет ли кто-то подкрасться незаметно. Хотя это зависит от того, что его ждет за той дверью... Он свернул от отсчитанной колонны и подошел к двери в стене. Обычная железная дверь, каких много в подземных переходах в метро и даже в тоннелях, где проходят только пути. Мало кто задумывается, что за ними скрывается: служебные помещения, где хранится уборочный или ремонтный инвентарь, проходы в другие подземные помещения или места доступа к каким-то коммуникациям.

Лев присел на корточки и стал рассматривать дверь. Полотно, покрытое металлическими декоративными пластинами. Не очень и декоративными, сколько вандалостойкими. Дверь явно с металлическим каркасом. Замок простой, но... Так, а что тут делали с замком? На ржавом металле, давно не крашенной двери виднелись свежие потеки масла. По запаху и консистенции обычное машинное масло, а под язычок защелки замка подложена спичка. Ясно, как только он войдет, она сразу закроется, и... он окажется в запертом помещении.

А вот хрен вам, ребятки, сказал про себя Лев, водя лучом фонаря под ногами, который высветил какую-то металлическую пластинку. Ну-ка, мы ее подогнем своими складными пассатижами. Порядок, теперь засунуть ее поверх язычка замка и вдавить. Все, замучаетесь теперь выковыривать его. Сунув инструмент в карман и отряхнув руки, Гуров еще раз осмотрелся и прислушался. Так, пора позвонить Станиславу. Только без голоса, просто набор. Пусть засекут меня в этой точке на карте и подтягиваются сюда. Заодно сейчас по всей округе ездят машины с оперативниками, штуки четыре, не меньше, которые фотографируют прохожих. Количество лиц будет приличным, но компьютер вполне сможет вычислить введенное в память лицо и идентифицировать его.

Открыв дверь, он посветил фонариком внутрь. За дверью был длинный коридор, метров пять, и в конце еще одна такая дверь. Нет, еще справа в середине какая-то узкая дверь, а на высоте метра полтора от пола еще какая-то квадратная дверка, доступ к щитку или каким-то коммуникациям. Коридор выглядел пыльным, почти заброшенным, хотя двери не ржавые, красились они не так давно.

И Гуров шагнул в коридор. Дверь плавно закрылась за ним, металлическая пластинка держала, и язычок замка не выскочил. Хорошо, по крайней мере один путь отхода есть.

Подойдя к маленькой дверке на уровне лица, Лев осмотрел ее. Металл тонкий, маленькая поворотная ручка, запирающая дверку без всяких секретов. Он повернул ручку и стал приподнимать дверку. Ну, что и следовало ожидать. Ниша в стене красного кирпича, горизонтальные кронштейны, несколько реек, два оплавленных автомата отключения и обрывки электрических проводов с бахромой изоляционной ленты. Понятно. Гуров двинулся дальше, стараясь наступать ногами мягко, без стука. Вот и вторая дверь. Узкая металлическая, явно рассчитанная не для прохода в нее людей. Она оказалась запертой на маленький висячий замок с тонкой, тронутой ржавчиной дужкой. Лев подергал замок, потом пошевелил дверь. Вверху, в угловой части, металл наружного покрытия немного отставал, и сыщик потянул его на себя. Образовалась небольшая щель, в которую можно было посветить фонариком и заглянуть одним глазом. Ниша. Побольше, чем предыдущая, но опять же неоштукатуренные стены из красного кирпича с выпирающими неаккуратными буграми раствора. В углу Гуров разглядел какой-то тонкий шест или рукоятку... швабры, например, или грабель. Явно ничего интересного, и эта дверь никуда не вела.

Любопытно, подумал Лев, зачем он меня сюда позвал? Достав телефон, он посмотрел на экран. А связи-то здесь не было. Не брал тут телефон. И как Режиссер сообщит свои требования или свое задание? Он что, не проверил, ловит ли телефон здесь сеть? А может, Режиссер вообще и не собирался сообщать Гурову о своем задании? Тогда зачем он велел прийти сюда? Но уж если я пришел, то стоит осмотреться, решил сыщик и подошел к двери в конце коридора.

Дверь как дверь. Обычная и очень простая, закрывающая доступ с улицы к инженерным коммуникациям в городском хозяйстве. Старая дверь, и замок старого образца, двойной. Нижняя часть запирается ключом с двумя «бородками», верхняя — английским плоским ключом.

Стоило только взяться за ручку, как снаружи на улице завыла сирена. Гуров замер и стиснул зубы. Нет, это с ним не связано, это совпадение. Машина с сиреной пронеслась мимо, и сигнал уже удалялся. Сыщик держал руку на дверной ручке и вдруг отчетливо осознал, что лично для него опасности нет и не будет. Этот ненормальный, кем бы он ни был, преследовал иную цель. Убить полковника Гурова, искалечить полковника Гурова он мог бы давно и без особых хлопот. Его жертва не имеет охраны и бронированных машин, ходит свободно и открыто по городу и даже выезжает с друзьями иногда за город.

Он хочет унизить, хочет показать, что умнее, сильнее, изобретательнее меня, думал Гуров. Он хочет, чтобы я жил потом и до самой смерти мучился, терзался чем-то. Чем? Неважно, сейчас не это главное, возможно, Режиссер просто переоценивает свои силы. Судя по тексту, он не отличается особой грамотностью и блестящим интеллектом.

И Гуров решительно открыл дверь. Комнату разделяло большое стекло, начинавшееся на уровне пояса и заканчивавшееся под потолком. Так обычно ограждают дежурную часть в отделах полиции. Ближняя комната пуста, но по ней разбросан какой-то мелкий хлам, обломки мебели, бумага, битое стекло. Весь этот хаос освещала пыльная слабенькая лампочка под потолком.

Но главное, что сразу бросилось в глаза, это фигура человека, сидевшего на стуле во второй части комнаты за стеклом. Там тоже светила такая же убогая лампочка, но и ее света было достаточно, чтобы понять, что человек там не отдыхает, а приведен насильно. Более того, он связан, привязан к стулу и сидит спиной к стеклу так, что лица не разобрать. Очевидно, это все же мужчина.

Лев подошел к стеклу и стал осматривать его. Хорошее стекло, толстое. А слева у стены и дверь, которая вела в этот «аквариум». А вот и два классических окошечка, через которые общались люди с теми, кто сидел когда-то в дальней комнате.

— Эй, вы! Вы живы? — наклонившись, крикнул он в окошечко.

Человек на стуле вздрогнул и закрутил головой. Кажется, он спал или находился в наркотическом опьянении. И в чем здесь ловушка? Явно придется освобождать этого несчастного, и явно это будет, по предположению Режиссера, не просто.

— Не подходите к двери! — вдруг закричал человек с истерическими интонациями. — Ни в коем случае не прикасайтесь к двери!

— Спокойно, спокойно, я просто разговариваю с вами, — ответил Гуров. — Кто вы, мне знаком ваш голос. Я — полковник полиции Гуров. Вы кто?

— Гуров? — заволновался человек, и сыщик тут же узнал его. — Лев Иванович! Это я... Помогите мне, я не знаю, что происходит. Это ужасно!

— Спокойно, Иван! Теперь все будет хорошо.

— Да, да! Это я — Красовский!

— Я понял, Ваня, понял. Что произошло, расскажи мне?

Гуров задавал вопросы, а сам пытался осмотреться внутри второй комнаты. Там какая-то ловушка, раз Иван просит не трогать дверь. Значит, он что-то видит, или преступник лично его предупредил.

— Лев Иванович, там вам оставили какую-то записку. Я сам ничего не соображаю. Просто на меня на улице кто-то напал. Мне прижали к лицу влажную тряпку, и я почти сразу потерял сознание, даже не успел сопротивления оказать. А потом пришел в себя вот здесь, на этом стуле, и связанный. У меня кружится голова, болит даже. И страшно очень.

— Кто вас похитил, вы видели этого человека?

— Нет, откуда? Он разговаривал со мной со спины, я ничего не видел. А он запретил поворачиваться, обещал убить, если повернусь. Потом сказал, что за мной придете вы, и он для вас оставил записку. И еще говорил, чтобы вы дверь не трогали, а то случится несчастье. Поверьте ему, прошу вас!

— Да, да, конечно, — пообещал Гуров, пытаясь разглядеть что-то на потолке за лампочкой.

Лампочка слепила глаза и не давала возможности рассмотреть, что там. В комнату за стеклом никак не попасть, кроме двери. Окошечки слишком маленькие, второй двери нет, выбить стекло можно, но опасно, потому что последствия для Красовского непонятны. Чертов Режиссер, что он там придумал?! Гуров покрутился, освещая фонариком все горизонтальные поверхности, пока наконец не увидел записку. Она лежала на полу прямо перед дверью, ведущую в комнату за стеклом. Небольшой листок бумаги, прижатый по углам какими-то камушками.

— Иван, не волнуйтесь, все будет хорошо, — громко говорил Гуров, стараясь успокоить архитектора. — Скажите, по какой улице вы шли, когда на вас напали?

— Да прямо возле дома. Лев Иванович, там Анька, наверное, с ума уже сошла. Позвоните ей, успокойте, соврите что-нибудь!

— Позвоню, не шумите, — поднимая записку, сказал Гуров. — Несколько минут роли не играют, а здесь телефон не видит сети. Вы же не хотите, чтобы я ушел наверх звонить и оставил вас одного. Позвоню потом.

Он специально говорил много, чтобы Красовский чувствовал себя спокойнее. Главное, не перегибать палку и не рассказывать ему сказок. Он ведь не дурак, он ведь все прекрасно понимает. Его похитили, значит, похищение имеет какую-то цель, а сыграть в шахматы с похищенным в истории похищений еще никто и никогда не предлагал. Расчленяли, это было. Чаще просили выкуп, а потом уже расчленяли. Это Красовскому первым делом придет в голову, с его-то паникерской психикой.

Записка была написана в том же стиле, что и сообщения, приходившие Гурову на электронную почту от Режиссера. Точнее, напечатана все на том же лазерном принтере без заметных особенностей или дефектов печати.

*«Нашел записку, Гуров? Молодец! Теперь запоминай, что ты должен сделать. Твой друг погибнет, если ты начнешь ломать дверь или попробуешь разбить стекло. Твой друг погибнет, если ты попытаешься выйти наверх и позвонить в полицию, МЧС или в другое место. Телефоны здесь не берут. Думай сам. Дверь можно открыть ключом, ключ висит на потолке. Время ограничено. Дверь, через которую ты вошел, уже заварена. Посмотрим, какой ты умный. Вперед, Гуров!»*

Первым порывом сыщика было броситься назад и проверить, правда ли дверь кто-то успел заварить, пока он тут копается. Много текста в записке, какое-то недержание словесное. Такое бывает у ущербных, считающих себя умнее других или пытающихся это доказать. Тут они обычно и горят. Ладно, надо вызволять архитектора, а то Маша мне не простит, если я брошу в беде мужа ее подруги, подумал Гуров и улыбнулся, вспомнив Анну Красовскую, ее большие испуганные глаза и торопливую речь. Актриса она была хорошая, но узкоспецифическая.

Ключ! Он поднял голову и стал водить лучом светодиодного фонаря по потолку. Потолки были здесь высокие, не меньше четырех метров. Ага, вот и он. В полуметре от лампочки на какой-то веревочке висел дверной ключ от врезного замка. Лев вернулся к двери и прикинул, подойдет ли этот ключ. Кажется, должен подойти, если только рисунок вырезов на «бородке» совпадает. Не факт, что это единственный ключ в комнате и не придется выбирать из нескольких один подходящий.

На месте Режиссера Гуров так бы и сделал, разместив в разных труднодоступных местах по одному ключу и тем самым ограничив участника квеста во времени. Но беглый осмотр не дал результатов. Кажется, другого ключа тут не было, да и в записке упоминался всего один ключ. Хорошо, но как его достать? Палок в помещении не видно, стремянок или чего-то, из чего можно собрать лестницу и влезть...

— Лев Иванович! — неожиданно заорал Красовский. — Не бросайте меня, Гуров!

— Да не орите вы! — громко ответил Лев, разглядывая то ключ под потолком, то полы в помещении. — Я же сказал, что без вас не уйду. Сидите и ждите. Будьте мужиком, в конце концов!

— Я не спецназовец, я всего лишь архитектор, — заныл Красовский. — Не требуйте от меня больше, чем мне дано природой. Пусть я трус, но трусы хотят жить. Вам не понять, вы полковник.

— Ну, не обязательно считать вас трусом, — вздохнул Гуров. — Страшно бывает всем.

Он смотрел на висевший под потолком ключ и размышлял, как его достать. Бросить что-то тяжелое? Веревка старенькая, какой-то шпагат, но чтобы он порвался, нужно за него потянуть. Палки с крючком нет, лестницы тоже. Хоть бы приступка какая была, с которой можно было бы прыгнуть и ухватиться за веревку. Веревка! Не палка, а веревка, мелькнула мысль. Есть тут еще веревки, шпагаты или нечто похожее, что можно бросить, привязав к концу тяжеленький грузик. Конец веревки с грузом обмотается вокруг шпагата с ключом, и можно тянуть!

Никаких веревок, ремней, жгутов, шпагатов в комнате не валялось. Единственное, что попалось длинное и относительно гибкое, — это часть электрической проводки на стене. Белый двужильный провод на остатках розетки валялся на полу. Длина около метра, прикинул Гуров, взяв в руки провод. Мало! Мой рост, метр провода... Мало. Стоп! Провод двужильный! Значит, это не метр, а два метра. Оторвав разбитую розетку, Лев вытащил из кармана свой набор инструментов с пассатижами, открыл лезвие ножа и стал перерезать изоляцию между жилами провода.

Работать было неудобно, провод все время выскальзывал. Он ругнулся и взял одну жилу в рот и зажал зубами. Теперь резать стало удобнее. Закончив, Лев взял в руки два куска провода и сплюнул. Скрутив два конца, он для пробы раскрутил свою «удочку» и попытался дотянуться ею до ключа. Не хватало совсем чуть-чуть, меньше метра и... алюминиевый одножильный провод, даже если к концу привязать тяжелую гайку, не обовьется вокруг бечевки с ключом. Значит? Гуров посмотрел на свои ботинки. Двух шнурков, связанных вместе, должно хватить.

Вытащив шнурки, он стал их связывать и вдруг возле ног увидел большую, достаточно тяжелую гайку. Привязав ее к концу шнурка, Лев начал кидать веревку, пытаясь добраться до шпагата с ключом. С четвертой попытки ему наконец удалось докинуть, и ключ прочно попал в объятия самодельного устройства сыщика. Он стал тянуть, потом сильнее, и вот бечевка лопнула, ключ звонко стукнулся о бетонный пол.

— Что там, Лев Иванович? — снова не выдержал долгого молчания Красовский.

— Все нормально, — бодрым голосом ответил сыщик. — Я достал ключ, теперь попробую отпереть дверь.

— Нет, не вздумайте! — заорал фальцетом архитектор. — Вы убьете меня... он же так и сказал, если попробуете, то мне конец! Понимаете, конец!

— Так, прекратить истерику! — гаркнул Гуров. — Вы мне сами про записку сказали. Вот записка, вот инструкция. Здесь сказано, что спасти вас можно, только достав ключ с потолка и отперев им дверь. Никакие взломы не помогут. А я достал ключ! Теперь можете описать эту дверь изнутри? Как она выглядит? Есть ли что-то постороннее на ней, рядом с ней?

— Я не могу, Лев Иванович! Он приказал мне не шевелиться. Я не могу повернуться.

— А вы не поворачивайтесь, просто голову поверните. Голова-то у вас свободна? — сказал Гуров и посмотрел на часы.

Он был в заброшенном помещении уже двадцать пять минут. Многовато для того, чтобы Режиссер получил фору по времени. Надо заканчивать. Красовский медленно повернул голову налево и посмотрел в сторону двери. Кажется, он ее не всю видел, поворота головы не хватало.

— Дверь обычная, грязная, — сказал наконец Красовский.

— Возле двери есть что-то инородное? На полу, например.

— Нет, там веревка какая-то. — Голос архитектора дрогнул. — Она привязана к двери, потом еще за что-то, я не вижу отсюда, а потом идет вверх, куда-то надо мной. Лев Иванович!

— Спокойно, Иван, спокойно! — заговорил Гуров, пытаясь рассмотреть через грязное стекло, что там за веревка идет от двери вверх.

Освещения не хватало, и он пошел вправо, к окошечку в стеклянной перегородке. Примерился и убедился, что голова пролезет, вот только была опасность, что, освобождая потом голову, он сорвет краем стекла с нее налобный фонарик. Обидно будет, когда и так ничего толком не видно. Значит, опять тащить всякую гадость в рот, с усмешкой подумал сыщик.

Изогнуться, стоя на цыпочках, и просунуть голову в маленькое окошко, да еще так, чтобы увидеть левую часть закрытой комнаты, оказалось делом не очень легким. Ободрав ухо и живот, Гуров все же понял, что за конструкция связала дверь и потолок над головой Красовского. Веревка, привязанная к двери, во время ее открывания натягивалась, и над головой привязанного к стулу архитектора что-то опрокидывалось. Или вообще срывалось с крючка от потолочного светильника и падало ему прямо на голову.

— Иван, как себя чувствуете? — крикнул Лев. — Силы есть?

— А что? — дрожащим от волнения или страха голосом спросил Красовский. — Честно говоря, затекло у меня все. И ног почти не чувствую, и одну руку тоже. И спина болит от долгого сидения в неудобной позе. И еще... в туалет сильно хочется.

— Скоро сходите в туалет, — задумчиво произнес сыщик, снова просовывая голову в окошко. — Поднимите голову вверх. Что там над вами висит?

— Железка какая-то. Она не сорвется?

— Чего ей срываться? Нет, конечно. Вы и сами понимаете, вы же инженер.

— Это не железка, Лев Иванович, это емкость какая-то.

— А емкость опрокинется на вас и выльет вам на голову содержимое или просто упадет, если веревка за нее потянет. Что тебе твое инженерное чутье подсказывает?

— Ну, скорее всего, если потянешь ненароком, то просто соскочит с крюка и упадет на меня. И тут чем-то пахнет. Химией какой-то. И бензином, кажется. Или соляркой.

Вот это уже хуже, с сожалением подумал Гуров. Не хватало нам тут еще и огня. Что же делать? Стекла мне не разбить. Может, разобрать панель под стеклянной перегородкой? За ней наверняка нет никаких веревок. Вот только остается вопрос времени. Режиссер говорил о лимите времени в записке, а я все копаюсь.

— А-а! — вдруг закричал Красовский. — Лев Иванович, эта железка над моей головой шевельнулась. Мне кажется, что веревка рвется... расползается!

— Черт! Иван! Слушайте меня! — закричал Гуров в окошко стеклянной перегородки. — Вы должны расшатать свой стул, упасть на пол и откатиться вместе со стулом в сторону.

— А вы уверены, что ко мне не привязано еще что-то?

— Ваня, уверен, конечно, уверен, иначе бы не говорил. Я сейчас вставлю в замочную скважину ключ и громко дам команду. Вы падаете и откатываетесь в сторону к стеклянной перегородке, а я забегаю в комнату. Если вам будет угрожать опасность, я помогу. У меня есть нож, чтобы разрезать путы и освободить вас. Поняли меня?

— Понял, Лев Иванович!

Гуров подошел к двери, вставил ключ и... попытался провернуть его в замке.

Ключ уперся во что-то, заставив сыщика покрыться холодной испариной, но потом легко провернулся один раз, второй. Дверь была открыта, это Гуров уловил по еле заметному движению дверного полотна.

— Иван! Падайте!

— Ага! — истошно закричал из комнаты архитектор, и следом послышался грохот неуклюже упавшего тела. Потом стоны и ругань, скрежет металла по полу, кажется, ножек стула.

Гуров распахнул дверь и сразу посмотрел направо — Красовский, нелепо дрыгая ногами, отползал, волоча стул. И тут же со скрипом с крючка на потолке сорвалась железная конструкция. Внутри у сыщика все похолодело. Он бросился было вперед, но интуиция заставила его остановиться, то ли едва уловимый запах, то ли звуки, подсказывающие, что в этой железной емкости, что сейчас валилась с потолка на пол, есть что-то еще.

Удар был звонкий, отчетливо хрустнуло что-то стеклянное, а потом взметнулся небольшой, но горячий язык пламени. Гуров представил на миг, что было бы, если эта конструкция упала бы на Красовского. Судя по запаху, обычное дизельное топливо. Солярка не взрывается, но хорошо и устойчиво горит. Что за дьявольская конструкция! А к архитектору, который лежал на полу, вжавшись в угол вместе со стулом, уже подбиралась горящая струйка жидкости.

Осмотревшись и не увидев новой опасности, Гуров кинулся вдоль стеклянной перегородки к архитектору. Да, игры стали опасными. Правда, Режиссер в своих посланиях и не обещал детских забав, но Гуров надеялся, что так далеко, до такой жестокости и безрассудности этот тип не дойдет. Но он дошел! Лев схватил хрипевшего архитектора за веревки, опоясывавшие его в большом количестве, и потащил в сторону от огня. Поставив стул вместе с привязанным к нему телом, он извлек лезвие ножа и стал перерезать веревки.

— Что же это, Лев Иванович? — кашляя от смрада горящей солярки, спрашивал Красовский. — Я же чуть не погиб, я бы сгорел же. Что происходит? Мы в Москве, в 21-м веке, это же не Средневековье какое-то... Что происходит?

— Замолчите, Иван! — рыкнул на него Гуров. — Что вы все ноете. Я сказал, что все будет хорошо? Вот и спас вас. И еще спасу. А потом мы разберемся с этим шутником. Растирайте руки и ноги, чтобы кровообращение быстрее восстанавливалось. Я же не могу вас все время на себе таскать!

Красовский наконец сбросил остатки веревок, как брезгливо отбрасывают от себя змею. Ноги его слушались плохо, но руками он действовал более или менее нормально, даже отряхивался и какой-то мусор со своего костюма снимал. Гуров закашлялся и решил, что из этой комнаты им надо поскорее убираться, пока не наглотались продуктов горения. Если больше ничего не случится, то они должны выйти отсюда в подземный переход без проблем.

— Иван, быстрее! — потянул он архитектора за рукав к двери в стеклянной перегородке.

Вонь от горевшей солярки была уже нестерпимая, почти незаметный прозрачный дым выедал глаза. А еще чувствовалось, что внутри этой железной емкости сгорает засохшая краска или грязное моторное масло. Лев буквально вытолкал ослабевшего Красовского во вторую комнату и попытался закрыть дверь. Это удалось, но через два окна перегородки дымом тянуло и во вторую комнату. Он толкнул входную дверь, но та даже не шелохнулась. Черт, он же так надежно заблокировал язычок замка! Неужели кто-то все же подкрался и запер их здесь? Было ощущение, что дверь заперта не на замок, замок всегда оставлял хоть небольшой люфт, а здесь она выглядела как приваренная.

Красовского начало тошнить. Гуров опустился с ним на пол, взял за лацканы пиджака и немного потряс:

— Иван, ну-ка, напрягитесь. В той комнате должен быть вентиляционный канал. В какой части комнаты он может быть?

— Не знаю, — кашляя, мотал головой Красовский. — Я даже не представляю, где мы находимся. Мне надо знать, что это за здание, где стоит, что есть рядом. Хотя бы функциональное его предназначение.

Лев отпустил архитектора и стал стягивать с себя рубашку. Свернув ее узлом в несколько раз, она закрыл ею свое лицо, оставив только глаза. И все время лихорадочно соображал. Вот так идет подземный переход, вот улица раздваивается. Значит, за его спиной, где располагаются под землей эти помещения, сейчас тротуар, а дальше жилой дом. Точно, он же тысячу раз видел возле стены старого дома эту странную кирпичную тумбу метровой высоты. В верхней ее части есть небольшое отверстие, забранное решеткой, и туда все время суют окурки и бумажки. Это вентиляционный канал!

Положив Красовского на пол, где дыма было меньше, Гуров прошел в комнату за перегородкой, где воздух был уже сизым от дыма, и пиджаком стал сбивать пламя. Это удалось сделать не быстро, но все же удалось, и он сразу увидел вентиляционную решетку на стене под потолком. Она была закрыта свисающими пластами обоев и еще одной из пенопластовых панелей, которыми был обклеен потолок. Не достать!

Вспомнив о палке или черенке от швабры, Лев вышел в коридор. Вот она, дверь. Как же ее открыть? Ощупав руками металл, он нашел все же кусок фанеры, за которым металла не было, и, подцепив его пальцами, рванул. Что-то треснуло, но фанера держалась. Рванул еще раз и еще. Наконец кусок фанеры отлетел, и образовалась дыра, куда вполне могла пролезть рука. Гуров стал нащупывать ту самую палку. Ага, вот она! Это оказался какой-то длинный шест, похожий на флагшток, какие использовались раньше для изготовления флагов для демонстраций. Не очень качественно, но надежно.

Он вернулся в комнату и стал отдирать концом шеста сначала пенопластовую панель, а когда она упала, оторвал и кусок обоев, закрывавших окошечко с решеткой. Почти на глазах сизый воздух стало тянуть вверх, в вентиляционное отверстие. Появилась тяга, понял Гуров. Прохладный воздух из подземного перехода тянуло теперь в помещение, а из него в вентиляционный канал, потому что наверху воздух был теплее.

Лев двинулся к Красовскому и устало опустился возле него:

— Ну, все, Ваня, теперь жить можно. По крайней мере, мы с тобой не задохнемся. Умереть от голода не успеем, потому что утром придут рабочие, которые ремонтируют подземный переход. Будем барабанить в дверь, и нас услышат.

Красовский что-то промычал. Кажется, он был в обмороке. Гуров подумал, что надо подняться и привести архитектора в чувство, но сил у него и у самого не было. Вдруг рядом раздались чьи-то голоса, противный скрежет, потом несколько ударов сотрясли дверь, и она распахнулась. Какое же наслаждение, когда в коридор из распахнутого дверного проема хлынул сырой воздух с примесью нечистот и застарелой грязи. Но в нем не было дыма!

— Товарищ полковник! Живы?


## Глава 8

Гурову казалось, что он плывет на пароходе. На большом белом корабле, только непонятно, почему он внизу, а пароход наверху. Хотя приятно было, что качка улеглась, и теперь судно идет, плавно покачиваясь на волнах...

— Проснулись? — раздался рядом приятный женский голос, и Гуров поспешно открыл глаза.

Кафель на стенах, белый потолок и неистребимый медицинский запах сразу дали понять, что это больница.

И тут Гуров отчетливо и во всех деталях вспомнил, когда, где и при каких обстоятельствах он потерял сознание. Подземный переход, дым, Красовский на полу и... прожженный пиджак. Маша убьет! Ей так нравился этот костюм с еле заметным кремовым оттенком.

— Как Красовский себя чувствует? — спросил он, чувствуя, что слова из пересохшего горла вырываются с каким-то скрежетом.

— С Красовским все хорошо, а как вы себя чувствуете, Лев Иванович? Вы порядком наглотались ядовитого дыма.

— Да? — Лев попытался приподняться на подушках, и тут же спинка его кровати приподнялась, помогая занять полусидячее положение.

Теперь предстояло выяснить, сколько же времени он тут находится, и понять, что за это время могло произойти. Станислав и Петр не бездействовали, это ясно. Но что сделано, где Морозов, которого отослал в Рязань?

— Лев Иванович, так как вы себя чувствуете? — снова спросила врач и взяла пациента за запястье, профессионально нащупав пальцами пульсирующую вену. — Ну, пульс хороший, слабости, очевидно, большой нет. Мы вас прокапали, а дурнота сохранилась, нет ли позывов к рвоте?

— Вот зачем вы упомянули? — поморщился Лев, сразу же почувствовав, что позывы есть. И боль в сгибе локтя от торчащей там иглы и от яркого света, отражающегося в кафельной плитке на стерильных стенах. — Если не думать об этом, то вполне терпимо. Сколько я у вас тут лежу?

— Чуть больше суток. Там за дверью к вам посетители, ваши коллеги. Я даже не знаю, стоит ли пускать их.

— Давайте, давайте, — ворчливо велел Гуров, удобнее укладываясь на подушке и стараясь скрыть, что он при этом морщится. — Ничего со мной страшного не случилось. Подумаешь, надышался немного.

В палату вошел улыбающийся Крячко, за ним следовал капитан Морозов с папкой под мышкой. Крячко широко расставил руки и обхватил лежащего друга вместе с кроватью.

— Вот он, наш герой! — с довольным видом громогласно возвестил Стас. — Вот он, спаситель женщин и детей!

— Каких женщин и детей? — подозрительно покосился на него Гуров.

— Это Станислав Васильевич шутит, — объяснил Морозов, пододвигая стул и усаживаясь неподалеку от кровати. — Он со вчерашнего дня все не может никак остановиться, понося Красовского последними словами, включая «дитя малое» и «баба».

— Ладно, обошлось, и хорошо, — махнул Лев рукой. — Что у нас есть нового и срочного?

— Новое есть по этой ловушке, куда тебя заманил Режиссер, — ответил Крячко. — Вас там элементарно захлопнули, как мышей в мышеловке. Не представляю, как ты догадался расчистить вытяжное отверстие? Еще бы 5—10 минут, и врачам было бы с вами сложно. Так вот, дверь там подперли ломиком, хоть ты, Лева, удачно заклинил язычок замка. Эксперты поколдовали с дверью и сказали, что ломик примерили к двери заранее, даже ямку в дверном полотне выбили, чтобы он не выскочил, когда вы будете изнутри барабанить. Хорошо подготовился парень, но мы полагаем, что без помощников не обошлось. Скорее всего, кто-то из рабочих, занятых на ремонте подземного перехода.

— Слишком просто, — возразил Гуров. — Он доказал, что не дурак. И он мог предположить, что мы вычислим помощника. Зачем ему это?

Крячко вздохнул и неопределенно пожал плечами. Морозов посмотрел на него, подождал немного и решил ответить за Стаса:

— Мы уже имеем представление зачем. Точнее, догадываемся. Сегодня утром не вышел на работу некий Гарик Аспарян, разнорабочий из бригады отделочников. В прошлом судимый за распространение и хранение наркотиков.

— Значит, вы думаете, что помощника Режиссер убрал?

— Да, есть такое мнение. Ребята из МУРа работают по связям Аспаряна, думаю, через пару дней у нас будет полная картинка последних дней его жизни и его связей.

— Хорошо. Еще что есть?

Крячко повернулся к Морозову и кивнул головой, разрешая докладывать. Капитан открыл свою папку и, переложив пару листов бумаги, снова заговорил:

— В Рязани я нашел этот эстрадный театр «Миражи», администратор которого подавал заявление в полицию по поводу кражи из гримерки. Кража была со взломом, никто не пытался подобрать ключ, и никто не пользовался самодельным ключом или отмычкой. Дверь была тупо взломана. Это по показаниям свидетелей. Обнаружила взлом костюмерша, она позвала сотрудника службы безопасности, а он администратора. Ну, и еще пару актеров. Все объяснения по этому поводу с их полными данными есть.

— Похищенное соответствует списку, который мы взяли в УВД в Щербинке?

— Да, конечно. У них в театре ксерокопия того списка за подписью администратора. Я показал фотографии костюма, в котором нашли убитую Штыреву, и они его опознали. С париком и бородой сложнее, но костюмер рассказала об особенностях парика, у него на внутренней стороне есть повреждение армирующей сетки как раз как на том, что вы нашли в ящике, где лежало тело Левкина.

— Ну что же, — пробормотал Гуров, — по крайней мере, мы знаем, что реквизит украден в ближнем Подмосковье и у кого украден. Выходит, к убийству заранее готовились, и весьма тщательно.

— Лев Иванович, — перебил полковника Морозов, переглянувшись с Крячко. — Это еще не все. Они вора видели.

— Есть словесный портрет? — вскинулся Гуров, забыв про тошноту.

— Я предъявил двум свидетелям фотографии наших пятерых подозреваемых. Они опознали Горобца. На восемьдесят процентов.

— Так, — нахмурился Лев и почесал бровь. — Час от часу не легче. Эдак мы до «зомби апокалипсиса» докатимся. Живые мертвецы по улицам ходят и кражи совершают. Ну-ка, давай, Костя, все подробно.

— Если подробно, то один из актеров видел человека, похожего на Горобца, когда тот крутился возле костюмерной и даже пробовал ее открыть, дергал за ручку. Правда, тогда она была заперта. Он спросил, что ему здесь надо, а тот ответил, что ищет туалет и якобы ему указали сюда. Второй его видела уборщица в тот момент, когда он убегал сразу после того, как выпрыгнул в окно. Точнее, она не видела самого прыжка, потому что он выбежал из-за угла, где было окно. Это я предположил, что он выпрыгнул.

— Хорошо, а есть кто-то, кто видел, как этот псевдо-Горобец залезал в окно, выпрыгивал оттуда?

— Таких свидетелей нет, — отрицательно покачал головой Морозов.

— Хорошо, — снова откинулся на подушку Лев, — почему ты говоришь, что Горобца опознали на восемьдесят процентов?

— Они сказали, что он похож, но на фото он несколько полноват по сравнению с тем, кого видели они. Этот вор был заметно худее.

Гуров молчал и смотрел в потолок. Морозов терпеливо поглядывал на знаменитого сыщика и тискал в руках свою папку, Крячко расхаживал по палате, рассматривая оборудование и обстановку. Потом подошел к окну и стал смотреть во двор больницы, что-то тихонько бормоча или напевая. Наконец Гуров протянул руку к тумбочке, достал оттуда свой мобильник и набрал номер Орлова:

— Здорово, Петр!

— О, больной наш очнулся! Здорово! Как себя чувствуешь?

— Нормально, не в этом дело! — отмахнулся Лев. — Слушай, ты вечером у себя будешь?

— Тихо, тихо, Лева! — повысил голос генерал. — Ты куда собрался? Твое дело лежать, лечиться и мозгами шевелить. Станислав с Морозовым все без тебя сделают, что ты, в самом деле...

— Петр, это серьезно! Мне надо с тобой поговорить.

— Говори, кто тебе не дает?

— Не по телефону. Это не телефонный разговор, мне придется тебя убеждать, а ты будешь возражать. По телефону не получится.

— Да-а? — удивился Орлов. — И в чем это таком ты собрался меня убеждать, если знаешь заведомо, что я буду возражать и сопротивляться?

— Ты согласишься, потому что ты опер. Ты опытный и умный опер.

— Вот только не надо этого, — хмыкнул генерал. — Я подумаю, может, сам к тебе подскочу завтра.

— Сегодня, Петр, — отрезал Гуров. — Не сможешь ты, тогда приеду я. Я вполне нормально себя чувствую, почти сутки в меня вливали какую-то гадость, и почти сутки я спал.

— М-да, — вздохнул Орлов. — Чем бы мне таким надышаться, чтобы спокойно поспать сутки и начальство само уговаривало бы меня поспать еще пару суток. Не посоветуешь?

Гуров промолчал, пропуская мимо ушей слова старого друга. Он знал, что Орлов согласится, потому что Орлов хорошо и очень давно знал Льва Ивановича Гурова. И если Лев Иванович Гуров говорил, что надо, значит, действительно надо и с этим стоит считаться.

— Черт бы тебя побрал, Гуров, — буркнул генерал. — С врачами договариваться будешь сам, я тебе в этом не помощник. Я освобожусь часиков в восемь вечера, так что милости прошу.

— Спасибо, — засмеялся Лев и тут же закашлялся.

— Господи, — послышалось в трубке, — он еще куда-то собрался, а сам без соплей пять минут не может.

Продолжая улыбаться, Лев положил трубку на тумбочку возле кровати и посмотрел на своих помощников. Крячко подошел и облокотился на спинку кровати. Морозов достал авторучку и приготовился записывать...

Орлов слушал Гурова, откинувшись в своем рабочем кресле и наблюдая, как сыщик то и дело промокает салфеткой испарину на бледном лице. А ведь прикажи ему отправляться лечиться, снова вернуться на больничную койку — ни за что не пойдет, еще и обидится на друга. В этом весь Гуров, для него дело важнее всех этих мелочей. Даже состояние здоровья для него сейчас мелочь, когда вот-вот появилась в деле ниточка, когда появился шанс за нее ухватиться и потянуть, разматывая весь клубок преступления. Генерал Орлов за свою жизнь повидал немало трудоголиков и просто увлеченных своей работой людей. Но всех их отличало, как правило, неумение отделить жизнь от работы. А вот Гуров умел. Он отдавался работе сполна, не щадил себя, и в то же время жена не ощущала себя брошенной, одинокой. Умел Лев Иванович находить время для нее и окружать вниманием — когда словом, когда поступком, приятным сюрпризом. И Маша всегда знала, что и на работе, в трудные минуты он все равно помнит о ней.

— Ты Марии когда звонил? — поинтересовался Орлов.

— Что? Маше? — Гуров даже не удивился, к таким вопросам он готов всегда, потому что Маша у него всегда на первом месте. И работа на первом месте, и Маша. И они не делят это место, не толкаются локтями и не ворчат друг на друга. Они уживаются, относясь друг к другу с пониманием. — Утром звонил. Проснулся и сразу позвонил. Ну, не совсем сразу, а как только Станислав с Морозвым ушли.

— И как ты ей объяснил, что не ночевал дома?

— А она не знает, — с многозначительным нажимом в голосе ответил Лев. — А утром я ей сказал, что было много работы, пришел поздно и ты разрешил мне немного отоспаться.

— Ладно-ладно, — засмеялся Орлов. — Если что, я тебя прикрою. Не хватало еще ей узнать про твои приключения. Лишь бы Красовский не проболтался.

— Красовский толком ничего не помнит. Мы лежали в соседних палатах, и он не знает, что меня привезли вместе с ним в больницу. Он думает, что я появился в переходе вовремя и просто спас его. А подробностей у него в памяти не осталось. Ну, может, так, в виде бреда какого-то. Впечатлительный он очень.

— Ладно. Все, что Морозов привез из Рязани, я знаю, мне Станислав рассказывал. Так что ты предполагаешь дальше?

— Эксгумацию тела Горобца.

— Ну, ты загнул! С такими доказательствами мы не получим санкции.

— Надо убедить, включить административный ресурс. Ты, Петр, пойми, что косвенно Горобец всплывает у нас не раз и не два. Он незримо стоит за всем этим, его психологический портрет как на ладони. Это его стиль, это подход, его мышление.

— Подожди, Лева! Какие у тебя есть основания полагать, что в могиле не Горобец? Я все понимаю, пусть преступления совершаются в стиле Горобца, пусть у него есть серьезные основания тебя ненавидеть, пусть у него больная фантазия, каких мы давно не встречали у уголовников. Все допускаю, но давай взглянем с тобой на это дело с другой стороны. Какие у тебя есть основания полагать, что Горобец не умер? Его освободили с онкологическим диагнозом, причем на скверной стадии. Это есть в документах. Второе, он и умер примерно через пару месяцев. И опять же, результаты вскрытия показали, что умер от рака. Где у нас тут лазейка для твоей теории, а?

— Она в той могиле, где лежит тело, — спокойно ответил Гуров, как будто и не слышал всей этой длинной тирады своего шефа. — И потом, Петр, у трех подозреваемых железное алиби. Нет алиби только у двух — у Горобца и Магомедова.

337

— Ну, ты даешь! Смерть человека для тебя уже не алиби!

— Горобца опознали в Щербинке во время кражи. Очевидцы подписались под этим фактом. Это уже основание усомниться в том, что он действительно умер. Тела Магомедова никто больше не видел, и это основание предполагать, что он мог и не погибнуть, а лишь затаиться. И сейчас воспылал жаждой мщения.

— Охо-хо-хо! — Орлов поднялся из-за стола, прошелся по кабинету. Постоял у окна, глядя на улицу, потом повернулся к Гурову и, потирая затылок произнес:

— Если бы я не знал тебя тысячу лет, если бы не работал с тобой вместе тысячу лет... М-да, твоя интуиция не раз помогала нам в самых сложных случаях, хочу надеяться, что не подводит и сейчас. Но ты хоть предполагаешь, кто лежит в могиле, скажем, вместо Горобца? И как можно было провернуть это дело с чужим трупом?

— А я и не говорю, что в могиле не Горобец, — неожиданно сказал Гуров. — Я хочу быть уверенным на сто процентов, что там другой человек или, наоборот, что там именно Горобец. Дальше без этой информации мы просто не продвинемся. А насчет того, как можно было проверить то дело с чужим трупом, окажись он в могиле, я не знаю. Морозов сейчас как раз раскапывает это дело полугодовой давности. Может, что-то и прояснится.


Та часть кладбища, где был похоронен Горобец, считалась последним прибежищем малоимущих. Здесь хоронили одиноких стариков, но почему-то именно эта часть кладбища была самой посещаемой. Среди ухоженных могил в мраморе почти никогда не появлялись люди. Кажется, что эти могилы старались обходить то ли из боязни, что вот-вот прибегут охранники в черных костюмах и прогонят представителя нежелательных слоев населения, которых усопший и при жизни не жаловал. А может, просто не было там знакомых у тех, кто бродил с палочкой между могилками и, часто уставая, присаживался на лавочку, скорбно глядя на потемневшие фотографии и облупившиеся памятники. Одинокие при жизни, они искали таких же одиноких, а может, уже примерялись и к тому, что скоро и их фамилия и фотография вот так же появятся на скромном памятнике.

Гуров предложил провести процедуру эксгумации рано утром, пока на кладбище нет посторонних, да и работников тоже. К пяти утра заместитель директора кладбища с четырьмя рабочими ждали полицейских у могилы Горобца. Микроавтобус не смог подъехать близко, и Гурову со своими помощниками, криминалистом и судмедэкспертом пришлось пробираться между оградками.

— Здесь? — для порядка спросил Гуров, пожимая руку работнику кладбища и подходя к могиле. — Однако и ограда, и памятник! Я думал, что Горобец был одиноким, и хоронили его на пособие от государства.

— Так и есть, — подтвердил работник кладбища и, кивнув на Морозова, добавил: — Я вчера вашему коллеге рассказывал, что похоронили этого человека по минимальной цене. Холмик и табличка пластмассовая на проволочной ножке. А спустя месяц пришел какой-то человек, поговорил с нашими мужиками, я имею в виду рабочих, денег им заплатил, вот они и постарались. Из старых оград собрали вот эту, памятник ржавый восстановили, проварили, покрасили и установили. И раз в месяц порядок наводят.

— Среди этих рабочих, — Гуров показал на присутствующих, — есть кто-то, к кому подходил тот знакомый Горобца и заплатил деньги?

— Есть, вон тот паренек. Эй, Сашка, иди сюда!

Худощавый парень лет двадцати двух подошел к ним и озабоченно посмотрел на полицейских в гражданской одежде, потом на своего начальника.

— Скажите, Александр, — без всяких предисловий спросил Гуров, — вы сможете опознать по фотографии того человека, который просил вас оборудовать могилу как положено и ухаживать за ней?

— Не знаю, — пожал плечами парень. — Обычный вроде. Мужик как мужик.

— Возраст у него какой примерно?

— Да... не знаю, как у вас, наверное.

— Или как у него? — Гуров показал на капитана Морозова, который был лет на двадцать моложе.

— Ну да. Или как у него.

— Так сколько бы лет ты ему дал на вид?

— Лет сорок. Или пятьдесят.

— М-да, — покачал головой стоявший рядом Крячко. — Парень, похоже, не очень разбирается в возрасте людей. А опиши его внешность — худой, средний, плотный, толстый?

— Да средний.

— А рост?

— Рост у него... — Парень явно был в замешательстве. — Даже не знаю...

— Как у меня? — нетерпеливо спросил Лев, затем взял за локоть одного из рабочих, который был на голову ниже его, и подтащил к себе. — Или как у него? А может, как у вашего начальника?

— Да... я же сидел, когда он к нам пришел. Мы в раздевалке нашей выпивали. Холодно было тогда. Я и разглядеть его не успел. Темно у нас было.

— Темно было потому, что они свет не включали, — пояснил недобрым тоном начальник. — Они так прячутся, когда пьют. Думают, что мы не догадываемся, что нам не слышно и не видно. Как дети! И выгоняем, и наказываем, а все равно.

— Кто еще видел этого человека? — продолжал спрашивать Гуров.

— Да никто. Со мной тогда Гешка был, он в соплю пьяный лежал. А Соколов уже ушел... на четвереньках.

— И больше этот человек не приходил?

— Не, он сказал, хотите подзаработать, вот вам бабла на год, но чтобы все по чести было. И оградка, и памятник. И чтобы за могилой следили. Я, говорит, буду приходить, проверять. Но я его больше не видел. А деньги мы с Лехой, напарником моим, поделили, вдвоем и ухаживаем.

— Хорошо, приступайте, — махнул Гуров рукой и отошел к Морозову: — Костя, сегодня же допроси всех рабочих, кто присутствовал в тот вечер, когда незнакомец приносил деньги и велел ухаживать за могилой. Вытряси из них все, начиная от внешности этого человека и кончая малейшими нюансами самого разговора. Не может быть, чтобы никто ничего не помнил.

Застучали лопаты по слежавшейся земле, металл скрежетал по изредка попадавшимся камням. Вот уже исчез просевший за несколько месяцев холмик на могиле. И чем глубже становилась ямка, тем больше нарастали физически ощущаемые напряжение и тревога. Какие бы обстоятельства ни заставляли вскрывать могилу человека, это всегда ощущается как нарушение покоя праха умершего, нарушение равновесия физического, эмоционального, нравственного. Сколько уже раз за свою жизнь Гурову приходилось присутствовать при эксгумации тел, и всегда он ощущал это. И всегда старался думать о необходимости, об ответственности перед живыми, о борьбе добра и зла в конечном итоге, в которой он участвовал. И все равно он очень не любил это мероприятие.

Рабочие уже спрыгнули в яму, которую пришлось выкапывать чуть шире, чем она была при захоронении. Они стояли по бокам от гроба и теперь не вонзали лопаты в землю, а скребли ими, очищая крышку. Вот уже послышались звуки, с которыми лопаты ударяются о прогнившую древесину. Заместитель директора кладбища сидел на корточках на краю ямы и давал рабочим советы. Оказалось, что он не впервые участвует во вскрытии могил и хорошо знает правила и особенности этого дела.

Крышку гроба удалось не повредить. С нее счистили остатки земли, и стало видно, что на древесине сохранились даже лохмотья красной материи, которой полгода назад был обит гроб. Это было хорошим признаком. Значит, грунт здесь сухой, и процесс гниения шел не так быстро. Рабочим разрешили вылезти и покурить. Они отошли в сторону и курили молча, глубокими затяжками, не глядя друг на друга. В воздухе повисла тяжелая тишина.

Наконец они вернулись и, тихо переговариваясь, взялись поднимать крышку. Гвозди уже не держали прогнившее дерево, и крышка поддалась легко. Ее приподняли и поставили у стенки ямы. Почерневший саван скрывал тело, но очерчивал контуры. Рабочим помогли выбраться, и в яму спустились эксперт-криминалист и судмедэксперт. Натянув тонкие перчатки, они осторожно стали приподнимать саван. Материя расползалась, и пришлось ее не столько поднимать, сколько скатывать в рулон.

Труп практически мумифицировался. Под истлевшей одеждой виднелись черно-коричневая кожа и серые кости. Лицевая часть черепа была обтянута кожей, но глаз уже не было, не было и губ, только провалы с обнажившимися костями и зубами. Нос выпирал одним большим хрящом, как клюв хищной птицы.

— Это не Горобец, — тихо сказал Гуров.

— Почему ты так думаешь? — спросил Крячко. — Волосы светлее? Так это бывает в процессе.

— Не только цвет волос. У Горобца они густые, лоб низкий, а у этого лоб высокий, и линия роста волос выше. Я бы даже сказал, что при жизни у него на темени намечалась лысина.

— Смотри, — кивнул на труп Крячко. — У Горобца была фикса? У этого возле клыка металлический вставной зуб.

— Проверим. Поехали, Станислав, теперь дело за экспертами в лаборатории. Но в результатах экспертизы я уверен. Это не Горобец. Жаль, что у нас нет возможности провести генетическую экспертизу, но, думаю, обойдемся и этими доказательствами. Нам с тобой важнее знать, что Горобец жив, а уж доказательства — дело второе, они для следователя нужны и для судьи. А нам нужно знать, кого ловить.

— И на что, — хмыкнул Крячко. — Теперь надо срочно садиться за связи Горобца, поднять все его контакты до последней посадки и возможные места появления после освобождения. Придется разыскивать того оперативника, на чьей территории жил Горобец. И того участкового сейчас на участке, скорее всего, уже нет. Всех придется искать и опрашивать.

— Интересное совпадение, Станислав, — хмуро заметил Гуров. — Те сотрудники полиции, которые нам в данный момент нужны по этому запутанному делу, уже не работают. Или, наоборот, там, где текучка кадров, где на работу в полицию приходят случайные люди, там для нас с тобой остаются запутанные дела. Закон причинно-следственной связи.

Капитан Морозов собрал троих рабочих кладбища в кабинете заместителя директора. Сашка, помогавший при эксгумации, чувствовал себя явно неуютно. Видимо, друзья по работе ему уже высказали все, что думают о нем самом и о его длинном языке, который привел к разговору с полицией о вскрытии могилы. И еще неизвестно, к чему все это приведет. Ясно одно, что к неприятностям.

Морозов внимательно приглядывался к сидевшей перед ним троице. Сашка и Леха — молодые парни, не так давно пришедшие из армии, ничего особенного не умевшие, зато им удалось найти работу, где платят хорошо и регулярно. Труд, правда, тяжелый, особенно зимой, когда земля смерзается моментально, даже если экскаватор и снимет верхний промерзший слой.

А вот третий, Гешка, как его назвал приятель, был взрослее их лет на пять-восемь. По нему было видно, что дружил он с зеленым змием и что его отсюда скоро турнут, если он перестанет выполнять нормы или прогуливать работу. Покойникам спешить некуда, а вот люди, которые пришли на похороны, ждать не могут. Им не скажешь, что рабочий в запое и приезжайте хоронить завтра. Кладбище должно работать как часы, как хорошо отлаженный конвейер. Если разобраться, оно и есть конвейер.

— Вот что, парни, — заговорил капитан, стараясь смотреть в глаза всем троим, — вся надежда на вас. Вы молодцы, что вспомнили тот случай и что рассказали нам. Вы даже не представляете, какое запутанное преступление мы можем с вашей помощью раскрыть. Ведь, если разобраться, что может полиция, уголовный розыск без людей, без окружающих? Ничего, потому что нам всегда помогают свидетели, которые что-то видели и слышали, люди, которые знали кого-то или помнили о чем-то важном, что нам может помочь в раскрытии преступления. Наша работа только в том, чтобы собрать все эти сведения, проанализировать, ну и... задержать преступника.

Лица троих рабочих немного повеселели и порозовели от удовольствия. Впрочем, порозовели они у двоих, потому что после вчерашней пьянки лицо Гешки было очень бледным, даже несколько землистым. Чтобы не расслаблять своих свидетелей, Морозов сразу начал задавать вопросы. Он очень хорошо знал одно из основных правил работы со свидетелями. Не надо подменять их истинные воспоминания своими предположениями, которые могут сформировать их ложную память. Надо только стимулировать процесс воспоминания. И Морозов ставил вопросы и так, и по-другому, заходил с разных сторон к одной и той же информации. Вплоть до того, кто как помнил, когда этот незнакомец пришел к ним в раздевалку и предложил деньги за могилу Горобца.

Однако все его усилия особо интересных результатов не дали. Лица этого человека никто не видел, он все время стоял в дверном проеме. Даже о его росте судить было сложно, потому что Сашка во время разговора сидел, тем более находился в состоянии алкогольного опьянения. А Гешка валялся на лавке уже в полной отключке. А Лешка Соколов, дружок Сашки, к тому времени вообще уже ушел домой. «На четвереньках», как вчера выразился Сашка. И на улице этого незнакомца никто не видел, точнее, не обратил внимания. По главной кладбищенской дорожке постоянно проходят десятки, а то и сотни людей, и всегда перед глазами незнакомые лица. Вспомнить кого-то конкретного, если только с ним не связано какое-то яркое запоминающееся событие, невозможно. Но никаких ярких запоминающихся событий на улице возле раздевалки рабочих и здания администрации кладбища в тот вечер не происходило. И никто из работников кладбища этого человека запомнить не смог бы. Да и не было уже никого.

— А это что? — Морозов оживился, показав на приоткрытую дверь в соседнюю комнату, где виднелся экран монитора, на котором двигались фигуры людей. — Это с камеры видеонаблюдения?

— Да, у входа у нас укреплена, — пожал плечами Лешка. — Когда-то повесили, только непонятно для чего. Наверное, чтобы ночью зафиксировать вора, если тот полезет взламывать дверь в бухгалтерию.

— А что, были попытки? — машинально спросил Морозов.

— Не знаю, вроде не было. Так, директору в голову пришла идея, вот он и заказал. Бестолковая затея. От второй камеры над воротами хоть польза есть.

— Есть и вторая?

— Ну да. Она наружу смотрит, перед воротами. Мы, когда ждем водовозку, ну, эту, которая техническую воду привозит, чтобы люди там руки помыли, цветы поливали, или мусорную машину, тоже торчим у ворот. А отсюда всегда видим, что подъехала, тогда кто-то идет и открывает ворота. Так-то у нас въезд машинам на территорию запрещен.

— А кто у вас, парни, ведает камерами и мониторами, на которые поступает изображение?

— Так инженер наш, Сергеич.

Через десять минут Сергеича разыскали и позвали в контору администрации кладбища. Сергеичем оказался белобрысый высокий мужчина средних лет.

— Капитан Морозов из МУРа, — представился сыщик. — А вы...

— Виктор Сергеевич Латышев, — ответил инженер, вытирая руки носовым платком. — У нас какие-то проблемы? Или вы по поводу сегодняшней эксгумации? Там вам вроде все документы подобрали и предоставили по тому захоронению.

— Нет, у меня немножко другой вопрос, Виктор Сергеевич. Скажите, у вас с камер видеонаблюдения запись ведется или просто онлайн-изображение идет без записи?

— Идет, только там программа такая стоит — нам ее исполнитель устанавливал по согласованию с директором — что пишутся последние сутки или два дня, я не помню точно. Потом она замещается новой, а последняя стирается. То есть всегда в памяти последние сутки.

Гуров влетел в кабинет и сразу бросился к экрану монитора. Морозов с довольным видом прокручивал запись, которую они с Крячко успели просмотреть уже дважды.

— Вот смотрите, Лев Иванович. Это наши машины въехали на кладбище. Вот следом машина Станислава Васильевича въехала. Это у нас по времени сколько... без десяти минут пять. Теперь я ускорю просмотр, потому что там, кроме пробежавшей кошки и пяти бродячих собак, ничего нет. Кстати, они проходили мирно, ни на что не реагировали. То есть никаких чужаков, спрятавшихся в кустах, не было.

— Вот он, — ткнул Крячко пальцем в экран.

И Гуров увидел, что в поле зрения камеры попала белая «Нива». Машина остановилась, не доезжая до ворот метров двадцать, потом плавно повернула и ушла куда-то влево, за пределы зоны видимости камеры. Крячко тут же пододвинул Гурову план кладбища и взял карандаш:

— Смотри, Лева! Вот ворота. Вот отсюда он свернул с шоссе и вот здесь остановился.

— Да, а потом свернул вот сюда, — снова стал рассказывать Морозов, — здесь вдоль забора кладбища проходит грунтовка. Я осмотрел ее, так, чуть накатанная колея. По ней ездят местные, у кого могилы родственников в этом секторе кладбища. Им ближе, чем от ворот через все кладбище по главной дорожке пробираться. Там в ограждении предусмотрены проходы.

— А теперь смотри вот сюда на схему, — потыкал карандашом Крячко. — Вот могила Горобца, где я крестик нарисовал. А вот тут проход в заборе. Ему от забора до могилы метров шестьдесят. Любовался он на нас, может, даже в бинокль разглядывал.

— А возле прохода следы остановки машины есть? — спросил Гуров. — Хотя там, наверное, люди постоянно оставляют машины. Черт, а если это не он? Почему мы решили, что это именно Горобец?

— Ну, мы еще не решили, — развел руками Станислав. — Просто резонно было бы предположить, что он следит за каждым нашим шагом. Возможно, что это не сам Горобец, а кто-то из его помощников. Может, у него целая бригада подельников?

— На какие шиши? — усмехнулся Гуров. — Парень полгода как откинулся с зоны, да еще и с диагнозом рак. Он и в зоне, наверное, больше в лагерном лазарете лежал, чем на пилораме зарабатывал. Что по машине?

— Мы в лабораторию запись отдавали, — ответил Морозов, — они увеличили с помощью своих хитрых программ и прочитали номер, а по нему пробили хозяина. Вот, Лев Иванович. Автомашина «Нива» Ваз-21214, номерной знак «е 201 ро 197 RUS». Эту серию начали выдавать в Москве в октябре 2010 года, я уточнял. Владелец — Карпов Олег Алексеевич, не судимый, проживает... ну, и все в этом роде, включая паспортные данные.

— Хорошо, а что известно о смерти Горобца? Ты навел справки?

— Пока только вкратце мне ответили на запрос, но завтра утром будет вся информация с фамилиями. Он умер, точнее, погиб в результате несчастного случая. Его нашли в погребе, куда он упал, как полагают, потеряв сознание или в результате обморока из-за болезни. Пока все. Это Юго-Западный округ.

— Ну, Горобцом мы с Крячко займемся сами. Скажешь, чтобы информацию переправили сюда.

— Слушаюсь, Лев Иванович, — выключая ноутбук и вставая из-за стола, ответил капитан.

— А вообще-то, — укоризненно покачал головой Гуров, — надо было уже связаться с местным отделом полиции, на чьей территории проживает Карпов, и навести о нем справки. Узнать, почему машина не заявлена в угон.

У Морозова зазвонил мобильник, и капитан виновато посмотрел на Гурова. Тот согласно кивнул и замолчал. Морозов ответил и тут же снова сел за стол, взяв в руки карандаш и придвинул в листок бумаги для записей. По коротким междометиям было непонятно, с кем и о чем он говорит, но, судя по выражению лица капитана, информация имела положительный характер. Кончив делать пометки, он поблагодарил кого-то и, отключившись, торжествующе посмотрел на полковников.

— Что? — не удержался и поторопил помощника Гуров.

— По Карпову от участкового, — улыбнулся Морозов. — Карпов по профессии инженер-нефтяник. Работает вахтовым методом на Таймыре, в... э-э НГДУ со сложным местным названием. Сейчас он как раз в командировке на Севере. Машину угнали в его отсутствие, и он еще не знает о краже.

— А семья?

— У него нет семьи, живет один. Развелся несколько лет назад, детей не было. Как утверждает участковый, какую-то женщину соседи видели, приводил, но в квартире проживает один. Характеризуется положительно, не пьет, занимается спортом. Посещает тренажерный зал и еще член районной сборной по хоккею.

— Да, это как-то с Горобцом не вяжется, — согласился Гуров. — Костя, ты завтра постарайся связаться с Карповым по телефону или иным способом, может, через социальные сети, по скайпу, через вайбер. Одним словом, найди его и пообщайся. Может быть, были уже попытки угона его машины, может, он даже кого-то подозревает. Мало ли. А еще очень осторожно попробуй выяснить, ест ли среди знакомых и приятелей Карпова судимые, кто вернулся совсем недавно.

— Вы думаете, что они знакомы? — спросил Морозов.

— Да, Лева, — с сомнением проговорил Крячко, — что-то Горобец уж очень подставляется, если это действительно он. Подставился с кражей в театре, подставился перед убийством в квесте, подставился с рабочими кладбища, когда просил следить за могилой. Своей, между прочим.

— Все правильно, ребята, — согласился Гуров. — Я об этом сам все время думаю. Получается, что или Горобец хочет, чтобы я узнал, что все это подстроил он, или кто-то очень хочет нас убедить, что за всем этим стоит именно Горобец.


Бывший участковый Осколков держался напряженно. Худощавый, с сединой на висках, он сидел перед столом в своем бывшем кабинете, зажав кулаки между коленями, и смотрел мимо Гурова в окно за его спиной. Напряжение возросло, когда сыщик попросил оставить их одних, и старший участковый, который два года работал здесь с Осколковым, вышел из кабинета. Глядя на мужчину перед собой, Лев пытался понять, что тот сейчас чувствует. Это ведь его бывший кабинет, здесь перед ним вот так же сидели нарушители порядка, жалобщики из населения района, профилактируемые.

— Николай Владимирович, — спросил он, — а почему вы из полиции ушли?

— Ничего себе, — без улыбки произнес Осколков. — Это вы меня весь день искали, переполошили всю родню, чтобы задать этот вопрос?

— Конечно, мы вас искали не из-за того, чтобы выяснить причину вашего увольнения из полиции, — спокойно объяснил Гуров. — И уж тем более не для того полковник полиции из Главного управления уголовного розыска МВД страны приехал сюда, чтобы узнать об этом. Мне просто хотелось понять, что у вас связано с этими годами службы. Удовлетворение или неудовлетворенность, гордость или обида. Это для меня важно, потому что мне придется верить или не верить вашим ответам на мои вопросы.

— Да, конечно, — опустил голову участковый. — Простите.

— Так вы ответите?

— А вы хотите честного ответа?

— Предпочитаю правду во всех ее проявлениях. С ней жить проще, Николай Владимирович.

— Ну да, — пробормотал Осколков и поднял взгляд на Гурова. — Я ушел по своей воле, товарищ полковник.

— Надоело? Не понравилось? Разочаровались в чем-то?

— Угадали. Именно все те три слова вы и назвали.

— Я не угадывал, — вздохнул Лев. — Просто я очень часто, чаще, чем мне хотелось бы, слышу эти слова.

— Я уж не знаю, что вы за человек, товарищ полковник, — усмехнулся одними губами Осколков, — может, у вас стержень другой внутри, может, служба ваша сложилась как-то иначе, а может, у вас был папа генерал, только вот у меня все иначе складывалось.

— Вы во всем оказались правы, — развел руками Гуров. — И папа у меня был генерал, и стержень у меня внутри, видимо, другой, и служба моя сложилась по-особенному. Как пришел я молодым лейтенантом в уголовный розыск, так всю жизнь ему и отдал. Вот и до полковника дослужился. И все служу. А разговор с вами я с этого начал потому, что он у нас предстоит очень серьезный и важный. О том деле, которое прошло через ваши руки.

— Не знаю, — задумчиво проговорил Осколков, — может, у вас в уголовном розыске все как-то иначе, а у участковых... Я ведь тоже шел и за романтикой суровых будней и чтобы бороться с преступностью, помогать людям. И честолюбие, конечно, тоже присутствовало. Карьеру сделать хотелось. И со стороны, из гражданской жизни, мне работники полиции виделись совсем другими людьми.

— А какими оказались?

— Да такими же, как и везде.

— Так они же люди, и ничто человеческое им не чуждо.

— Вот именно. Коллегам, главное, поменьше работы и возни, а на людей наплевать. Начальству нужны только показатели и свою задницу прикрывать с помощью подчиненных, отдавая им самые невероятные приказы, вплоть до таких, что на грани законности, а уж порядочности — точно. Вот и получилось, что, вместо того чтобы очищать свою землю от преступников и всяких негодяев, я занимался отслеживанием статистики и выполнением мероприятий по улучшению этой статистики. Надоело. Разочаровался.

— М-да... — Гуров поднялся из-за стола, прошелся по комнате, постоял у окна. — Значит, говорите, разочаровались. Вы вот с гражданки решили пойти в полицию, потому что там люди вам казались другими, лучше. И вы бросили людей худших и подались в среду, которую лучшей сделали другие, но не вы. И в этой среде вам не понравилось, там все было не по-вашему. И вы снова ушли. Получается, что вы, Николай Владимирович, ходите по земле и ищете, где лучше. А есть ведь множество людей на свете, у которых совсем иные жизненные принципы. Они идут по земле и стараются изменить мир к лучшему там, где находятся. Они прикладывают к этому усилия, а не ждут, когда для них это сделают другие, не ждут, когда создадутся условия для их комфортного пребывания в этой среде. Вот в чем разница, вот о каких стержнях идет речь. Понимаете?

— Да, — кивнул Осколков.

— Наш мир еще далек от совершенства, — снова садясь за стол, продолжил Гуров. — В нем очень редко что-то дается на блюдечке готовым. Работать надо, где бы вы ни осели, каким бы делом ни занялись. Ладно, я вас, Николай Владимирович, понял. Так вот, мы пригласили вас, чтобы проконсультироваться по одному делу, которое прошло полгода назад через ваши руки. Это дело о гибели в результате несчастного случая на вашем участке гражданина Горобца. Его тело нашли в погребе, помните?

— Этого?! — Бывший участковый сделал большие глаза и уставился ими на полковника. — Вот уж никогда бы не подумал, что кого-то на вашем уровне заинтересует тот случай. Уголовник, больной, недавно откинувшийся, пьяный, кстати. Его и хоронить-то пришлось за счет государственных субсидий. Зарыли как собаку, только холмик с табличкой и остался.

— Видите ли, в чем дело, Николай Владимирович, зарыли его и правда скромно. Но вот спустя небольшой промежуток времени явился к рабочим кладбища некто и дал большую сумму денег, чтобы они поставили ограду, памятник и ухаживали за могилой.

— Родственник, что ли, нашелся?

— Не знаю, может, и родственник, но если и так, то он до такой степени близок Горобцу, что уж дальше и некуда. А теперь шутки в сторону, Осколков. Пока в могиле полгода лежит труп, в городе совершаются преступления, включая и тяжкие. Мы насчитали минимум два трупа, чудом удалось избежать еще одной смерти ни в чем не повинного человека. И за всем этим стоит ваш покойник.

— Как это? — опешил бывший участковый.

— Вы не того похоронили, Николай Владимирович, вы поторопились поверить в те доказательства, которые вам так небрежно подбросил Горобец, рассчитывая на то, что вам все надоело, что вы разочаровались в коллегах и начальстве и вам хотелось уйти из органов. Пусть это будет вам нравственным уроком на всю жизнь, Осколков. Мне важны ваши показания, потому что вы были там первым. А теперь расскажите все по порядку. Кто обнаружил труп, каким вы увидели его, как извлекали, как проводилось опознание. Мне нужно все, вплоть до мелочей.

— Так там следователь был, оперативники...

— Послушайте, материалы следствия я посмотрю и без вас, с оперативниками будет проведена отдельная беседа. Сейчас меня интересуют ваши личные впечатления, ваше видение всего того, что происходило непосредственно с вашим участием. Итак?

— Мне сообщили жильцы дома, что чувствуют явно трупный запах в районе сараев во дворе. Я приехал и действительно уловил запах тления. Мы собрали жильцов, чьи сараи находились в этом месте, обследовали их все и в одном из погребов нашли тело мужчины. Я вызвал группу, вот, собственно, и все.

— Как это все? А установление личности, а характер повреждений на трупе, а кому принадлежал сарай?

— Ну, тут я просто присутствовал при осмотре. В кармане у человека нашли справку об освобождении на имя Горобца. Сверили с фотографией. Установили, что Горобец на учет не встал и по месту жительства после освобождения не явился. А повреждения, насколько я помню, были характерными для падения с лестницы и удара головой о кирпич, который там под головой и обнаружился. Видите ли, там от меня ничего не зависело, все решалось сверху, так что я тут...

— Вы опять не поняли, Осколков. Я не судить вас пришел и не ваши действия разбирать. Мне информация нужна о том, каким образом получилось так, что одного человека приняли за другого, какие основания для этого были. Понимание может дать ниточку к раскрытию преступлений и к самому преступнику. Кто-то из жильцов дома опознал труп?

— Не знаю, я не присутствовал, я вместе с оперативниками подворный обход делал. А сарай принадлежал жильцу этого дома. Не помню номер квартиры, а фамилия его, кажется, Фролов. Это в материалах дела есть.

— Как Фролов объяснил попадание трупа в его погреб?

— Фролов? — Бывший участковый недоуменно посмотрел на Гурова, пожевал губами, кажется, даже готов был начать чесать в затылке. — А Фролова тогда так и не нашли. Он пропал без вести.

— И никому не пришло в голову сравнить приметы Фролова с приметами Горобца? — Гуров возмущенно покрутил головой и бросил на стол две фотографии: прижизненные фото Фролова и Горобца. — У них даже цвет волос был разным!

— Вы знаете, товарищ полковник, — взяв в руки фотографии, задумался Осколков. — Вообще-то волосы были все в запекшейся крови и, из соображений чисто эстетических, их и лоб при опознании жильцами накрыли салфеткой. Там и так многих тошнило и рвало. А насчет разницы в овале лица и кое-каких черт... Ну, они немного похожи были и при жизни, а когда тело распухло и покрылось трупными пятнами, там уже большой разницы не было. Он ведь пролежал в погребе долго. Несмотря на температуру градусов в шестнадцать, тело пролежало внизу, как сказал эксперт, не меньше десяти дней. И дверь сарая была плотно прикрыта, так что и запах люди не сразу уловили.

— Это точно? — оживился Гуров. — Дверь сарая точно была плотно закрыта?

— Точно, я даже не сразу открыл. Она просела, чуть ли не на одной петле держалась, вот и пришлось поднапрячься.

— Значит, человек забрался в чужой сарай, плотно прикрыл за собой дверь и полез в погреб. Потом ему стало плохо или случился обморок, и он упал и разбил голову о камень. Ведь все нелепо от начала и до конца!

— Теперь и я вижу. А тогда... Там же следователь всем руководил, а ему, я так понимаю, отказной материал нужен был. Зачем ему висяк или просто лишняя работа?

— Так, — потер руки Гуров, — едем дальше. Расскажите, как искали Фролова, как установили, что он пропал.

— Когда выяснилось, что сарай принадлежит Фролову, меня отправили к нему. Я вошел, потому что дверь в квартиру у него была не заперта. А на столе — остатки еды, и тараканы и муравьи кишат. Но я обратил внимание, что по всем признакам ел он один. А вот куда потом делся...

— А вы соседей не спрашивали, они в одежде, что была на трупе, одежду Фролова не опознали?

— Я не спрашивал, этим следователь занимался. Честно говоря, мне было не до того, я как намыленный бегал по заданию следователя. Хотя теперь понимаю, что это было тогда важным. Но одежда натянулась на опухшем трупе, как на барабане, тело уже текло, поэтому все делали быстро, чтобы увезти его в морг.

— У Фролова были родственники, друзья?

— Кажется, не было родственников, бывшая жена была, но она где-то в Подмосковье живет. Этим занимался оперуполномоченный по розыску. Я только пару заданий его выполнил, и все, больше мне ничего не поручали. Те алкаши, с кем он иногда знался и пил, его давно не видели, оснований им не верить вроде не было. Жалели Фролова, он же больной был, рак у него...

— Что?! — Гуров резко обернулся, не дойдя до окна. — Это точно?

— Говорили друзья его. Он вроде и на учете состоял А может, и нет. Участковый врач, говорят, приходил, женщина пожилая. Хотя я не уверен.

— Вот спасибо, Николай Владимирович, — пробормотал Лев, садясь за стол и доставая телефон. — А ведь в материалах дела нигде не указано, что хозяин сарая Фролов имел онкологическое заболевание. И не могло быть, потому что это к делу никак не относилось. Никто здоровьем Фролова и не интересовался, а у него, оказывается, тоже рак.

— Почему тоже? — не понял бывший участковый.

— Потому что погибший в погребе человек был болен раком, а Горобец перед освобождением в колонии тоже получил такой диагноз. Вот такие дела, участковый.

## Глава 9

Орлов сидел за своим столом и слушал Гурова так, как будто тот пересказывал ему захватывающий приключенческий роман. Уставшие и невыспавшиеся Крячко и Морозов сидели рядом и вяло поддакивали.

— Теперь ты понимаешь, Петр Николаевич, что я был прав с самого начала, когда так характеризовал Горобца. Какой талантливый мерзавец, а? Все учел. До таких мелочей учел, что не будут искать Фролова, что на фиг он никому не нужен, что его заболевание раком не всплывет. И дверочку в сарай, уходя, прикрыл плотно, чтобы раньше времени никто туда нос не сунул и труп не нашел. Потому что ему нужно было довести состояние трупа по степени разложения почти до неопознаваемого. Что мы и получили.

— Ну и гаденыш! — прошипел Орлов. — Что экспертиза сказала?

— Вот посмотри. — Гуров взял из рук Крячко мягкую тонкую пластиковую папку с бумагами и протянул Орлову. — В ножки надо поклониться бывшей жене Фролова, от которого у нее дочь и которую мы разыскали в Подмосковье. Сделали анализ на ДНК, и вот результат. В могиле Горобца лежит Геннадий Фролов. Косвенно мы можем предполагать, что именно Горобец Фролова и убил, чтобы выдать его за себя и исчезнуть.

— Вопрос — зачем? — сразу же спросил Орлов. — Какой мотив у Горобца?

— Вариантов много, и все реальные. Старые делишки, разборки, претензии. Свел счеты — это не мотив? Или Фролов прятал в погребе нечто ценное, на часть которого по их договоренности имел право. Горобец решил не делиться и убил подельника. Это не мотив? Ну, самый вероятный — Горобец убил Фролова, чтобы выдать его труп за свой собственный.

— Весьма удачно выдал, между прочим, — вставил Крячко. — Вот на какой вопрос мы никак не найдем ответа, это зачем Горобец так подставляется, зачем ему нанимать рабочих кладбища ухаживать за могилой? Он что, любил Фролова как друга?

— Да, мы об этом много говорили, — согласился Гуров, — много размышляли и никак не найдем ответа. Так удачно уйти в тень и снова показываться оттуда и намекать на то, что он все еще жив. Нелепость!

— Играет он с тобой, Гуров! — вздохнул Орлов. — Заигрался парень, считает себя неуловимым.

— Нет, тут что-то другое. Он не в неуловимого играет, — возразил Лев. — Не знаю пока в кого.

— Вот он тебе придумает новое задание, и сразу сообразишь, в кого он играет, — подвел итог генерал. — Вот что, ребята. Хватит ловить тени за хвост. Ноги в руки и пошли по связям Горобца, по его родственникам, по подельникам, по прошлым судимостям, по бабам, по «малинам». Где-то нам его надо перехватить, есть где-то его след. Он должен где-то жить, у него должны быть помощники, ему кто-то поставляет информацию. Не может он в вакууме жить. Вычислить его срочно или нащупать, как хирург нащупывает опухоль.

— Кстати, — напомнил Морозов, молчавший до сих пор, — а почему так долго нет заданий от Режиссера? Он же обещал устроить Льву Ивановичу квест под названием «Жизнь». Вяло он исполняет свою режиссерскую роль.

— Подготовка его хитростей, — ответил Крячко, — как та ловушка в подземном переходе, занимает много времени, так что все объяснимо.

— Он приготовит теперь что-то похитрее, — невесело заметил Гуров. — Нутром чую, что мы его опять недооцениваем.

— Вот и спешите! — рыкнул Орлов, прихлопнув крышку стола широкой ладонью.

Связями Горобца Лев отправил заниматься Морозова. У них в МУРе достаточно информации по уголовному миру каждого района и микрорайона. И выяснить, упоминалась ли когда и в связи с чем фамилия Горобца, было делом времени. К тому же через Морозова Гуров отправил задание начальнику МУРа, озадачить агентуру своих оперативников на выяснение участия Горобца в преступлениях, его связей и контактов после освобождения.

Крячко уехал поговорить с соседями квартиры, в которой жила мать Горобца, скончавшаяся шесть лет назад, когда сынок еще сидел в колонии. Квартиру забрал муниципалитет, после того как на Горобца выписали свидетельство о смерти. Возможно, что преступник там появлялся, возможно, у него в квартире было что-то спрятано из ранее похищенного, хотя обыски во время последнего следствия проводились. В любом случае Горобец мог там появляться, и нужен был опыт Крячко, чтобы понять это, чтобы умно расспросить соседей.

Сам Гуров решил съездить в подмосковный поселок Никифорово, где жила бабушка Горобца по отцовской линии. Во всех документах, включая и старые оперативные, Аглая Николаевна считалась близкой родственницей, с которой мать Горобца поддерживала отношения и часто ее навещала. Да и сам Горобец, как было установлено, бывал в Никифорове не только в детстве.

Крячко попытался убедить Гурова взять с собой оперативников, а еще лучше группу ОМОНа. Горобец вполне мог скрываться в Никифорове. Неизвестно, что там с домом его бабушки, продали его после ее смерти несколько лет назад или нет. Но Гуров был уверен, что Горобец там прятаться не будет. Во-первых, он прекрасно знал возможности уголовного розыска и понимал, что установить наличие бабушки и ее адрес несложно. Сыщики первым делом обязательно проверят все адреса родственников, когда начнут его искать. А во-вторых, ему просто неудобно проворачивать свои делишки, живя в Никифорове. Через поселок не проходила ветка электрички, он лежал не на большой трассе, а в стороне, и автобусы ходили через поселок всего три раза в день. А пользоваться краденой машиной Горобец постоянно не будет.

— Нет, Станислав, — убежденно заявлял Гуров, — Горобец в Москве, он близко от центра, он должен следить за мной, за нашими действиями, у него тут наверняка помощники и информаторы, с которыми нужно постоянно поддерживать связь. Нечего ему в Никифорове делать! Тем более теперь, когда он, в результате наблюдаемой им воочию эксгумации, убедился, что мы разгадали его ход с трупом Фролова. Он станет избегать мест, где мы будем его искать в первую очередь. Рассматривай мой выезд в Никифорово как просто дежурное мероприятие, которое мы обязаны выполнить в рамках этого дела.

Во дворе министерства Гурова в машине ждал Сашка Артемьев.

— Снова с вами, Лев Иванович? — улыбнулся он, распахивая дверку. — Прошу!

— Ты чего такой веселый, Санек? — удивился сыщик.

— День удачный, — садясь на водительское сиденье и заводя мотор, ответил Артемьев. — Во-первых, я должен был с утра ехать в Северо-Западный округ на одно занудное мероприятие, и мне пришлось бы тащиться в пробках и включать мигалку, а я это не люблю, потому что мы должны вызывать уважение у людей со своими полицейскими номерами на машинах и своими сиренами. В последнее время я только и слышу про «пузанов», которые ездят по своим личным делам на служебной машине с включенной сиреной. Люблю, когда говорят, вон орлы наши полетели, раз с сиреной, значит, брать кого-то, значит, хорошо сработали.

— Ну, брать с сиренами не ездят, — улыбнулся Лев, — но мысль ясна. А во-вторых?

— А во-вторых, когда я с вами езжу, у меня весь день идет хорошо. Вы мне удачу приносите.

— Ух ты! Вот не ожидал, что во мне такие таланты имеются. А в-третьих, я полагаю, тебе, как и всякому нормальному водителю, нравится ехать быстро по пустой дороге и, желательно за город, а не по городским улицам, тыкаясь в светофоры и пешеходные переходы.

— Точно!

До Никифорова они добрались относительно быстро благодаря тому, что Сашка знал все улицы в столице, знал, как объехать очередную пробку и какие магистральные улицы в какое время суток больше загружены. В администрации поселка начальства не оказалось, но деловая молоденькая веснушчатая девушка довольно легко нашла в каких-то папках сведения, что дом Аглаи Николаевны Горобец никому не продавался и сделка не фиксировалась, а заодно и то, что в доме никто больше не прописывался и изменения в домовую книгу не вносились.

— Ну что, Сашка, поехали, — сказал Гуров, выйдя на улицу, где возле машины топтался Артемьев.

— Лев Иванович! — Водитель горестно развел руками и виновато опустил глаза. — Маленькое ЧП у нас — колесо пробили. Где-то я гвоздь поймал.

Гуров обошел машину и посмотрел на спущенное заднее колесо. Сашка кинулся в багажник доставать запаску и инструмент.

— Сейчас, Лев Иванович, буквально минута. Я колесо поменяю, и двинемся.

— Так не пойдет, Санек, — остановил его Гуров. — А если ты и запасное колесо пробьешь? Вообще встанем. Давай-ка ты на шиномонтаж, я там на въезде где-то вроде видел.

— А вы?

— А я пройдусь по нашему адресу. Пока ты чинишься, поговорю с соседями, расспрошу.

— Не хочется мне вас одного отпускать, — пробормотал Артемьев.

— Ничего опасного сегодня не предвидится, Саша. Мы приехали просто расспросить соседей, и не более. Давай-ка займись колесом, а то время идет.

— Хорошо, Лев Иванович. Я сейчас подкачаю, может, на этом доеду до шиномонтажа, в целях экономии времени.

Гуров кивнул и двинулся вдоль улицы. Поселок был старый, но та его часть, которая выходила к междугородней трассе, разрослась, видимо, за последние два десятилетия. Здесь стояли новые дома, богатые коттеджи. Здесь не было ни одной ветхой избушки или просто деревянного дома, обложенного кирпичом. А вот в конце улицы, которая спускалась к небольшой речушке, заросшей камышом, стояли дома уже попроще.

Дойдя до спуска, Лев понял, что ошибся в расчетах. Улочка заворачивала и спускалась в низинку. И теперь перед его глазами встало прошлое этого поселка. Его деревенская часть, какой она была десятки лет назад. Вон и покосившиеся почерневшие заборчики, ведра и тряпки на них, ветхие сарайчики на хозяйственных дворах за домами. Да и сами дома были простыми, с пристроенными верандами. Крыши, крытые шифером, на некоторых домах от старости позеленели. А асфальт здесь был только на чудом сохранившейся центральной улице. Между домами извивались и тянулись утоптанные переулки, густо заросшие ближе к заборам травой. Как в детство попал, подумал Лев и двинулся вниз по улице.

Здесь было пустынно, даже собаки не лаяли. Кошки вон есть, а собак не видно. Их кормить надо, они мышей ловить не умеют. И детей в эту часть поселка на лето не привозят. Одинокие тут старики остались, умирающая часть поселка. Поэтому и дом бабушки Горобца не продан. Никто не стал покупать. Обитателям этой части не по карману, да и необходимости нет, а богатым городским в этой части покупать не престижно. А когда-то тут, видимо, бурлила жизнь, вон за поселком остатки каких-то каменных строений, может, мельница на этой реке стояла, а может, рыбу разводили. А сейчас обмелела речушка, заросла вся. Наверное, и раки даже не водятся.

По сохранившимся номерам на стенах домов, а кое-где просто написанным краской Гуров нашел нужный адрес. Ну, вот и он, осматривая осевший от времени в землю неказистый дом, подумал сыщик. Гляди-ка, и стекла не побили. Паутина, пыль, двор весь зарос неопрятной травой, только тропинка, когда-то выложенная округлыми окатышами, еще хранила видимость порядка.

Лев покрутил головой, пытаясь увидеть хоть одного человека вокруг. Но соседние дома тоже как будто вымерли. Он пошел вдоль дома, заглядывая во двор сквозь ветви разросшейся сливы. За домом оказался наполовину разобранный сарай. Наверное, кто-то выбирал доски на дрова или для строительства другого такого же сарая. И было это не вчера, а месяцы назад, потому что сарай выглядел каким-то однородно почерневшим, как гнилой зуб во рту. Никого тут нет и не было несколько месяцев.

Наконец Гурову удалось найти старуху на задах соседнего дома. Согнувшись, она полола картошку, держа свою тяпку за черенок почти у самого основания.

— Здравствуйте, бабушка! — громко поздоровался Лев.

— Чего тебе? — неприязненно спросила старуха, оперевшись о тяпку и с трудом выпрямляя спину.

— Я хотел вас расспросить про вашу соседку Аглаю Николаевну.

— А чего про нее расспрашивать? Померла она полгода назад. А ты ей родственник, что ли? Не Сергей ли?

— Нет, я не Сергей. А что, он появлялся тут, навещал бабушку?

— Никто ее не навещал. Так по-соседски и похоронили Аглаю. Вон Иван Кузьмич получил на нее пособие, да мы, кто сколько мог, сложились. И закопали... царствие ей небесное, — перекрестилась старуха.

— И потом он не приезжал? Не интересовался, где похоронили?

— Кто, внук, что ли? Так если дочери не нужна, то внуку и подавно.

— Дочь умерла несколько лет назад, — вздохнул Гуров. — А Сергей пропал.

— Говорят, сидит он. Посадили его то ли за убийство, то ли за воровство. Разное люди болтают. А ты-то кто сам будешь? Не на дом ли Аглаи прицелился?

— Нет, бабушка, я из полиции, — ответил Гуров.

— А чего полиции до Аглаи? — нахмурилась старуха и, перехватив тяпку, перешла на следующий ряд картофельных кустов. — Или Сержку ищете? Опять натворил чего? Аглая все плакала, переживала за него, непутевого. Любила она его, ведь мальчонкой часто приезжал, на все лето, бывало. На речку с пацанами бегали, рыбу ловили, раков все на берегу варили. Что с парнем жизнь сделала... — И, промокнув уголком грязного платка глаза, старуха снова взялась полоть картошку, сгибаясь все ниже и ниже к грядкам.

Гуров постоял немного и, поняв, что здесь он больше ничего не узнает, пошел назад. Надо обойти соседние дома, ведь соседи многое видят, слышат, они ходят мимо, на соседний дом выходят их окна, слышны разговоры. Размышляя, он снова вышел к забору дома Аглаи Николаевны и вдруг увидел большую дыру в деревянном заборе. Дыра из переулка, одна доска держится только на верхнем гвозде, второй доски нет совсем. Если отодвинуть доску, то взрослый человек вполне пролезет.

Лев остановился и осмотрелся по сторонам. Зачем кому-то проделывать дыру в заборе, чтобы проникнуть во двор заброшенного дома. Заходи в любом месте, даже через калитку, которая наполовину открыта. Значит, только для того, чтобы никто не видел, как ты проникаешь туда. Зачем туда проникать? Бомжам негде было переночевать? Откуда здесь бомжи? Им здесь есть нечего, им вольготнее всего в большом городе. Хулиганы-мальчишки? Играть в свои игры? Так нет тут мальчишек. Правда, доска могла быть выломана еще несколько лет назад, когда была жива бабушка Горобца.

Гуров присел перед дырой на корточки и стал рассматривать доски. Э, нет, оторванная доска оставила после себя вполне отчетливый след. Древесина стареет на открытом воздухе без обработки и покрытия. Старая древесина портится быстрее, доски начинают превращаться в труху, верхний слой сдирается даже ногтем, и плотной древесина остается только глубже. А там, где доска была прижата гвоздем к поперечине, разрушение шло слабее. Видимо, выломали доску, чтобы стык открыть. Нет, след свежий, как тут ни рассуждай.

Причин тому, что выломана доска, может быть десятки, вздохнул про себя Гуров и сунул руку под пиджак, доставая пистолет. Самая последняя из причин — это сделал сам Горобец на днях, чтобы попасть в бабкин дом. Непонятно зачем, непонятно, почему тайком. Хотя тайком, потому что его ищут, а вот зачем? Что я делаю, спросил сам себя Лев и пролез в дыру.

Трава под ногами в этой части двора была густая, и следов ног на ней не оставалось. Нагибаясь и проходя под низкими ветками деревьев, обходя запущенные кусты крыжовника, Гуров вышел к дому в той его части, где был так называемый глухой фасад. Веранда справа, а дальше сени и дверь в сам дом. Окна выходят на улицу, и еще одно окно он видел слева с торца. Вот и все.

И снова никаких следов. Гуров почти неслышно подошел к веранде. Пыльные окна, заросшие паутиной, и открытая дверь. Веранда вся покрыта прошлогодними палыми листьями, которые слегка разметает задувающий туда ветерок. День солнечный, даже через грязные окна в дом проникает достаточно света, чтобы можно было там спокойно ориентироваться. Гуров шагнул сразу на пол веранды, минуя две невысокие ступеньки лестницы, которые могли быть скрипучими. Осмотревшись по сторонам, он решил, что не является объектом чьего-то внимания. Никто не вышел посмотреть на чужака, никто не намерен его остановить и начать задавать вопросы. Тихо, как в сонном царстве. В доме тоже ни звука. Ну, если решил, то надо доводить до конца начатое. Тем более что сюда толкнула интуиция, он не собирался заходить в дом. Подумав, Лев ответил сам себе, что действительно собирался.

Дверь открылась почти без скрипа, и это его обрадовало. Глядя в темные сени и держа оружие наготове, он сделал широкий шаг, чтобы поменьше наступать на скрипучие, возможно, половицы. Вот и дверь из сеней в дом. Ох, как часто в подобных ситуациях оттуда начинали стрелять по входившим оперативникам или спецназовцам! Гуров, поморщившись, открыл дверь и сразу встал за дверной косяк, осторожно выглядывая оттуда. Половина головы, ствол пистолета и носки ботинок — вот и все, что мог увидеть из дома гипотетический преступник. Но в доме было тихо и пахло пылью, грязью, мышами.

Он шагнул внутрь и, держа пистолет двумя руками перед собой, стал медленно обходить внутренние помещения. Кухня, отделенная от другой части комнаты большой печкой. Справа двустворчатая легкая дверь, выкрашенная когда-то белой масляной краской. Дверь распахнута, на порожке след от чего-то жирного, которое покрылось налипшей пылью.

Лев старался обращать внимание только на те следы, которые предупреждали бы о присутствии в доме человека. На столе пыль, на печке паутина, в дверном проеме паутина, по углам тоже, во второй большой комнате — незастеленная кровать. И все это не трогалось много лет. Круглый стол, трюмо у окна, так и оставшееся завешенным черным платком, видимо, со времен похорон.

Все, дом пуст и человека он не видел, наверное, много лет. Гуров опустил пистолет и только теперь обратил внимание на лист бумаги посреди большого круглого стола. Сразу резануло по внутренностям ледяным холодом. Рука с пистолетом мгновенно поднялась на уровне глаз. Он боком подошел к столу, стараясь не оказаться видимым с улицы в окне и не поворачиваться спиной к двери.

Скосив глаза, глянул на листок. Точно не показалось. Текст напечатан в центре листка на лазерном принтере. Хорошая бумага для оргтехники, чистая и белая. И кто-то положил ее совсем недавно.

«*Ты пришел, Гуров!*

*Теперь новое задание. Не вздумай сбежать, не вздумай звонить куда-то, не стой долго столбом, а то паренек и его зазноба умрут. Хочешь спасти ребятишек? Бегом к ним на помощь! Выйдешь из дома, повернешь направо. Справа от дома в переулок ведет дыра в заборе. Дойдешь по переулку до пустыря и посмотри вперед. Серая бетонная полуразрушенная коробка.*

*Удачи, Гуров! Можешь еще успеть не взять греха на душу*».

Лев мысленно застонал. А ведь он опять угодил в ловушку. Судя по тому, что текст напечатан на принтере, Горобец, или кто там все это делает, предполагал, что Гуров приедет сюда.

Потом убедился, что он действительно приехал, и сбегал положить записку. Он заранее подготовил новое испытание. Дети! Вот вурдалак! Сейчас звонить нельзя, может услышать он или его помощники. Надо незаметно позвонить, выйдя на пустырь.

Гуров выбежал из дома и сразу свернул направо в сторону той самой дыры в заборе, через которую сюда и попал. Было до бешенства обидно, что он, матерый полковник, оперативник с таким стажем, и снова попался в ловушку. Но, надо отдать должное, его противник был талантливым негодяем, гением просто. И он его все это время недооценивал. Нет никаких наблюдателей, нет тут никакого Режиссера. Все давно и надежно исчезли, чтобы не попасть в руки полиции. Он всего лишь запугивает и нагнетает обстановку, а сам трусливо удрал, потому что не хочет такого прозаического финала своих игр, а хочет еще поиграть, значит, будет готовить новые задания.

Спеша к пустырю, Лев на ходу достал телефон. Орлов мог не ответить, потому что был на каком-нибудь совещании, Крячко мог тоже не слышать его или быть занятым чем-то и отозваться на звонок Гурова спустя, скажем, минут пять или десять, а тут важна каждая минута. То же самое и с Морозовым.

И Гуров поступил просто — набрал 020. Он не стал слушать дежурную фразу, произнесенную молодым задорным женским голосом, заговорил сам. Заговорил торопливо, на бегу, зная, что все вызовы записываются и его доклад прослушают, если что-то сразу не поймут.

— Говорит полковник Гуров из главка уголовного розыска МВД. Срочно передать генералу Орлову! В поселок Никифорово на северо-востоке от Москвы подразделение ОМОН, «Скорую помощь» и спасателей. Угроза жизни двух детей от рук преступника. Срочно связаться с водителем дежурной машины МВД Артемьевым и передать приказ позвонить на мой мобильный номер. Все!

Не дожидаясь ответа, он сунул мобильный в карман и побежал по склону к серым бетонным низким развалинам.

Вадим Гущин приехал в Никифорово неделю назад. К бабушке его отправляли почти каждый год, но вот после окончания восьмого класса родители почему-то решили изменить планы на лето и отправить его в какой-то дурацкий молодежный лагерь. Вадим и не ожидал, что его уговоры подействуют, что ему вообще удастся уговорить их изменить свои планы и отправить его снова к бабушке в Никифорово. Но стоило ему немного упереться и начать использовать стандартные доводы про чистый воздух, экологически чистые продукты, и точка зрения отца победила.

И как хорошо, что родители даже не заподозрили, что истинной причиной, по которой их сын так рвался в Никифорово, была девочка. С ней Вадим познакомился в прошлом году, за два дня до отъезда в Москву. Но они успели обменяться адресами в сетях и переписывались всю зиму, потому что Лариса жила не в Москве, а в Киржаче. Постепенно переписка стала напоминать настоящий любовный почтовый роман, наполненный нежностями и предвкушением встречи летом. И вот все готово было рухнуть из-за дурацкой идеи социализации подростка с помощью детского лагеря.

А потом была мучительная неделя, в течение которой Вадим ждал свою Ларису. Она каждый день обещала, что вот-вот родители отправят ее к бабушке под Москву. И вот сегодня наконец они встретились! Вадим прибежал на перекресток, где они условились встретиться, и как на иголках топтался там десять минут, пока не увидел ее. В легких босоножках, в коротком летнем платье, Лариса была такой красивой, что у него перехватило дыхание, а сердце забилось в груди гулко, как барабан.

— Привет! — улыбнулась девочка, подходя вплотную и обдавая его волной каких-то тонких духов.

— Привет! — шепнул Вадим, отчаянно краснея и едва сдерживая дрожь в руках. — Я думал, что не дождусь.

Глупейшая фраза, сразу понял он. Не надо было этого говорить, ведь Лариса может воспринять эти слова как укор.

А она как-то загадочно улыбнулась и чуть коснулась его локтя своими теплыми пальчиками:

— Вадь, пойдем отсюда! Меня могут знакомые увидеть, еще разговоры всякие начнутся, мол, не успела приехать, и сразу мальчики.

— Какие еще мальчики? — сразу насупился Вадим.

— Дурачок! Пойдем к реке.

Они быстро сбежали под горку к реке и пошли рядом. Вадик молчал, тая от нежности и умиления, а Лариса вдруг остановилась, подняла руку и, коснувшись его щеки, проговорила:

— Вот мы и снова вместе. Я так мечтала потрогать тебя, почувствовать, какой ты. Мы же в прошлом году едва познакомились и сразу разъехались.

— И писали друг другу, — напомнил Вадик. — Мечтали, как встретимся.

Ему очень хотелось обнять Ларису, прижать к своей груди... но силы воли хватило лишь на то, чтобы поднять руку и коснуться ее руки. Они посмотрели друг другу в глаза и засмеялись.

— Я не думала, что ты такой стеснительный, — хмыкнула Лариса. — Когда ты писал, то был намного смелее в словах. Про нежность так красиво писал. — Она помолчала немного и вдруг прошептала: — Поцелуй меня.

Вадим осторожно коснулся ее губ, и мир перестал существовать вокруг...

— Эй, вы! — грозно рявкнул грубый мужской голос совсем рядом. — Ах вы, стервецы малолетние. Целоваться уже научились...

Лариса ойкнула, отшатнулась от Вадика и метнулась к берегу. Вадим мельком обернулся на незнакомого мужчину, но не нашел слов, чтобы ответить что-то язвительное или грубое, и бросился догонять ее.

Они снова пошли рядом вдоль берега. Вадику вдруг пришла в голову мысль, что надо найти уединенное местечко, где их никто не увидит. И там можно снова целовать мягкие губы Ларисы... Эта мысль так завладела им, что он начал буквально метаться по берегу, отмахиваясь от вопросов девочки, пока не увидел дверь в старой бетонной стене, позеленевшей от времени.

— Ты чего? — шептала Лариса, позволяя тащить себя за руку к этому подвалу, или что там было. — Вадька, куда ты меня тащишь?

Они вошли в распахнутую железную дверь и остановились. Бетонный куб, внутри которого они находились, был остатками какого-то коллектора или теплового узла или вообще непонятно чего. На стенах следы каких-то кронштейнов, обрезанных труб. На полу валялись разбитые деревянные ящики, ржавые железки. Над головой такой же бетонный потолок на высоте метров трех, и в середине решетка из тонких стальных прутьев.

— Что это? — шепотом спросила Лариса, оглядываясь по сторонам.

— Это то место, — таким же шепотом ответил Вадим, — где нас никто не увидит. И никто нам не помешает... быть вдвоем, — и обнял ее.

Лариса приподнялась на цыпочки, обхватила его шею своими руками... Он почувствовал ее губы...

И тут дверь в бетонной стене захлопнулась с резким скрежещущим звуком. Вадим и Лариса вздрогнули и обернулись, и Вадик, как мужчина, первым бросился к двери и принялся пинать ее ногой, но старая железная дверь не поддавалась.

— Эй, кто там?! Уроды, откройте дверь!

— Перестаньте, что вы делаете! — тоже начала кричать Лариса, стуча кулачками по двери.

На полу не было приличного размера камня, или палки, или обрезка трубы, которыми можно было молотить в эту чертову дверь. Для чего, на этот вопрос ребята ответить не могли, им просто казалось, чем громче они станут шуметь, тем быстрее их откроют. Или просто кто-то услышит из проходивших мимо людей. Хотя оба они понимали, что до окраины поселка слишком далеко и что на берег из взрослых никто не ходит, рыбаки ловят рыбу в другом месте, да и дети ходят купаться к сосновому бору, где есть песчаные отмели.

Вадим бросил палку, разломившуюся от нескольких ударов, и опустился на деревянный ящик. Лариса села рядом.

— Это тот мужик, — сказала она. — Он что, проучить нас решил? Дурак какой-то! Меня бабушка будет искать...

— Ничего, — успокоил ее Вадим, — мы придумаем, как отсюда выбраться. Надо, например, сидеть тихо и слушать. Может быть, услышим голоса людей и начнем кричать. Хорошо бы огонь развести, чтобы дым через решетку поднимался вверх, тогда нас скорее заметят.

— А у тебя есть спички?

— Нет, — грустно пошлепал себя по карманам Вадик и осмотрелся вокруг. — Может, попробовать трением как-нибудь огонь развести?

— Или же какой-нибудь железкой стену царапать, вдруг она не очень твердая и станет поддаваться? — предложила Лариса.

Они так ничего и не придумали. Солнце заметно сместилось из левого угла решетки в правый угол. Значит, прошло уже несколько часов. Есть хотелось, а особенно пить. Лариса устало улыбнулась и сказала, что может попробовать вызвать дождь.

И тут что-то зажурчало. Вадим вскочил на ноги, Лариса стала крутить головой и прислушиваться. Журчание стало громче, а потом вдруг из старого пожарного брезентового рукава потекла вода. И только теперь Вадим заметил, что рукав, оказывается, надет на кусок трубы, торчавшей из стены в самом низу. И не просто надет, а перетянут проволокой, как хомутом, чтобы не соскочил. Зачем? Зачем тут этот пожарный рукав, для чего из него льется вода? Они стояли и смотрели, как вода толчками вытекает из рукава, а на полу разливается приличная лужа. Она подбиралась к их ногам, и ребята стали пятиться к стене.

— Зачем? А если она не перестанет течь? — тихо спросила Лариса.

— Да ладно тебе, — неуверенно пробормотал побледневший Вадик. — С таким напором она вообще будет утекать в землю.

— Тут полы бетонные.

— Они старые, да и дыр полно...

Лариса кинулась на середину подвала, угодила босоножками прямо в лужу и громко закричала:

— Мама!

Гуров услышал детские голоса, раздававшиеся со стороны реки. Остатки каких-то бетонных и кирпичных сооружений. Наверное, это были остатки плотины, когда-то перекрывавшей эту речушку. Сейчас все это разрушено, разобрано. И где-то там кричат дети, два голоса, Лев это хорошо разобрал.

Первым делом он взбежал на небольшой вал или в прошлом искусственную дамбу и огляделся. Откуда голоса? Кажется, вон оттуда, где из травы торчит угол бетонной стены. Приблизившись к ней, заметил посреди бетонной плиты решетку и, нагнувшись, увидел страшную картину. По пояс в воде стояли мальчик и девочка лет пятнадцати. Девочка сжимала руками плечи, подол ее летнего платьица вздулся и плавал вокруг нее ореолом. Мальчишка что есть силы пытался сжать сложенный вдвое конец пожарного рукава, из которого била вода.

— Дяденька! — высоким срывающимся голосом закричала девочка, увидев Гурова. — Помогите, кто-то запер дверь, мы не можем выбраться, а нас заливает!

— Вода через этот рукав идет, — стуча зубами, объяснил паренек, — я уже не могу держать. Раньше получалось, но напор был меньше, а сейчас уже вырывается из рук.

— Как вы туда попали, кто вас запер? — Гуров упал на колени и схватился руками за решетку.

— Мы не знаем, — ответила девочка. — Мы не видели. Просто дверь захлопнулась, и все. Дяденька, помогите, мы тонем!

Гуров посмотрел в детские лица. Заложники чьей-то мерзкой игры. Убью гада! Паренек уже сдался, хотя еще держится. Он просто закоченел от холода и этот пожарный рукав держит автоматически. А девчонка близка к истерике. Они же боятся, бедные!

— Сейчас я вам помогу! — закричал Гуров, вставая на ноги. — Держитесь и не бойтесь. Пустяковое дело, сейчас я все сделаю.

Ох, если бы это было на самом деле так, подумал он, сбегая по склону к двери, которая вела в этот бетонный подвал. Черт, было хорошо видно, что кто-то на железных болтах прикрепил ушки для навесного замка к этой двери. Ее захлопнули за детьми и повесили замок. И все это не сломать руками! Гуров схватился за замок и ожесточенно дернул несколько раз. Нет, бесполезно. Нужен лом, нужна сварка, болгарка. Может, тут что-то валяется, надо посмотреть. Помощь нужна...

Телефон зазвонил в тот момент, когда сыщик бегал вокруг, поднимая и взвешивая в руке железки. Обрезки труб, стального уголка, толстой арматуры не помогли, он уже отчаялся и боялся подняться к детям на решетку. Что он им скажет?

— Лев Иванович, это Артемьев! — раздался в трубке голос водителя. — Что случилось?

— Сашка, быстро найди сварку или что-то чем резать металл, нужно взломать дверь, там дети, и они могут утонуть. Дверь стальная, на замке.

— Где вы?

— За поселком у реки в низинке. Увидишь там остатки какого-то сооружения или конструкции в виде старой запруды.

— Ждите, я быстро!

Гуров бросился наверх и пробежал по берегу. Понять, откуда и каким образом в подвал попадает вода и почему через трубу, он не смог. Только бы Сашка успел, только бы помог! Нет, не только Сашка, Гуров схватил телефон и набрал номер Крячко. Быстро объяснив ему ситуацию, велел связаться с

МЧС, с местной администраций. Всех, кто есть, кто обеспечен технически, всех на берег, пока детей еще можно спасти.

Бросившись наверх, Гуров обомлел. Вода прибывала слишком быстро. Дети уже плавали на поверхности, придерживаясь руками за какие-то железки, торчавшие из стен. Сыщик начал успокаивать их, обещал, что вот уже едут спасатели, они в два счета откроют дверь и извлекут ребят. Они уже пытаются даже перекрыть воду, которая случайно прорвалась сюда.

Гуров хорошо видел, что сбоку по тропинке побежала вода. Это через железную дверь стала прорываться вода, которой в подвале скопилось слишком много. Дети больше не просили, не кричали. Они держались руками за решетку и молча смотрели ему в глаза. Более беспомощным и жалким Гуров себя еще никогда не чувствовал. Да, были случаи в его жизни, когда он не мог помочь умирающему, попавшему в беду человеку, но здесь не взрослые люди, здесь дети, которые не только понимать смерть, думать о ней не должны. А они смотрят ему в глаза и молчат.

— Дяденька, мы умрем? — вдруг спросила девочка.

— Замолчи! — прикрикнул на нее паренек, пытаясь справиться с судорогой, сводившей его рот от холода или от страха. — Тебе сказали, что уже едут.

— Дяденька, я не хочу умирать! — пискнула девочка. — Помогите нам! Там мама, она ведь с ума сойдет. Страшно очень.

Гуров сам чувствовал, что у него сводит скулы, что он не в состоянии выдавить из себя ни одного слова. А ведь надо ободрять, надо шутить, успокаивать, рассказывать веселые истории из своей жизни. Надо, чтобы они до конца верили в спасение, до последней секунды. А потом... Потом он увидит, что вода заливает лица, скроет их глаза, останутся только детские пальчики, вцепившиеся в прутья решетки. Побелевшие детские пальцы... А потом и они разожмутся...

Спасатели приедут, конечно, и местные власти приедут. Но что они увидят? Постаревшего сыщика и решетку, через которую вытекает вода. А на дне два детских тельца: мальчика и девочки.

И тут раздался звук тракторного мотора. Гуров не просто повернул голову, он вскочил на ноги. Из-за крайних домов выворачивал большой «Кировец», источавший в небо клубы черно-серого дыма. На подножке красовалась фигура Сашки Артемьева, который активно махал рукой и что-то кричал трактористу в кабину.

Огромные колеса, разбрызгивая грязь, развернули большую машину, а Артемьев спрыгнул прямо в воду, вытекавшую через дверь, и взобрался наверх к Гурову:

— Что тут? Ого!

— Трос надо, Сашка! — выдохнул ему в лицо Лев. — С дверью поздно валандаться. Надо вырвать ее, к чертовой матери!

— Точно! — кивнул Артемьев. — Я сейчас!

Он спрыгнул на траву, подбежал к водителю, который свесился из кабины и смотрел назад, что-то стал показывать и объяснять. Водитель кивнул и резко сдал трактор назад, почти упершись задними колесами в бетон. Потом газанул, и машина, задрав мощный зад и вырывая дерн колесами, полезла по склону наверх В паре метров от бетонной плиты трактор остановился. Тракторист вместе с Артемьевым размотали трос. Зацепив его за решетку, вставили в петлю стальной прут. Потом тракторист велел всем отойти и полез в кабину. Гуров с Сашей попятились на другой конец плиты. Трактор взревел, выпустил клуб дыма, дернулись колеса, и он пополз по покатой дамбе. Трос мгновенно напрягся, и трактор замер. Потом тракторист что-то сделал, и машина снова дернулась, наверное, он переключился на пониженную передачу. Трос натянулся так, что напряжение ощущалось буквально физически. Колеса «Кировца» стали медленно проворачиваться, выдирая траву и зарываясь в землю. Гуров закрыл глаза и отвернулся.

Резкий удар и звон металла заставили его снова повернуться на звук. Он увидел,что трактор боком стал сползать по склону вниз, а за ним на конце троса волочиться вырванная из бетона решетка.. Они с Артемьевым бросились к дыре в бетонной плите и стали за руки вытаскивать сначала девчонку, потом дрожавшего от холода паренька.

— Ну, все, Режиссер, — процедил Гуров сквозь зубы, чувствуя, что кулаки у него непроизвольно сжимаются. Девочка даже пискнула от боли, когда он сильно сжал ее руку. — Конец тебе, Режиссер! Тут ты перегнул палку.

— Вы о чем, Лев Иванович? — Артемьев удивленно посмотрел на полковника.


Спасатели приехали через пять минут, когда детей уже отогревали горячим чаем и вареньем в доме Ларисы. Гуров, как мог, успокаивал и врал, что Вадик не виноват в том, что произошло, что он, наоборот, проявил героизм и сам чуть не пострадал, спасая девочку. Сейчас работники МЧС и местный участковый разбирались, откуда поступала вода и как была устроена эта дьявольская ловушка. Гуров хорошо знал, кто напугал детей и заставил их искать укрытое место. Значит, Горобец был здесь какое-то время, он подбирал жертву, и ему попались дети.

Телефон зазвонил в самый удачный момент, когда доводы в пользу Вадика у Гурова кончились и он никак не мог объяснить, зачем мальчику и девочке вообще понадобилось идти на берег и лезть в этот чертов подвал. Версия насчет романтики был встречена родственниками прохладно.

— Да, слушаю!

— Гарика Аспаряна нашли, — раздался в трубке голос Крячко. — Два ножевых точно в сердце. Лежал в кузове самосвала, который ремонтировался два дня, поэтому не сразу обнаружили. Так что помощника он все же убрал.

— Пусть эксперты работают, — ответил Гуров. — Данных пока, как я понял, никаких нет? Ты из-за этого звонишь?

— Лева, тут такое дело. Я подумал, что стоило проверить камеры видеонаблюдения на соседних домах и возле аптеки. Ну, там есть еще пара мест, откуда камера могла захватить участок перед твоим подъездом. Все-таки личности помощников Режиссера нам тоже важны. Кто-то же пригнал к твоему подъезду машину с женским телом.

— Ну? — коротко спросил Гуров, чувствуя, что Крячко звонил не просто так.

— Мне попалась запись, сделанная в тот день, когда я забирал от подъезда Марию и отвозил ее в санаторий.

— Да говори же, черт тебя возьми!

— В кадре хорошо видно, что следом за мной от дома отъехала машина. Это белая «Нива» с номером «е 201 ро 197 RUS». Он знает, где Маша.

— Та-ак, — протянул Гуров. — И все это время знал! Сегодня я нарушил его приказ и сообщил в полицию, в МЧС, куда только ни сообщил, спасая детей, и теперь он мне может объявить новое наказание, и никому не известно, что придумает его извращенный ум.

— Не волнуйся, Лева, я уже позвонил Ярославу и предупредил об опасности.

— Он там один! Что он может, он даже не подозревает, с кем имеет дело, Станислав! Он думает, что это обычный преступник, а это порождение самого черного преступного мира!

— Ну-ну, не впадай в мистику, — засмеялся Крячко искусственным смехом. — Там охрана...

— Стас, быстро в санаторий, я выезжаю немедленно. И прозвони еще раз Ярославу, предупреди об особой опасности преступника, который, возможно, захочет убить его подопечную.

Сашка Артемьев гнал машину с включенной сиреной и проблесковыми маячками. Только теперь Гуров оценил мастерство водителя, с которым ему часто приходилось выезжать по служебным делам. Напряженный взгляд Артемьева ни на секунду не отрывался от полотна дороги. Он даже не смотрел в зеркало заднего вида, потому что ни одна машина не пыталась соревноваться с ним в скорости и не пыталась догнать. Он смотрел только вперед, руки уверенно держали руль, делая короткие неуловимые движения, и машина послушно обходила одно препятствие за другим. Дважды они проскакивали на красный свет, не сбавляя скорости, и снова Гуров с восхищением оценивал Сашкино мастерство.

Лев очень боялся, что они приедут в «Архангельское», когда стемнеет, но солнце было еще высоко, когда машина подлетела к воротам санатория. Сашка выключил мигалку и сирену.

— Не к воротам, — схватил его за руку Гуров. — Вон туда за деревья, чтобы наши номера в глаза не бросались. И не отходи от машины. Ты можешь понадобиться мне в любой момент. Не исключено, что придется преследовать.

— Понял, Лев Иванович!

Гуров побежал к будке охраны у ворот. Показав сотруднику ЧОПа удостоверение, потребовал начальника смены охраны. Молодой крепкий парень с серьезными глазами встретил Гурова уже возле административного корпуса.

— Сколько у вас человек в распоряжении?

— Что случилось? Я могу вызвать дополнительно...

— Нет, не успеете. Полиции нужна ваша помощь. Одну из пациенток санатория могут попытаться убить. Объявите своим сотрудникам о возможном преступлении и размножьте и раздайте вот это фото.

— Хорошо, задержим.

— Ни в коем случае! Он очень опасен, очень. Только наблюдение, только не выпускать из поля зрения и срочно звать полицию. Под наблюдение всю территорию, всех своих сотрудников, даже тех, кто отдыхает. Всех на территорию.

Ярослав не отвечал. Гуров набирал его номер снова и снова, но капитан просто не брал трубку. Тогда Лев побежал к корпусу, в котором жила Мария. Судя по времени, у них сейчас подготовка к ужину, значит, она у себя в номере. Он набрал номер жены.

— Да? — Обрадованный голос Марии немного успокоил. — Полковник бездельничает? У полковника появилось время позвонить жене еще засветло?

— Полковник откровенно шалберничает, моя хорошая, — засмеялся Гуров. — Он вообще приехал к тебе погостить в санаторий. Ты где сейчас?

— Я иду к себе в номер. Поднимайся. Через полчаса ужин. Ты поужинаешь со мной?

— Конечно, Машенька! Я дико голоден.

— Опять без обеда?

В коридорах корпуса было тихо и пустынно. В такую погоду никому не хотелось в духоту здания. Многие прогуливались перед ужином по парку, кто-то сидел на лавочках. Гуров взлетел по лестнице на третий этаж, бросил взгляд направо, налево и, стараясь не издавать шума, быстро пошел к номеру Марии. Еще пара дверей и...

Вдруг из номера напротив раздался какой-то шум, похожий на звук падения человеческого тела. Это был номер Ярослава. Гуров выхватил пистолет и приложил ухо к двери. Шаги, быстрые и торопливые. Кто-то чертыхнулся и откашлялся. Совсем негромко, но это не был голос Ярослава. Приподняв руку с оружием, сыщик отступил чуть влево и прижался спиной к стене возле двери. Когда дверь приоткрылась, он отвел руку еще дальше, и вот в коридор осторожно высунулась темноволосая голова. Всего на миг глаза Гурова встретились с глазами Горобца. Он узнал его сразу. Узнал, и пистолет в ту же секунду врезался уголовнику точно в лоб.

Крячко прибежал через минуту, сунулся в комнату Марии, потом в комнату напротив, в которой жил Ярослав. Забежав, он остановился, шумно выдохнул и облокотился спиной о дверной косяк:

— Ну, вы даете, ребята! Готовились, продумывали все, и на тебе!

Ярослав, сидя в кресле, прикладывал к голове мокрое полотенце. Гуров сидел на диване и барабанил пальцами по подлокотнику. На полу у его ног лежал мужчина в наручниках, сцепивших его руки за спиной. Он ворочался, стонал и тихо ругался. Крячко сразу обратил внимание на его некрасивый, какой-то костистый нос. На лбу у него красовался здоровенный живописный кровоподтек.

— Горобец, ядреный корень! — усмехнулся Станислав, отлепившись наконец от косяка и опустившись перед уголовником на корточки. — Что-то ты заигрался у нас. Тебе никто на зоне не говорил, что с полковником Гуровым палку перегибать нельзя? Ты только что пытался покуситься на святое.

У Гурова в кармане зазвонил телефон, и он быстро вытащил трубку:

— Я? Да, я здесь, Машенька. А ты уже у себя в номере? Бегу! Я просто зашел тут к Ярославу, узнать, как обстановка, как вообще дела.

Прижав палец к губам, Лев вышел в коридор, плотно прикрыв за собой дверь.

Маша стояла в дверях своего номера с полотенцем на плече. Приятный загар ее открытых плеч хорошо гармонировал с бежевым сарафаном. Она смотрела на мужа с улыбкой и легким укором.

— Сначала, значит, к Ярославу? — ехидно спросила Маша. — За информацией о поведении супруги?

— Ну что ты! — Гуров подошел и обнял жену. — Глупости какие тебе в голову лезут! Ты даже не представляешь, с чем я к тебе приехал.

— И с чем? — Маша отстранилась и посмотрела мужу в глаза своим лучистым взглядом.

— Мы едем домой.

— Как? Домой? Правда? Вы его поймали? — обрадовалась Маша и сразу засуетилась.

— А к Ярославу я зашел поблагодарить его и сказать, что завтра он может возвращаться на службу к себе в МУР.

— Я тоже хочу его поблагодарить, — сделала Мария шаг к двери напротив.

— Потом, Машенька, — оттеснил жену от двери Лев и увлек в своей номер. — Ярослав уже ушел.

— Как ушел? — опешила Мария. — Ты же только что от него вышел! Он через окно, что ли, ушел?

Гуров приехал в следственный изолятор, когда следователь уже закончил предварительный допрос Горобца. Пока только установление личности, обстоятельства смерти Геннадия Фролова, чье тело оказалось в могиле под табличкой самого Горобца. Настоящие допросы начнутся позже, когда будут подобраны, задокументированы все факты и проведутся все экспертизы. А пока Горобец арестован и пока следователь присматривается к нему и выстраивает тактику работы с ним.

Когда Лев вошел в комнату для допросов, Горобец повернул к нему голову со здоровенным синяком на весь лоб, заклеенным пластырем, и криво усмехнулся.

— Мне оставить вас? — спросил сержант, стоявший за спиной арестованного.

— Нет, я ненадолго, — разглядывая Режиссера, сказал Гуров и достал из кармана ксерокопии каких-то документов.

— Что, Гуров, мстить пришел? — хрипло спросил Горобец. — Ну-ну, можешь еще успеть. Жалко, я не успел.

— Зачем? — спросил сыщик, садясь за стол перед арестованным. — Ты мне скажи одно, зачем ты все это затеял? Ты что, больной на всю голову? Западных фильмов насмотрелся?

— Правильно ты сказал, — усмехнулся, показывая некрасивые темные зубы, Горобец. — Я больной. Меня из зоны списали умирать от рака на воле. Мне жить осталось всего ничего, вот я и решил напоследок, не особенно скрываясь, отомстить тебе, наказать тебя, Гуров. Наказать и исчезнуть в могиле. Не учел, — горько покрутил он головой, — не учел, что ты таким умным окажешься. Хотелось мне, чтобы ты до конца дней своих ментовских терзался из-за этого твоего архитектора или детишек, которых ты не смог спасти. А ты смог! А мне-то все равно уже умирать, ты меня не достанешь, полковник. Следствие не закончится, как я копыта откину. Врачи верно сказали. Чувствую!

— Дурак ты, Сергей Павлович Горобец, — зло проговорил Гуров, щуря глаза и с трудом сдерживая эмоции. — За все тобой содеянное, за все циничные преступления, за смерть

Фролова, Аспаряна, за покушение на убийство и учитывая особую опасность твою для общества, получишь ты пожизненное заключение, это как пить дать.

— Жить мне осталось... — начал было Горобец, но Лев перебил его, швырнув ему на колени листки бумаги, которые рассыпались по полу.

— Ошибка вышла в колонии, не у тебя был рак, карточки перепутали. У тебя, упыря, всего лишь туберкулез, который вполне сейчас лечится. Посмотри, это результаты твоего обследования. И знаешь, что тебя ждет, Режиссер? Не знаешь! Теперь вся твоя оставшаяся долгая жизнь превратится в один сплошной квест под названием «Тюрьма». Ты можешь себе представить, что тебя заведут в камеру, из которой ты уже никогда не выйдешь? Можешь? Скоро представишь. Добро пожаловать в квест, Режиссер недоделанный! — И, махнув сержанту рукой, он покинул допросную комнату.

Через десять минут Гуров вышел на улицу за стены следственного изолятора и посмотрел на солнце. Как все же хорошо, когда вот так тихо, тепло и спокойно! И когда Маша дома!..

# Содержание

Литературно-художественное издание

ЧЕРНАЯ КОШКА

**Леонов Николай Иванович**
**Макеев Алексей Викторович**

**МЯТЕЖНЫЙ ДАЛЬНОБОЙЩИК**

Ответственный редактор *Н. Прокофьев*
Художественный редактор *В. Щербаков*
Технический редактор *И. Гришина*
Компьютерная верстка *М. Маврина*
Корректор *Е. Родишевская*

ООО «Издательство «Э»
123308, Москва, ул. Зорге, д. 1. Тел. 8 (495) 411-66-86; 8 (495) 956-39-21.
Өндіруші: «Э» АҚБ Баспасы, 123308, Мәскеу, Ресей, Зорге көшесі, 1 үй.
Тел. 8 (495) 411-68-86; 8 (495) 956-39-21.
Тауар белгісі: «Э»
Қазақстан Республикасында дистрибьютор және өнім бойынша арыз-талаптарды қабылдаушының
өкілі «РДЦ-Алматы» ЖШС, Алматы қ., Домбровский көш., 3«а», литер Б, офис 1.
Тел.: 8 (727) 251-59-89/90/91/92, факс: 8 (727) 251 58 12 вн. 107.
Өнімнің жарамдылық мерзімі шектелмеген.
Сертификация туралы ақпарат сайтта Өндіруші «Э»

Сведения о подтверждении соответствия издания согласно законодательству РФ
о техническом регулировании можно получить на сайте Издательства «Э»

Өндірген мемлекет: Ресей
Сертификация қарастырылмаған

Подписано в печать 29.11.2016. Формат 60x90 $^1/_{16}$.
Гарнитура «Ньютон». Печать офсетная. Усл. печ. л. 24,0.
Тираж 3500 экз. Заказ 9380.

Отпечатано с готовых файлов заказчика
в АО «Первая Образцовая типография»,
филиал «УЛЬЯНОВСКИЙ ДОМ ПЕЧАТИ»
432980, г. Ульяновск, ул. Гончарова, 14

ISBN 978-5-699-93902-2

16+